Любовь и тайна

Читайте о магии, любви,
верности и чести в цикле романов
Елены Арсеньевой
«Советский колдун»

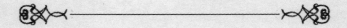

Елена Арсеньева

Темное пламя любви

Москва
2020

УДК 821.161.1-31
ББК 84(2Рос=Рус)6-44
А85

Художественное оформление
Елены Анисиной

Арсеньева, Елена Арсеньевна.

А85   Темное пламя любви / Елена Арсеньева. — Москва : Эксмо, 2020. — 320 с.

ISBN 978-5-04-106786-1

Что заставило мужа стрелять в Ольгу Васнецову? Они любили друг друга и были счастливы, но вдруг... И вот теперь родители мужа проклинают ее, выжившую, и не пускают к нему, лежащему в коме... Как спасти любимого? Ради этого Ольга согласна даже принадлежать другому мужчине — но не демон ли нашептывает ей подобное решение? Жуткий колокольный мертвец, Коровья Смерть — отголоски кошмаров былого, терзают ее душу, при странных обстоятельствах гибнут люди вокруг. Должна ли Ольга принести себя в жертву, верить ли шаману, к которому ведет ее неожиданный союзник, эвенкийский красавец Гантимур?

УДК 821.161.1-31
ББК 84(2Рос=Рус)6-44

ISBN 978-5-04-106786-1

> Человек есть душа, пользующаяся
> телом как орудием.
>
> *Прокл Диадох*

Я

— *страж высоты. Спасаю
тех, кого хочет сбросить вниз нечистая сила злая. Их называют чертями, демонами, бесами... Слова разные, а суть
у них одна.*

Один из таких нечистиков — колокольный мертвец.

*Обычно люди поднимаются на колокольни по ночам,
чтобы бить в набат. О бедах возглашают ночные колокола: о внезапных пожарах, о приближении чумы, Коровьей
Смерти или еще какой хворости. Однако иной раз просто
померещится что-то человеку — он и потащится наверх
поглядеть, что это там.*

*Ну а колокольный-то мертвец, сила злая, его там
и ждет-поджидает!*

*Это дух самоубийцы, тела которого не принимает зем-
ля. Нечистый, прислужник дьявола! По ночам он, в белом
колпаке, сидит в углу на верхнем ярусе колокольни. Лишь
только взберется после полуночи туда человек, нечисть
начнет ему свой колпак навязывать: надень да надень!*

*Наденешь — тут тебя колокольный мертвец вниз
и сверзит. Конец тебе!*

По большей части те, кто с колокольным мертвецом встретился, колпака не брали, а от страха прыгали с колокольни на землю. Нечисти только того и надобно: не сбросить человека вниз, а столь сильно его напугать, чтобы он сам с высоты кинулся, зная, конечно, что расшибется насмерть. То есть в смерти его колокольный мертвец как бы неповинен: человек сам себя убил. Однако каждый самоубивец совершает страшный грех, и душа его теперь не божья угодница, а дьяволова добыча. По дьяволову наущению грешная душа будет стараться и другую душу погубить. Чтобы в аду больше мучеников собралось!

Но если имя Господа человек выкрикнет, прежде чем роковой шаг совершит, то жив останется! А душа его спасется, если ее кто-нибудь отмолит или если ей изначально была суждена жизнь в ином образе, в ином теле, в иной судьбе – не для погубления, а для спасения несчастных!

Как это было суждено мне.

«Суждено» – вот слово, кое все определяет. Я ведь не по своей воле действую. Судьба моя такая! Кто мне ее предрек? Неведомо. Меня в стражи высоты определили, не спросив, а спорить бесполезно!

Я и не спорю.

О прошлом, о прежней жизни я почти не вспоминаю. Пребывание мое в сущности стража настолько долгое, что я и счет ему потеряла, и разные случаи спасения несчастных людей и их душ перемешались все в моей памяти.

Я стараюсь не думать о том, сколько еще пробуду стражем.

Вечность, наверное.

Ох и страшное это слово!..

Темное пламя любви

У входа в корпус, где располагалась нейрохирургия областного медицинского центра, Ольга чуть не столкнулась с Владимиром Николаевичем, своим свекром. В последний раз они виделись месяц назад, когда Ольга выписалась из больницы, даже начала работать и набралась, наконец, храбрости прийти проведать Игоря. Но ей не повезло — у мужа в палате сидели его родители. Ольга тогда сразу ушла, даже не подойдя к кровати, на которой лежал Игорь: Валентина Петровна, ее свекровь, при виде снохи упала в обморок, а Владимир Николаевич только резко, глубоко выдохнул и страшно покраснел, увидев Ольгину голову, обритую перед операцией, но уже начавшую слегка покрываться короткими мягкими кудряшками.

— Ну чисто ярочка! — ласково говорила мать Надюшки, Ольгиной лучшей подруги.

Ярочка — это маленькая овечка. У ярочек и в самом деле мягонький, кудрявенький мех. Надюшкина мама, пришедшая навестить Ольгу в больнице, уверяла, что такая прическа (если это можно назвать прической!) ей очень идет.

Ольга так не считала. Эти кудряшки слишком напоминали о детдоме. У нее сохранилось несколько фотографий их группы, и одна относилась к тому времени, когда трехлетняя Оля Васнецова только-только попала в детдом: ее, видимо в гигиенических целях, недавно обрили, и теперь она понемножку обрастала каким-то мелкотравчатым каракулем.

Ольга смутно помнила, что потом ее несколько раз хотели снова побрить: видимо, с гигиеной по-прежнему что-то не ладилось, однако она не давалась, верещала, рыдала и кричала, что хочет отрастить косу, потому что так мама просила. От сироты отстали; коса выросла — холеная, взлелеянная (расти, коса, до пояса, не вырони ни волоса!); однако на сей раз Ольгу постригли и обрили, не спрашивая при этом ее разрешения: она лежала без сознания, с тяжелым сотрясением мозга. Теперь волосы отрастали так медленно, что появления новой косы предстояло ждать до глубокой старости. К тому же, отрастая и переставая виться, бывшие кудри нелепо торчали в разные стороны, так что Ольга всерьез подумывала о том, чтобы снова сделать стрижку «под ярочку». Хотя бы вид аккуратный. Да и ни о каких завивках и укладках думать не надо. Нет худа без добра, что называется!

Судя по скорбному выражению, которое мигом приобрело лицо свекра при встрече с Ольгой, ему эти отросшие волосы тоже не нравились. Впрочем, поводов скорбеть при виде Ольги у Владимира Николаевича было предостаточно — и куда более весомых, чем ее неопрятная прическа!

Итак, свекор и сноха нервно поздоровались и замерли на крыльце нейрохирургии, не говоря ни слова и только исподтишка поглядывая друг на друга. Ольга заметила, что Владимир Николаевич постарел, здорово постарел... Ну да, наверное, постареешь, если единственный сын уже который месяц в коме и неизвестно, выйдет ли из нее когда-нибудь.

— Ты к Игорю? — спросил Владимир Николаевич, как будто появление Ольги в отделении нейрохирургии областного медицинского центра могло иметь еще какие-то объяснения.

Конечно, она на «Скорой» работает, однако в мед-центр по «Скорой» больных не доставляют. В Центральную многопрофильную больницу — да, доставляют: именно туда и направили Ольгу Васнецову и ее мужа в тот роковой зимний день. Потом, правда, родители со всеми мыслимыми и немыслимыми предосторожностями перевезли Игоря в областной медицинский центр — на другой конец города.

Якобы там врачи лучше и условия в отдельных палатах идеальные.

— Да, к Игорю, — кивнула Ольга. — Как он?..

— Долго же ты собиралась, чтобы прийти это узнать! — хмуро проворчал Владимир Николаевич, но тут же его лицо смягчилось и голос смягчился: — Извини, Олечка, извини. Я знаю, что ты звонила в справочную каждый день, спрашивала, как Игорь, но лучше тебе сейчас в палату не ходить. Там Валя, а ты же понимаешь...

Ольга понимала. Валентина Петровна не сомневалась, что именно сноха виновата в случившемся. И в медцентр Игоря перевезли не только из-за врачей и условий! Подальше от Ольги, которая лежала в том же отделении Центральной больницы, его перевезли. Валентина Петровна была уверена: Ольга не успокоится, пока Игоря не прикончит! Ведь именно она, по мнению свекрови, довела мужа до того, что у него «нервы не выдержали, психика надломилась, и он так *сорвался*».

Да уж, *сорвался* Игорь, ничего не скажешь! Не дай бог никому!..

Впрочем, Ольга с первой минуты встречи, а может быть, даже и раньше, еще когда Игорь только обмолвился дома о том, что у него появилась девушка, не нравилась Валентине Петровне. Та была решительно против скоропалительного брака единственного и любимого сына с «какой-то рванью детдомовской, нищебродкой со "Скорой"», потом с трудом сдалась все-таки, но, когда Ольга отказалась поменять фамилию, скрытая неприязнь Валентины Петровны перешла в открытую и даже демонстративную.

Странно, что Игорь и его отец достаточно спокойно и с пониманием отнеслись к тому, что Ольга не захотела из Васнецовой стать Шмелевой. Не потому, что у мужа была фамилия самая обычная, а у нее — звучная и знаменитая! Просто Ольге хотелось сохранить хоть какую-то связь с родителями, которых она никогда не видела и даже фотографий которых у нее не сохранилось: затерялись при переездах из одного детдома в другой.

Да, выросла она в детдомах, но всегда надеялась, что у папы или мамы, погибших при давней авиакатастрофе, все же остались какие-нибудь родственники, которые Олечку (потом Олю, потом Ольгу!) ищут и найдут. По фамилии найдут!

А еще более пылкой была вера в то, что папа и мама — или хотя бы кто-то один из них! — неведомым образом выжили. Их просто отбросило взрывом так далеко от места аварии, что спасательная группа их не нашла, они очнулись, потеряв память, потом долго блуждали по лесам и нашли приют у каких-нибудь отшельников вроде Агафьи Лыковой... хотя где Западные Саяны, в которых обитает знаменитая отшельница, — и где заволжские леса, в которых разбился санитарный вертолет с родителями Ольги: хирургом Василием Васнецовым и его женой-анестезиологом...

Все дети верят в чудеса! Однако не дождалась Ольга возвращения родителей или хотя бы появления родственников и, видимо, уже не дождется, хотя вера в чудеса в ней так и не умерла. Например, то, что она осталась жива, когда выбросилась из окна, спасаясь от Игоря, можно назвать истинным чудом. А его голову задела пуля, направленная в жену, но отскочившая рикошетом от стены. Ольга была ранена еще и в левую руку, в предплечье, — и только получив эту рану, она поверила, что ее горячо любимый муж внезапно решил убить свою горячо любимую жену. Это был приступ безумия, только так и можно объяснить случившееся, но что приступ спровоцировало — этому Ольга по-прежнему не могла найти причин, как ни искала!

Их просто не было. Не было!

Она любила Игоря — любила до сих пор, несмотря на то, что едва не погибла из-за него, любила с каким-то упорством отчаяния, и хотя днем страшная реальность заставляла поверить в безвозвратность случившегося, по ночам, во сне, нежность к нему, эта привычная нежность, эта сладостная дрожь сердца, дитя любви с первого взгляда, владела Ольгой настолько всевластно, что она часто просыпалась со слезами на глазах или даже в горьких рыданиях, потому что, еще толком не проснувшись, начинала осознавать, что сон с его восторгом безоглядной любви — это мимолетное видение, которое мелькнуло — и исчезнет, а явь с ее мучительной болью и тоской — это явь, она непреходяща, и как-то избывать день, с утра до вечера, придется именно в яви, а не во сне.

Многое в ее жизни, связанное с Игорем, было связано также со словом «первый»: первая любовь с первого взгляда, первый мужчина, первый брак, первая беременность и первая потеря ребенка, о существовании которого она даже не успела узнать до того страшного случая (о выкидыше на самом раннем сроке ей сообщили врачи, когда вывели ее, наконец, из комы). Также первый раз в жизни в нее стреляли из пистолета, который она нашла — первый раз в жизни! — на чердачной лестнице в подъезде.

— ...когда-нибудь еще?

Что? Ах, это Владимир Николаевич что-то говорит... понятно, предлагает Ольге навестить Игоря в другой раз.

— Почему? — тупо спросила она, хотя это был глупый вопрос. Все ведь понятно на самом-то деле! И ей понятно, а уж свекру — тем более.

— У Валентины Петровны нервы совершенно расшатаны, — отвел глаза Владимир Николаевич. — Я держусь, меня работа заставляет держаться, а она занята только Игорем. Кошмарное зрелище, знаешь... сидит, смотрит на него не отрываясь, а сама молитвы бормочет.

— О чем же она молится, интересно знать? — не смогла удержаться от злого вопроса Ольга, и свекор вытаращился на нее укоризненно:

— Как о чем?! О выздоровлении сына, понятное дело!

«Мне иногда кажется, будто матери хочется, чтобы я попал в какую-то ужасную аварию, — с тоской бросил однажды Игорь после очередного скандала, которые с необычайной ловкостью умела устраивать на ровном месте Валентина Петровна. — Чтобы она сидела надо мной ночи напролет, над беспомощным, безмолвным... чтобы я принадлежал только ей, только ей!» — «И чтобы меня не было в радиусе ближайшей тысячи километров!» — буркнула в ответ Ольга, а Игорь уныло покачал головой: «Нет, желательно в радиусе ближайшего миллиона километров!»

Сейчас Ольга промолчала, ничего не сказала об этом свекру. Пожалела его.

Ну да, всех жалко. Всех. Но больше всего — себя. И почему-то страшно, страшно за себя, как будто тем полетом из окна беды не кончились, случится еще что-то страшное, и та неведомая рука, что направила Ольгин смертельный полет в спасительный сугроб, который нынче утром нагребли снегоочистители (ведь при падении с пятого этажа она не переломала руки-ноги, не повредила позвоночник, а только голову ушибла!), больше никогда не поможет, не вернет к жизни!

— Хорошо, — с трудом выговорила Ольга. — Я приду в другой раз. Только скажите, когда именно, чтобы точно не столкнуться с Валентиной Петровной.

— Давай так, — предложил свекор задумчиво, — я попытаюсь отправить ее домой переночевать: уговорю хоть одну ночь поспать нормально, она ведь тут денно и нощно, а тебе сразу позвоню. Ты и приедешь быстренько.

— Кто ж меня ночью пустит в палату для коматозников? — невесело усмехнулась Ольга.

— А ты возьми с собой паспорт и свидетельство о браке, законную жену-то они не могут не пустить, — подсказал Владимир Николаевич. — Но, наверное, за разрешением обратиться надо днем, а не ночью!

Это он так пошутить попытался, и даже сам улыбнулся своей шутке, но вдруг побледнел, глянул затравленно:

— Или ты... или ты уже развелась с Игорем? Конечно, имеешь на это право. Это не слишком порядочно, однако же ты...

Злость такая подкатила к горлу, что Ольга почувствовала — ее сейчас вырвет. Вырвет горькой желчью прямо на этого добродушного и несчастного дядьку, затурканного чрезмерно властной женой, пригнутого к земле катастрофой, случившейся с единственным сыном, огорченного внезапной встречей со снохой, которая то ли жертва преступления, то ли его виновница — никто этого не знает, небось даже она сама!

Ольга несколько раз трудно сглотнула, вкус желчи как-то смягчился, однако горло по-прежнему жгло.

— Однако же я — что? Не имею представления о порядочности? — наконец смогла выговорить она. — Где уж нам уж, рвани детдомовской, нищебродам со «Скорой»! Но ведь вы сами мне не даете порядочность проявлять — к Игорю не подпускаете! Это во-первых. Если я бы решила развестись, вас бы об этом известили официально. Это во-вторых. А в-третьих, мне мысль о разводе даже в голову не приходила, понятно? Впрочем, можете думать обо мне что хотите. Просто я ведь знаю, что вы с Валентиной Петровной и злитесь, что я Игоря не навещаю, и радуетесь, что я этого не делаю. В равных дозах, правда же?

— Ну почему ты так думаешь?.. — фальшиво забормотал Владимир Николаевич, но Ольга уже не слушала: махнула рукой и пошла прочь.

Все вокруг расплывалось, и она не сразу поняла, что плачет.

Ну надо же... Заплакала все-таки! А уж думала, что вместе с треснувшей головой и разбившимся сердцем треснула и разбилась та железа, которая вырабатывает у человека слезы. Это ведь впервые заплакала Ольга с той минуты, когда Игорь прострелил ей руку. Тогда залилась слезами от боли, страха — и оттого, что совершенно ясно поняла: ей надо выброситься в окно, только чтобы не видеть, как любимый, любимый, бесконечно любимый человек убьет ее своими руками.

— Господи! — отчаянно крикнула она, понимая, что вот сейчас погибнет, и ударилась всем телом в стекло. Она еще помнила, как начался ее полет вниз... потом сознание померкло.

* * *

...Лифта в хрущобе, где они снимали квартиру, не было. В тот роковой день Ольга привычно поднималась пешком на свой пятый этаж, когда на площадке четвертого ее сильно толкнул бегущий вниз мелкорослый невзрачный мужичонка в замызганном куцем пальтеце, похожий на мышонка, зачем-то нахлобучившего белую каскетку с каким-то черным рисунком. Каскетка была самым запоминающимся пятном в его невыразительной, серой внешности, потому что на дворе стояла зима; тут ушанку надо надевать, а не каскетку! А, ну да, еще весьма запоминающимся и впечатляющим был запах перегара, который источало, казалось, все это невзрачное существо: и дыхание его, и даже одежда.

Ольга с трудом удержалась на ногах, схватившись за перила, и сердито крикнула:

— Поосторожней можно?!

Ответа она, понятное дело, не была удостоена и продолжила подниматься, обеспокоенно размышляя о том, почему этот мелкий человечишка — ну вот натурально мелкий бес! — летел вниз так поспешно. Может быть, ограбил какую-нибудь квартиру и улепетывал с награбленным? Хотя нет, в руках у него вроде бы ничего не было. Вот разве что по карманам краденое рассовал?

Ольга задумчиво посмотрела вслед «мелкому бесу». Странно, откуда взялось ощущение, что она его где-то раньше видела? Эта дурацкая каскетка...

Почему-то каскетка нарисовалась в ее воображении валяющейся на грязном-прегрязном, затоптанном полу рядом с распростертым тощим телом, татуированным не только с ног до головы, но и в тех местах, которые обычно хоть фиговым листком, да прикрыты. На каскетке был нарисован череп, и на груди человека был наколот череп, и Илья Иваныч, старый фельдшер, с которым Ольга тогда работала (он недавно на пенсию ушел, к сожалению, а ведь таких фельдшеров поискать!), пробурчал: «Если Скалолазка будет так пить, как пьет, эта самая картинка нарисуется на его собственной черепушке!»

Точно, это Скалолазка!

Его знали на районной подстанции «Скорой помощи» все. Ну да, Скалолазка — это не женщина, а мужик. Точнее, бывший. Некое подобие мужчины — бомж из бомжей, обитатель — в компании с такими же, как он сам, алкашами, а также крысами и тараканами, бомжатника из бомжатников: дверной проем грязным одеялом завешен — пропили дверь, окна заколочены фанерками — стекла выбили в пьяном угаре... Прозвище свое Скалолазка заслужил тем, что в припадке белой горячки выскакивал во двор и пытался взобраться на стены дома, вопя или хрипя — в зависимости от густоты шкурки овладевшей им «белочки» — известную песню Высоцкого: «Ох, какая же ты близкая и ласковая, альпинистка моя, скалолазка моя!»

Ольга вспомнила, как однажды откачивала этого Скалолазку: галлюцинации у него были сильнейшие, то бился и кричал, то звал кого-то, то лежал недвижим... тогда его врачи вытащили буквально с того света, но остались в уверенности, что он надолго не заживется.

Ан нет, смотрите-ка, не только жив, но и вполне бодр — вон как чесанул вниз по лестнице!

Что же Скалолазка здесь делал? Неужели и впрямь обворовал кого-то?

На всякий случай Ольга внимательно осмотрела двери квартир на площадках четвертого и пятого этажей, но ничего подозрительного не углядела. Все двери были заперты, за каждой царила спокойная тишина (белый день, люди на работе) — только в квартире, соседствовавшей с той, где жили они с Игорем, громко болтали и хохотали мальчишки. Судя по обрывкам этой болтовни, за Мишкой (сыном хозяев) зашли его приятели, чтобы вместе идти играть в футбол, даром что зима на дворе. Ольга этому втихомолку порадовалась, потому что Мишка и его друзья, которые вечно у него тусовались, были публикой очень шумной, картонные стены хрущобы служили слишком слабой преградой для их буйного юного веселья, а Ольга надеялась хоть немного поспать после ночной смены.

Нет, сначала пообниматься с Игорем, у которого сегодня выходной, потом поспать, а вечером они пойдут в театр оперы и балета на «Жизель». Игорь был заядлым театралом и старательно приучал к этому (прививал культурные навыки, как выражалась свекровь) молодую жену. Ольга подумала, что приучалась бы к театру куда с большей охотой, если бы Валентина Петровна так часто не зудела на эту тему, — и в эту самую минуту увидела пистолет, который лежал на ступеньке металлической лесенки, ведущей на чердак.

Лесенка эта находилась как раз около двери их квартиры.

Ольга вскинула голову — чердачное окно заперто на тяжелую задвижку и целых два больших висячих замка: для надежности! Пистолет явно не свалился ни с чердака, ни с неба. Но откуда он взялся?

Никаким знатоком оружия Ольга, конечно, не была, однако пистолет, даже на ее неопытный взгляд, был настоящим, а не игрушечным. Все-таки муж Ольги работал в райотделе полиции, пусть в службе дознавателей, а не оперативником, однако настоящие пистолеты она все же имела возможность повидать.

Мелькнула было мысль, что Игорь вышел на площадку почистить табельное оружие, да и забыл его здесь. Впрочем, это была не просто нелепая, но и совершенно дурацкая мысль: Игорь никогда не чистил свой «макаров» на площадке, и не бросил бы он его без присмотра! К тому же это был не пистолет Игоря — во-первых, другого, так сказать, фасона: у «макарова» звездочка на рукояти, а здесь и рукоять меньше, и какое-то другое на ней клеймо — вроде бы лицо смазанное или бог его разберет что-то еще, не разобрать.

Откуда же тут взялся пистолет? Может быть, его Скалолазка подкинул?..

Глупости! А впрочем, кто его знает, алкоголика! Убил кого-нибудь, а орудие преступления спрятал в «надежном месте». Ум-то давно у него за разум зашел, все извилины спиртным залиты, небось у него именно такие представления о надежности мест.

Надо в полицию позвонить. А впрочем, у Ольги дома собственный полицейский, пусть он и решает, что делать!

Она подняла руку к звонку, но снова оглянулась на пистолет. А вдруг Игоря дома нет? Или он откроет не сразу? А в любую минуту на площадку должны вывалиться Мишка и его друзья. То, что они непременно вцепятся в оружие, было совершенно ясно — как говорится, и к гадалке не ходи! Поэтому Ольга достала из кармана куртки одноразовый бумажный платочек и осторожно прихватила им пистолет за рукоять, чтобы унести его с глаз долой.

Платочек понадобился, чтобы на рукоятке не осталось отпечатков ее пальцев. Все-таки она была женой мента, да и детективов начиталась немало. В самом деле, мало ли какие преступления «висят» на этом загадочном пистолете!

Ольга до сих пор помнила, как ей вдруг стало дурно, как заломило в висках и стиснуло сердце, какой судорогой свело руку, взявшую оружие!.. Наверное, это предчувствие ее осенило — предчувствие того, что произойдет уже через какие-то пять минут и сломает ее жизнь так же быстро, как человек может мимоходом сломать ветку! Осененную цветами и листьями, шумящую, благоухающую ветку — судьба ее сломает, и оборвет с нее все листья и цветы, и кору сдерет, и останется только голая, мгновенно засохшая от горя, покрытая трещинами деревяшка...

Ольга Васнецова останется.

В давние времена

Филя Березкин клялся-божился, что в городе появилась какая-то штука, которая называется «поезд». Рассказывал — и аж глаза пучил, так ему хотелось, чтобы Ольгушка в эту ерунду поверила:

— Положили на землю железяки длинные-предлинные, аж до самого Петербурга они дотянулись, а по тем железякам избушки бегут. Сидишь внутри, в окошки смотришь, а в окошках все мелькает, мелькает со страшной быстротой: то поля, то леса, то реки, то дома невиданные. А избушки бегут себе да бегут в дальние дали!

— Ну ты и скажешь, Филька! — хохотала Ольгушка. — Как же избушки могут бегать? Или у них у всех курьи ноги есть? Как у бабки-ёжкиной избы?

— Никаких курьих ног у них нет! Они на колеса поставлены, как телеги! — надсаживался Филя.

— Никогда не видела избушек, которые бы на колеса поставлены были! — ахала Ольгушка. — Охота посмотреть! Как думаешь, может хоть одна такая избушка в наше село завернуть?

21

— Да говорено же тебе, дурища, что они только по железякам бегают! — свысока объяснял Филя. — И не просто так бегают —людей возят. В них окошки светятся днем и ночью, а внутри люди по лавкам сидят. Впереди тех избушек бежит железный зверь рыкающий да рычащий, дымом чадящий!

— И зверь тоже по железякам бежит? — не верила Ольгушка. — А этих людей он в избушках зачем тащит? Чтобы сожрать их, что ли?

— Ох и глупа же ты, Ольгушка! — схватился за голову Филя. — Он их не собирается съесть, он их хочет в самый Петербург увезти!

— А зачем? — не унималась Ольгушка.

Филя взглянул на нее пренебрежительно, потом жалостно вздохнул над ее безнадежной тупостью и убежал.

На самом деле Ольгушка просто потешалась над Филей. Над ним все кому не лень потешались! Про эти избушки, сцепленные воедино и называемые поездом, и про дымом чадящего железного зверя по имени «паровоз» она уже слышала. Отец Каллистрат рассказывал дома.

Попадья, Ольгушкина тетка Лукерья, охала, ахала, крестилась, отмахивалась в ужасе, а Ольгушке было до того любопытно, что она как за печкой притулилась, слушая отца Каллистрата, так чуть не забыла на стол подать. Пришлось попадье на нерадивую племянницу прикрикнуть да пригрозить высечь (.у попадьи рука тяжелая, это отец Каллистрат добряк из добряков, а тетка Лукерья — ох, нравная!). Но и когда Ольгушка осторожно вынула из печи горшок с хорошо упревшей кашей, у нее перед глазами так и стояли, вернее сказать, так и бежали разноцветные избушки, называемые чудно — «вагоны», в которых можно уехать аж в самый Петербург и посмотреть там на императора с императрицей, а может быть, даже пасть к их ногам и попросить книжек в подарок. У них, чай, много книжек во дворце!

У родного Ольгушкиного батюшки (царство ему небесное, как и матушке ее родимой!) была книжка писателя Гоголя, купленная ими на ярмарке, и ничего лучше этой книжки, которая называлась «Вечера на хуторе близ Диканьки», Ольгушке читать не приходилось. Хотя, если правду сказать, других книг ей вообще не приходилось читать, тем более — про такие чудеса, которые Гоголь описывал. Это же надо придумать такое — кузнец Вакула верхом на черте летал в самый Петербург, чтобы выпросить у царицы черевички для Оксаны! А на поезде из бегающих избушек скорей вышло бы до столицы добраться или медленней, чем на черте?

Ольгушка раньше и знать не знала, что сказки-рассказки вроде тех, которыми в Курдушах бабки малолеток пугают да которыми девки на вечорках друг дружке головы морочат, можно записать да на бумаге напечатать, чтобы другие люди могли прочесть и подивиться. Ох, как же она любила эту книжку! Но когда родители ее ненаглядные в одночасье померли от черной немочи и поп с попадьей из соседнего села Берложье сироту взяли к себе в приемыши, избу Васнецовых сожгли вместе со всем добром. И книжка там же сгорела. А девочку увели в Берложье голую да босую: все с нее до последней нитки, даже крест крестильный вместе с гайтаном, в огонь бросили, и волосы ее тоже сожгли, обрив Ольгушку наголо...

Иногда ей казалось, что попадья и ее саму в огонь охотно бросила бы как ведьмину дочку да ведьмакова выкормыша, которые мало что от страшной болезни сами померли, но и всю деревню заразить могли бы. Да, на Ольгушкино счастье, отец Каллистрат вступился. Чуть ли не все Курдуши, да и Берложье заодно, против него поднялись, опасаясь, что Ольгушка может всех погубить, если в ее теле хворь поселилась, однако же отец Каллистрат был силен духом да крепок телом: он не побоялся озверелым от страха мужикам да бабам пригрозить.

— Хоть и сказано в Библии, что мужчины и женщины, кои станут вызывать мертвых или волховать, да будут преданы смерти, но Васнецовых судия вышний уже осудил, не вам тщиться ему уподобиться! — вскричал он. — Довольно того, что, подобно нецыям[1] языческим, вы отправили на небеса две несчастные души огненным путем, лишив их тела отпевания, христианского погребения и примирения с Господом! Довольно! Смертоубийства не допущу! Коли тронете девчонку, я вместе с ней в огонь брошусь, а не пустите меня, прокляну и деревню, и село навеки, церковь замкну и приход брошу. У благочинного просить буду, чтобы меня в другое место перевели, где люди не такие дурные да жестокие! Скажите спасибо, что я еще к становому не поехал, чтобы на вас донести, глупые вы разбойники! Кому угодно можете врать, будто пожар у Васнецовых сам собой

---

[1] Нецыи — суеверы (старин.).

вспыхнул, глядишь, несведущий и поверит, но если вы дочку их порешите, тогда уж точно всем скопом в острог пойдете!

Угроза подействовала. Народ от догорающего дома попятился... Ольгушка помнила: пламя, которое отражалось в злобных глазах, постепенно гасло, как гасла людская злоба... однако девочку никто приютить не захотел — ну еще бы, ведьмакова дочка, ведьмин выкормыш! И тогда отец Каллистрат заявил своей жене, Ольгушкиной тетке Лукерье, что Ольгушка теперь будет жить у них, и горе Лукерье, если с головы племянницы хоть волосок упадет.

— Какова ни была грешна твоя двоюродная сестра, а дочь ее — твоя кровь! — сурово изрек отец Каллистрат. — Подрастет — отдадим ее в монастырь, грехи родительские замаливать... да заодно и твои, — добавил он шепотом, уверенный, что никто, кроме тетки Лукерьи, его не слышит.

Но Ольгушка слышала. Конечно, она тогда не знала, о каких теткиных грехах говорит отец Каллистрат, однако же заметила, как та побледнела мелово, а потом взяла Ольгушку за руку своей дрожащей рукой и повела к себе домой. Баню для сироты истопила, обула-одела, накормила, однако ни слова доброго от тетки Ольгушка за всю жизнь так никогда не услышала.

Все ее детство прошло в тяжких мыслях о том, что вот-вот, со дня на день, отдадут ее в монастырь, и боялась она этого хуже смерти! Пусть тетка даже бивала племяшку (украдкой или когда отца Каллистрата дома не было), и попрекала куском, и не уставала родителей ее покойных чернить и хаять, однако же все-таки не в тесной келье девчонка жила, клобуком навеки покрытая! Грехи ее родителей (если были у них грехи, у светлых душ!) со временем забылись, сельчане перестали сторониться и шпынять Ольгушку. И подружки у нее завелись, и с парнями она зубоскалила и глазами играла, и березки по рощам завивала в Русальную неделю, и на Ивана Купалу с другими девками через костры прыгала, венки плела и пускала по воде, вместе со свечками (чья первая погаснет, та девица не заживется!), и на гумно на Васильев вечер, после полуночи, между вторыми и третьими петухами, бегала — спрашивать овинника-батюшку, суждено ли кому в этом году замуж идти. Девки там задирали юбки, поворачивались голым задом к подлазу, который в ямник ведет, и ждали, как овинник потрогает. Голой рукой — замужем бедно жить придется, мохнатой — богато заживешь! Ну а если никак овинник не тронет, знать, в девках сидеть весь год, если не всю жизнь.

Ольгушу овинник никогда не трогал, но Филя Березкин однажды шепнул, встретив на вечорке:

— Ты задницу в овине понапрасну не морозь: на будущий год я тебя сватать приду!

Ольгушка сначала его на смех подняла: да какой из рыжего да конопатого Фили муж, он ведь ей ростиком до плеча, ну, может, на самый вершок повыше, а потом подумала: уж лучше за Филю замуж, чем в монастырь! И стала она будущего года ждать почти с нетерпением. Фильку она, конечно, по-прежнему от себя гоняла и всяко обсмеивала, чтоб нос не задирал, но втихомолку терзалась: отдадут ли ее замуж отец Каллистрат да тетка Лукерья, откажутся ли от мысли спровадить в монастырь? То казалось, что ежели хотели бы этого всерьез, давно уж спровадили бы, то вечно нахмуренные брови теткины да ее злобное шипенье опять наводили на самые унылые мысли...

Однако никому своего будущего не изведать, не заглянуть в него. Не стоит и пытаться!

* * *

Ольга только что вышла из ворот медицинского центра, как зазвонил телефон.

— Оля, у нас вызов в парк «Швейцария», — извиняющимся тоном сообщил фельдшер ее бригады Гриша Прохоров. — Нас через полицию вызвали, главный велел не задерживаться. Там человека деревом придавило и поранило. Понимаю, у тебя семейные дела, но... извини!

— Ничего, я уже освободилась, — вздохнула Ольга, выбрасывая в урну промокший бумажный платочек. — Жду на остановке, где вы меня высаживали, развернемся и вперед. Отсюда по проспекту до парка минут десять, а то и меньше, если с сиреной побежим.

— Судя по всему, придется с сиреной, — согласился Гриша, и сразу же Ольга услышала надрывное завывание: машина уже летела по средней полосе. Егорыч (неизвестно почему, но всех водителей со «Скорой» зовут в основном по отчеству, чуть только им за сорок перевалит) никогда не боялся гнать на пределе. Его любимым тостом на междусобойчиках районной подстанции был такой: «Свободных дорог и адекватных пациентов!»

Будущее покажет, что с дорогами им в тот день повезет, а вот с адекватностью — не слишком....

У центральных ворот «Швейцарии» их ждал полицейский. Махнул, чтобы остановились, сказал, что проедет с ними, покажет, где находится пострадавший. Забрался в салон, назвал свою фамилию и звание (старший сержант Никонов) и, пока «Скорая» виляла по дорожкам парка, пробираясь на склон, который спускался к Оке, рассказал, что сегодня, наконец, задержали преступника, который вот уже несколько месяцев рубил по ночам в городских парках сухие деревья, оставаясь незамеченным.

— На дрова, что ли? — хохотнул Егорыч, у которого слух был, как у летучей мыши: он даже с закрытой перегородкой каждое слово из салона слышал, не то что при открытой! — А чтоб тебя, заразу!

Он вдруг резко затормозил, высунулся в окно и кому-то погрозил:

— Откуда ты только взялся?! Ну чисто мышь из-под колес выскочил!

В заросли метнулся какой-то низкорослый тощий человечек в белой замызганной каскетке.

«Скалолазка?! — изумилась Ольга. — Неужели он?! Только что про него думала! Вот уж правда: вспомни о черте, а он уж тут!»

— Ой, стойте, стойте! — заблажил вдруг старший сержант Никонов. — Кажется, этот человек свой мобильник потерял на месте происшествия!

— Кто, он? — вытаращил глаза Гриша. — Да у этого бомжа отродясь никакого мобильника не было и быть не могло! Он бы его в секунду пропил! У нас его все врачи знают, правда, Ольга Васильевна?

Она молча кивнула. Горло сжимало судорогой, говорить было просто невозможно, по спине словно чья-то ледяная лапа прохаживалась.

Невозможно забыть, чему предшествовало первое появление Скалолазки на ее пути. Конечно, он тут ни при чем, он никак не мог свести с ума Игоря, и к пистолету он, конечно, не имел никакого отношения, следствие проверяло. А все-таки... все-таки страшно!

— Ну вообще-то да, наверное, вы правы, — задумчиво протянул Никонов. — Даже странно, что у такого ошлепка мог оказаться крутой сотовый! Просто этот ваш Скалолазка топтался на месте происшествия, когда мы подъехали. А потом мы нашли мобильник, с которого нас вызвали.

— Может, это телефон пострадавшего? — предположил Гриша. — Беднягу придавило, но он все же смог позвонить...

— Вообще-то он тоже мало похож на владельца «хуавэя», — хмыкнул Никонов.

— Ну и название! — фыркнул Егорыч. — Матюгальник, а не название.

— Вообще-то надо произносить «уавэй», — авторитетно заявил Гриша.

— Да хоть горшком назови! — хохотнул Егорыч.

— Ага, — согласился Никонов, — главное, что телефон классный, наш старший лейтенант на него запал. Как бы не прилип мобильничек к его рукам!

И осекся, испуганно зыркнув по сторонам: не слышал ли кто, как он свое начальство заложил?

Бестактный Егорыч захохотал, Гриша тонко усмехнулся, а Ольга, которая с трудом справилась, наконец, со своей тоской, вспомнила о деле:

— Так что там с пострадавшим? Зачем он деревья-то рубил? В самом деле на дрова?

— Просто снесет дерево, подожжет сухие ветки — и уйдет, — сказал Никонов.

— А зачем? — изумился Гриша.

— Да бес его знает, — пожал плечами полицейский.

— Не поминайте нечистого всуе, он только и ждет этого, чтобы к человеку привязаться и сбить с пути истинного, — изрек Гриша.

Полицейский вытаращил глаза, Егорыч обернулся и подмигнул Ольге, которая вяло улыбнулась: ее фельдшер был человеком воцерковленным, а потому любил иногда завернуть чего-нибудь этакое, над чем Егорыч никогда не преминывал похохотать и откровенно называл все это бредом.

Вообще можно себе представить, как бы он хохотал, если бы Ольга завернула что-нибудь из того бреда, который так и рвался у нее с языка! Хотя, наверное, Егорыч сделал бы ей скидку на недавнюю трагедию. Кстати, именно после нее в голову стало лезть всякое... невесть что...

Например, несколько дней назад, когда Ольга стояла на крыльце своей районной подстанции «Скорой помощи» и ждала выезда, она увидела, как в траве у забора что-то слабо мерцает.

«Неужели светлячок? — изумилась она. — В городе — светлячок?»

Шагнула было туда, чтобы разглядеть получше, но в эту минуту из гаража выехал Егорыч, включил фары — и чудесное мерцание в их свете растворилось. А у Ольги в голове кто-то будто прошептал:

«Светящихся червячков-светлячков считают душами кающихся грешников».

С чего бы это? Вроде и не с чего!

А недавно, когда Ольга стояла под тепленьким слабеньким душем (мыть волосы горячей водой ей было пока запрещено, да и чего там мыть-то, господи?!), кто-то словно бы пробормотал: «Горох раскидывают по углам или бросают в печь для душ умерших: говорят, голодные души с плачем ходят по дому, где забыли этот обычай».

Но это еще ничего! А как насчет такого вот мыслительного выверта? «Некоторые люди говорят, что, если кто-то страдает чахоткой, надо ему зарезать корову и лезть по брюху ее до горла — и тогда уйдет болезнь. Правда, неизвестно, пробовал ли кто на себе это средство или нет».

Ну вот к чему это?! Может, права подруга Надюшка, которая уверяет, что Ольге пора бросить «Скорую», пока окончательно с ума от этой «психической работы» не сошла? Мало ей, дескать, того, что с ней случилось? Ведь к ней не только физическое, но и душевное здоровье после той истории с прыжком из окна с трудом вернулось!

— Неужели ты не понимаешь, что работа меня отвлекает от того, чем стала теперь моя жизнь? — сухо ответила тогда Ольга, и Надюшка, сочувственно всхлипнув, посоветовала на худой конец вернуться из реанимации в линейную бригаду — там-де поспокойней.

Да как сказать! Там постоянной суеты гораздо больше, чем у реаниматологов, где, как выразился бы Егорыч, сам песец в двери иногда ломится. Но не только потому Ольга туда не вернется, что шило на мыло без толку менять. Просто от этой заразы — привычки во что бы то ни стало спасать людей от смерти — уже не излечиться. Призвание, что ли?..

Да запросто!

Причем странным образом за этих людей, которых ей предстояло выдергивать с того света, Ольга чувствовала особую ответственность. Не то чтобы ей были безразличны те, к кому ее вызвали во время работы в линейной бригаде, однако теперь она готова была реанимировать людей, как это называлось на их циничном сленге, «до трупных пятен» и за жизнь каждого готова была драться не только в фигуральном, но и в буквальном смысле слова.

Особенно за тех, кто падал с высоты...

Вообще, если подумать, создавалось впечатление, будто каждый, кто падал или бросался с верхних этажей или крыш, с мостов или даже башенных кранов, непременно выжидал, когда наступит время дежурств Ольги Васнецовой. Странная закономерность, конечно, однако еще более странным казалось именно то, что почти всех этих людей ей удавалось довезти до больницы живыми. Может быть, именно их благодарные души и помогли ей спастись от смерти, когда она сама бросилась с пятого этажа? Вопрос только, была ли она благодарна за спасение...

Тем временем «Скорая» подъехала к обрыву над Окой. С этой стороны реки все выглядело весьма живописно (парк не зря назвали «Швейцарией»!), а с противоположной открывались исключительно индустриальные пейзажи, на которые даже смотреть не хотелось.

Впрочем, времени на осмотр пейзажей уже не было: около срубленного сухого ствола неподвижно лежал на спине человек с окровавленной головой. Руки его были заломлены назад и схвачены наручниками, поэтому он находился в какой-то странной, выгнутой позе.

В стороне стояла патрульная машина.

Один полицейский, совсем молодой, с явным беспокойством склонялся над лежащим, второй, лет тридцати, отошел от него и встал в стороне, уткнувшись в телефон весьма эффектного и, сразу ясно, дорогостоящего вида.

«Старлей и уавэй», — подумала Ольга.

— Это вы его так приложили? — глядя на окровавленную голову пострадавшего, непочтительно хмыкнул Егорыч, который никогда не оставался в стороне от того, чем занимались врачи: всегда находил повод не помочь, так позубоскалить.

— Что вы такое говорите! — возмутился молодой полицейский. — Он сам себя деревом приложил! Посмотрите, вон ствол в крови.

В самом деле, по сухому, побелевшему, с ободранной корой стволу расплывалось кровавое пятно.

Ольга шагнула вперед, наклонилась над лежащим мужчиной. Глаза его были крепко зажмурены, скуластое лицо залито кровью, черные крутые брови сведены в переносице, губы искажены гримасой, но он был жив, жив... пока. С Ольгой часто случалось, что она, еще даже не начиная нащупывать пульс или улавливать дыхание пациента, чувствовала: этого человека на земле больше нет и вернуть его невозможно. Тело осталось, но это всего лишь пустая оболочка. Конечно, речь не идет о трупе, пролежавшем столь долгое время, что отсутствие жизни в теле видно даже неспециалисту. Однако насчет успеха или неудачи реанимации Ольга не ошибалась почти никогда.

Сейчас она чувствовала: человек жив, но положение очень тяжелое. Тут не сотрясение — тут отек мозга, а еще плохо то, что пострадавший лежит раной вниз на грязной земле — недавно прошли дожди, и парковые тропки изрядно развезло.

— Егорыч, давай носилки, — сказала Ольга. — Гриша, надо ему голову перевязать.

Повернулась к молодому полицейскому:

— Вы что, не видите, у человека открытая рана на голове, а он у вас в грязи лежит. Давайте-ка тихонечко приподнимем его, ну и наручники снимите, только осторожней.

— Да я хотел снять, — едва слышно шепнул парень. — А товарищ старший лейтенант рассердился. Пусть, говорит, валяется эта падаль. И еще...

Он испуганно умолк, но Ольга проследила направление его взгляда и увидела, что бока связанного человека покрыты грязными рубчатыми пятнами.

Да ведь это отпечатки тяжелых ботинок! Старлей пинал пострадавшего, что ли?!

Нет, не может быть такого!

— Неужели это вы постарались? — недоверчиво повернулась к старлею Ольга.

— Знаете, сколько он уже накуролесил? — хмуро бросил он, по-прежнему глядя то на телефон, то за реку, словно выбирая кадр удачней. — Не меньше десятка деревьев срубил по разным паркам! Вот и получил по заслугам.

Ольга пожала плечами, осторожно ощупывая шею мужчины, чтобы понять, есть ли повреждения позвонков.

— Насколько я поняла, он рубил сухостой. Помогал, можно сказать, коммунальным службам.

— Не только рубил, но и поджигал! — рявкнул полицейский. — В парки приходилось даже пожарных вызывать!

Вдруг бледные губы раненого слегка шевельнулись и он едва слышно прошептал:

— Сухая лиственница жизнь из людей высасывает, ее надо непременно срубить и сжечь, не то многие погибнут!

— Ух ты! — хором выдохнули Никонов и моло-денький полицейский.

— Пациент скорее жив, — резюмировал Егорыч, Гриша перекрестился, а старший лейтенант оторвался от телефона, резко повернулся и взглянул на лежащего с такой ненавистью, что его красивое, с правильными чертами, загорелое лицо исказилось.

Видно было, что он с трудом удерживается, чтобы не выругаться, а то и не наброситься на скованного человека.

Вот теперь Ольга поверила, что старлей и в самом деле пинал этого древоруба!

— В чем дело, товарищ старший лейтенант? — холодно спросила она. — Служебное рвение покоя не дает? Если у этого человека к отеку мозга добавится еще и сепсис, а также переломы ребер, я напишу докладную вашему начальству и обвиню вас в умышленном неоказании помощи пострадавшему. Снимите с него наручники, да побыстрей, только, повторяю, осторожно. Пожалуйста.

Последнее слово она еле выдавила, но с охранниками правопорядка политес приходится соблюдать... воленс-неволенс, как говорил преподаватель латыни в их медучилище, всякий раз уточняя, что цитирует не какого-нибудь классика римской империи, а Остапа Бендера, вернее, Ильфа и Петрова.

Очень яркие зеленые глаза лейтенанта словно вцепились в глаза Ольги — ух, сколько в них было ненависти, по спине даже дрожь прошла! — однако она не отвела взгляда, а сунула руку в карман робы и достала свою «Нокию»:

— Или *вы* снимете наручники сию минуту, или *я* сниму вас на сотовый и немедленно выложу эту фотографию в Интернет, а заодно отправлю на сайт городской полиции.

Старший лейтенант, чуть оскалясь от злости и сжав пресловутый уэвэй в кулаке, резко шагнул к Ольге, и та вдруг отчетливо почувствовала, что полицейский сейчас бросится на нее.

Тоже сжала «Нокию» в кулаке покрепче.

«Первым делом в глаз, потом по носу, потом коленкой в пах!» — мигом выстроился в голове необходимый алгоритм самообороны без оружия, но по обе стороны от нее уже возникли Гриша и Егорыч.

Никонов и молоденький полицейский переглянулись с явным замешательством, однако смыкать ряды с начальством не спешили.

— Никак охренели, товарищ старший лейтенант? — пробурчал Егорыч, почесывая голову невесть откуда взявшейся монтировкой.

Якобы исключительно за этим делом он ее и выхватил мгновенно из кабины так стремительно, а охреневший старлей тут вообще ни при чём!

В это мгновение лежащий на земле человек резко шевельнулся и что-то прошептал.

Лейтенант перевел на него взгляд, оскалился еще злее — и пошел к патрульной машине, бросив угрюмо:

— Климко, наручники сними с этой твари.

Молодой полицейский, красный, как окантовка его погон, торопливо выхватил из кармана ключик и разомкнул наручники.

— Документы у пострадавшего были какие-нибудь? — спросила Ольга.

Климко покачал головой.

— И вы ничего не нашли, товарищ старший лейтенант? — с невинным выражением осведомилась Ольга.

Ответа она, впрочем, не была удостоена: в патрульной машине зазуммерил радиовызов.

— Поехали, — махнул рукой старший лейтенант. — Нечего здесь дрочить на эту суку.

И, помахав Ольге и мстительно ухмыльнувшись, он сел в автомобиль, так и не выпустив из рук чужого телефона.

Егорыч перестал чесать голову монтировкой, Гриша рванулся вперед, однако Ольга успела схватить их за руки:

— У нас пострадавший! Не до всяких феллаторов!

Гриша тихо ахнул. Егорыч покосился вопросительно. А Ольга пожалела, что агрессивный старлей не учился в медучилище. Ведь словечко «фелатор», кое в вольном переводе с латыни означает «членосос», способно кого угодно достать!

А впрочем, ну их всех. Особенно агрессивного старлея — ну!

Полицейские тем временем торопливо усаживались в патрульную машину, изо всех сил стараясь не глядеть на бригаду «Скорой».

— Ишь, как лейтенантика заколдобило, — хмыкнул Егорыч. — Аж про протоколы забыл! А что ты такое сказала, Ольга Васильевна, насчет этого... фел... как там?

— Тебе Гриша потом переведет, это не для моих нежных уст, — рассеянно пробормотала Ольга, снова склоняясь над пострадавшим. — Гриша, воротник для шеи давай — и грузим пациента. Быстро поехали, с такой раной мы его не реанимируем своими убогими силами.

Осторожно положили раненого на носилки, осторожно втолкнули их в салон.

— Погнали, погнали, Егорыч, — крикнула Ольга. — Гриша, маску кислородную, лед, противошоковые, лазекс, глюкозу...

И осеклась. Бледные губы незнакомца дрогнули, исторгнув едва слышное:

— Не бойся, страж высоты! Никто меня победить не может, только мугды!

Изо рта у него вдруг пошла пена. Неужели поганец старлей, пиная, легкое ему повредил?..

Ольга торопливо смочила ватный шарик спиртом, приложила к его губам: спирт гасит пену, а то как бы не захлебнулся, голову-то ему не наклонишь, по-прежнему неведомо, что там с его шейными позвонками!

— Чего это он сказал? — спросил Гриша, держа наготове кислородную маску.

— Про высоту и еще какую-то мутуту, — хихикнул охальник Егорыч.

Гриша чистоплотно сморщился:

— Бредит, наверное.

— Лед давай к голове, говорю же! — прикрикнула Ольга. — А ты, Егорыч, угомонись, понял?

— Извиняйте, Ольга Васильевна!

Ну, «древоруба» с отеком мозга и веткой в груди довезли живым, причем ему повезло — как раз дежурила по «Скорой» Центральная больница, где не столь давно лечилась Ольга, а там реанимация великолепная, есть даже отделение ГБО[1] с несколькими барокамерами. Это небольшие герметично закрывающиеся капсулы, в которых создается давление выше или ниже атмосферного. В барокамере отечный, распухший мозг постепенно сжимается, ткани насыщаются кислородом. Оксигенобаротерапия для многих, в том числе и для этого древоруба, — реальный шанс выжить!

Сдали пострадавшего с рук на руки специалистам в Центральной больнице и поехали на подстанцию. В их услугах пока потребности не было. Правда,

---

[1] ГБО — гипербарическая оксигенация — метод лечения поврежденных тканей насыщением их кислородом под повышенным давлением.

какая-то патрульная полицейская машина врезалась в трейлер: двое патрульных отделались легкими ушибами, один погиб на месте, так что реаниматологам звонить было бессмысленно, сразу вызвали труповозку.

Часа два отдыхали, а потом отправились по требованию линейной бригады на инфаркт.

В давние времена

Ольгушке сравнялось семнадцать, когда случилось вот что.

Отец Каллистрат отправился в город к благочинному, на какой-то сход губернских священников. Ольгушка приуныла: без мужниного окороту да одергиваний тетка Лукерья обычно расходилась — хуже некуда: племянницу поедом ела и продыху никакого не давала, столько работы на нее наваливала. И думать не моги на вечорку сбегать или просто выскочить с подружками у плетня позубоскалить! Но тяжелее всего приходилось Ольгушке, когда тетка Лукерья начинала мать ее покойную, сестру свою двоюродную, и мужа ее клясть самыми ужасными словами и уверять, будто они, пока живы были, чуть не полдеревни перепортили своим колдовством.

— Чего они только не натворили, какого только зла не содеяли! — зудела тетка Лукерья. — Закапывали под дикой грушей при убывающей луне горшок с горохом и наводили этим порчу на Прова Калинова: да будет у него столько чирьев, сколько в горшке горошин! Так и сжили со свету: сгнил от тех чирьев заживо. А Катюху Митриеву муж ее Петька загрыз!

— Как загрыз? — в ужасе спрашивала Ольгушка.

— Да так же, как волки загрызают! — злобно отвечала попадья. — Петька с артелью в город ходил, да однажды все заработанное артельщиками пропил. И как начал, так и остановиться никак не мог — каждый день пил! Пришла Катюха к матери твоей, Груньке, за какой ни есть травой лечебной, а Грунька и говорит: вода, дескать, которой покойника обмывали, считается лучшим средством от запоя. А тут как раз возьми да помри кто-то в соседней деревне... уже не припомню, кто именно, да только Катюха раздобыла той воды, которой усопшего обмывали, и наварила на ней мужу каши. Он как начал эту кашу наворачивать! Целый горшок сожрал, потом съел все, что было в доме, кадку капусты, кадку огурцов соленых, и мясо сырое съел, а потом и Катюху загрыз.

— А тетя Агафья сказывала, что он ее удушил спьяну, а не загрыз! — кричала возмущенно Ольгушка.

— Все одно по наущению Грунькиному! — отмахивалась тетка Лукерья.

— Да ведь всякий пьяница душу запродает врагу рода человеческого! — отчаянно спорила Ольгушка. — Он прислужником диавола становится, его воли исполнителем! При чем же здесь моя матушка?!

Тетка Лукерья, впрочем, слушать ее не слушала, а продолжала:

— А еще, помню, приехал к ней какой-то посторонний человек: мол, слух о ней, Груньке-ведьме, да муже ее, Ваське-ведьмаке, дошел аж до города, вон он и приехал к ним мастерству учиться. А им жалко было секретами своими делиться. Ну, твоя мать и послала его в полночь жарить в бане кошку, а защищать ту пришли другие кошки и загрызли бедолагу до смерти.

— Не было! Не было этого! — в отчаянии восклицала Ольгушка. — Слухи пустые, кои злыми людьми распускаются! Матушка только болезни заговаривала: отнесу, дескать, хворь в пустые леса, прогоню в пустые поля, на каменья, где люди не живут, где петухи не поют, где лягушки не квакают!

— Да-да, — ехидствовала тетка, — а для того, чтобы хворь куда-то отнести, твой отец и вызывал всяческих духов, рогатых и косматых! Курдушей вызывал! Они ко всякому колдуну приставлены с тех пор, как тот с дьяволом договор заключает! Оттого и деревня ваша Курдушами названа. Видать, еще в старые времена колдуны тут жили, которым служили курдуши!

— Отчего же тогда эти курдуши за отца с матерью моих не вступились? — заливалась слезами Ольгушка. — Отчего позволили им страшной смертью помереть?

— А мне почем знать? — пожимала плечами Лукерья.

— Да оттого, что никаких курдушей у них не было! — задыхалась от рыданий Ольгушка. — Если бы они были, я их тоже видела бы! А я не видела!

— Врешь! — грозила пальцем Лукерья. — Не могла ты их не видеть. А сейчас врешь, чтобы родителей выгородить, да поздно! Как думаешь, почему их пожгли мертвых? Почему не стали хоронить, как добрых людей хоронят?

— Потому что умерли они от черной немочи, когда от деревни нашей ее отвадить пытались. Отвадить-то отвадили, да сами погибли! — убежденно говорила Ольгушка.

— Да ты из них, никак, святых мучеников сделать задумала? — хохотала тетка Лукерья. — Не выйдет! Неужто не знаешь, как пожар содеялся?

— Люди его запалили, чтобы зараза наружу не вышла, — рыдала Ольгушка. — Оттого и меня едва не бросили в огонь — думали, что я тоже черной немочью поражена.

— Это Божий перст поразил ведьмин дом! — злилась тетка. — Огонь по вышней воле сам собой разгорелся! Кому об этом знать, как не мне? Когда несколько дней никто из вашей избы не выходил, а потом услышали люди твой плач, то послали за мной, за ближайшей родней Грунькиной. Каллистратушки в ту пору дома не случилось, он позже приехал. Не сразу отважились со мной еще несколько человек в избу вашу войти. Поглядели мы на мертвых, но не поверили, что сражены они черной немочью, потому что лица их были розовыми и свежими, будто у живых, будто и не пять дней назад они померли, а вот только что. Известное дело, такое только с колдунами бывает! Хоронить их в земле нельзя, даже в жальник[1] нельзя сбросить — непременно будут по ночам упырями шастать да невинных заедать! Только собрались мы осиновыми колами тела пронзить, да тут вдруг выскочил из печки уголек. Мы и не заметили сначала, а когда спохватились,

---

[1] Так в старину называли придорожные ямы, в которые сбрасывали тела умерших без отпевания.

пожар уже разгорелся. Мы едва выскочить успели, а тебя подоспевший Каллистратушка вытащил и не дал спалить! А зря, зря!

Ольгушка слушала эту страшную историю много раз и всегда спрашивала:

— Но если прошло несколько дней с тех пор, как отец и матушка померли, значит, печку никто не топил? Некому ее было топить! Как же мог уголек из нее выскочить?!

Сначала тетка Лукерья при этих словах терялась, отводила глаза, потом отговаривалась тем, что это Ольгушка печку растопила неумело, уже больная, не соображая, что делает, однако все чаще грозно выкрикивала страшные слова про Божий перст, который воспламенил избу греховодников. А когда Ольгушка начинала спорить, тетка Лукерья набрасывалась на нее и бивала всем, что попадалось под руку. Оттого Ольгушка отъездов отца Каллистрата, заступника своего, боялась до смерти!

А тут еще эти следы под окошком...

На другой день после отъезда отца Каллистрата вышла Ольгушка чуть свет скотину покормить и, возвращаясь, видит под окошками какие-то странные следы на земле. Напоминали они куриные, но кур на ночь всегда запирали, к тому же были эти следы гораздо больше куриных. Смотрела на них Ольгушка, смотрела, гадала, какая же огромная птица могла их оставить, не порушив своими крыльями все вокруг, как вдруг вспомнила, что говорят люди о следах, которые появляются в Великий четверг на Страстной неделе перед Пасхой. В этот день с утра православные жгут солому и окликают при этом по именам своих родных покойников, поминают их едой и питьем, топят баню, сыплют золу на пол и призывают: «Мойтесь!» А наутро можно увидеть на золе следы, похожие на птичьи: следы навий. Навьи — это духи мертвых: они обитают в мире своем недвижимыми, но откликаются на мысли о них, а поминки — это ведь воспоминание о мертвых, поэтому неудивительно, что следы навий возникают именно после поминок.

Слышала Ольгушка также, что если до сорокового дня со смерти какого-то человека испечь блинов и выставить их на окно на ночь, то можно накликать покойника, который придет из свежей могилы блинов отведать.

Однако вот какая закавыка: Великий четверг давно миновал, покойников в доме отца Каллистрата, по счастью, не было, блины для них никто не пек и на окошко не выставлял... да и вообще давненько не хоронили никого ни в Курдушах, ни в Берложье, ни в других окрестных деревнях.

Видать, случайно забрели чужедальние усопшие на поповское подворье! Перекрестилась Ольгушка, взяла метлу — замести следы, чтоб неповадно было вновь шастать сюда опасным прохожим, — и вдруг видит, что из окошка высунулась тетка Лукерья и глаза на эти странные следы так и вытаращила! А сама белая вся, ну чуть ли не впрозелень!

Испугалась, конечно. Известно ведь: покойники могут приходить по ночам, чтобы выместить злобу на немилых соседях, особенно на тех, кто поминает умерших недобрым словом! Нашлось бы немало навий, которые явились бы свести счеты с попадьей, ибо она не только об Ольгушкиных отце с матерью, но и о других, что живых, что мертвых, вечно злословила.

— Я сейчас замету, замету поганые следы, тетенька, не бранись! — поспешила успокоить попадью Ольгушка, однако та лишь головой покивала задумчиво, глаз со странных следов не сводя, а потом... а потом вдруг улыбнулась, вздохнула так, словно камень с ее души упал, — да и затворила окошко.

С тех пор тетку Лукерью будто подменили: Ольгушку она больше не шпыняла ни тычками, ни словесно, да и вообще в ее сторону почти не глядела, а когда глядела, то словно и не видела, будто и нет ее, все какими-то своими мыслями была занята — видать, приятными, потому что улыбка (невиданное прежде явление!) то и дело блуждала по ее вечно хмурому и неприветливому лицу...

«Что за чудеса? — изумлялась Ольгушка. — Что же это творится такое? Что с ней содеялось?» Однако ответа пока не находила.

* * *

Этот дядька — типичный «настоящий полковник»! — нипочем не желал верить, что у него инфаркт, пыхтел на жену, которая вызвала «Скорую», врача из линейной бригады довел чуть ли не до слез, а потом вдруг начал помирать. Тут и вызвали реанимацию — или на спасение, или на «отпустить».

Ольга помнила, что, когда еще только начинала работать на «Скорой», чуть ли не шелест ангельских крыл слышала, когда входили реаниматологи.

Линейная бригада сразу буквально по стенам размазывалась, чтобы не мешать: только глазела на них затаив дыхание.

Теперь и на Ольгу так же глазеют. И это понятно! Ведь за реаниматологами больше ничего нет — только последняя дверь, последняя ступенька, последний порог. Это они решают — производить какие-то воскрешающие пациента действия или «открыть форточку». А когда кто-то говорил, что это выражение — вульгарный профессионализм, Ольга всегда поправляла: это никакой не медицинский жаргон — это старинный русский обряд: распахнуть фортку или окошко, чтобы душа умирающего свободно отлетела, чтобы тому, кто страдает, легче было умереть.

Ольга не знала, откуда это знала. Откуда-то!

Может, из прошлой жизни?

Довольно потертая и замызганная фраза, однако Ольга просто не могла иначе объяснить, почему в ее голове живут какие-то слова и выражения, которые она вроде бы не могла и не должна была знать. Или где-то набралась, как барбоска блох, только вот где?.. У нее не было бабушки в деревне, у которой Ольга могла бы пополнить свой словарный запас. Она была детдомовская безродная девчонка... правда, много читавшая, очень много!

Игорь, который читал еще больше ее (у Шмелевых была огромная библиотека, собранная еще отцом Владимира Николаевича!), говорил, что всем лучшим в себе он, совершенно как Максим Горький, обязан книгам. «Но и всем худшим, — добавлял, смеясь, — тоже!»

Игорь, Игорь, Игорь!..

Надюшка, которую три года назад очень подло бросил муж (сразу после рождения дочки он резко объелся груш, как только понял, что новорожденный ребенок кричит по ночам, требует неустанных забот не только от матери, но и от отца, и жизнь семьи с ребенком — это совсем не то, что жизнь как бы вечно влюбленных красавца и красавицы, тем паче, что красавицу разнесло поперек себя шире, да и молоком она вечно пахнет... оказывается, Надюшкин муж был искусственник и страдал аллергией на запах материнского молока!), после развода даже не вспоминала о нем. Сказала, что разлюбила его, как только поняла, что он жестокий подлец, а она не может любить подлеца. И многозначительно поглядывала при этом на Ольгу, как бы намекая, что та должна разойтись с Игорем, потому что нельзя любить убийцу.

Наверное...

Но что же ей делать, если она не переставала любить его ни на миг? Ужас пережитого постепенно угасал, и Ольга все чаще думала, что Валентина Петровна, очень может быть, права. Наверное, Ольга и в самом деле чем-то *достала* мужа, если он не выдержал и начал стрелять в нее, как только в его руках оказался пистолет.

Но чем же именно она его достала и почему ему и в голову ни разу не пришло выстрелить в нее раньше — из собственного табельного оружия? А из этого пистолета — пришло...

Объяснение могло быть только одно: как раз перед тем, как Ольга вернулась домой, Игорь что-то узнал о ней. Узнал такое, что совершенно сошел с ума и просто не смог сдержаться.

Но что же именно он узнал? Что?!

— ...Оля, мы тогда поехали?

Ольга вздрогнула, глядя на Люсю, врача линейной бригады, которая еще оставалась в квартире «настоящего полковника».

— Ты о чем?..

— У нас вызов.

— Конечно, поезжайте. Счастливо, ребята.

— Да делайте же вы что-нибудь! — закричала в эту минуту жена инфарктника. — Он умирает! Умирает!

Ничего, обошлось. Инфарктника к жизни вернули, причем даже без жутких приемов вроде прекардиального удара и дефибрилляции. Настало время везти его в больницу... но квартира находилась на пятом этаже хрущевки без лифта. А спускаться ему самому никак нельзя! Больной рвался идти своими ногами, не желая слушать запретов врачей, как будто у него не только инфаркт, но и инсульт, причем мозг уже поражен безвозвратно. То есть вообще никаких разумных доводов не слушал! Жена тогда в полном уже отчаянии закричала: «Витя, если пойдешь сам, я тебя внизу встречу, из окна брошусь!»

Только после этого «полковник» Витя притих. Согласился, чтобы несли.

А как? Мужик он оказался реально большой, тяжелый не только в смысле болезненном, но и в физическом. Побегали по соседям — большинство на работе, дома оставались всё какие-то хилые старушки или немощный детсад. Ладно. Положили на носилки, подняли — Витя в крик, в мат. Боится лежать на спине, сердце к горлу подкатывает.

Иногда бывает, это Ольга знала, сердечникам невозможно на спине лежать, а тут еще и стресс, и характер.

Тогда Гриша и Егорыч посадили «полковника» на стул, взялись за его ножки, сама Ольга и жена строптивого Вити — за спинку... так и понесли.

«Полковник» им по мере сил помогал, матерясь безудержно и цепляясь за перила. Ладно хоть не носильщиков за руки хватал!

Спустились, наконец, тормозя и устраивая привалы на каждой площадке, положили Витю в салон. Но он не мог не выпендриться напоследок: запретил жене со «Скорой» ехать.

В общем-то, правильно сделал: она изнемогла, бедная, давление подскочило, пришлось Грише ее прямо у подъезда колоть.

На счастье, тут примчалась на машине дочь «полковника» (она в Дзержинске работала, потому и опоздала), занялась мамой, пообещала ее сама в Центральную привезти, когда ей получшает, — ну, худо-бедно бригада реаниматологов наконец-то отчалила.

Пациент притих, как только Егорыч сирену включил. Конечно, теперь нервы мотать некому стало, жены нет рядом, вот он и заскучал.

Только отъехали — Ольге на мобильный позвонила Люся с линейной «Скорой». Та самая, с которой только что простилась. Криком кричит:

— Олечка, приезжай, Бога ради! У нас Скалолазка умирает... умирает!

— Какая скалолазка? — рассеянно спросила Ольга, потуже перетягивая жгутом руку «полковника»: вены у него были плохие, с первого раза трудно попасть, да еще при движении машины.

— Не какая, а какой! Тот самый Скалолазка, который в татуировке весь! Ну, из бомжатника!

— Да не может быть, — пробормотала Ольга. — Ты ничего не путаешь? Мы его пару часов назад в «Швейцарии» видели.

— Ну а сейчас он умирает! — вдруг зарыдала Люся.

Ольга вздохнула.

Люся работала на «Скорой» недавно, каких-то пару месяцев, — наверное, это ее первый труп. Невозможно подготовиться к первому умершему пациенту. Не важно, твоя собственная ошибка или нет... Хорошо, что это омерзительный Скалолазка, которого Люся скоро забудет, а не девушка, выпившая уксус от несчастной любви и умирающая в страшных муках!

— Люся, у нас больной с инфарктом, ты что, забыла? — тяжело вздохнула Ольга.

И как только она это сказала, у «полковника» Вити случился сбой сердца: колотилось оно, как пташка, не могло прокачивать кровь — словом, наступило то, что называется фибрилляцией, нескоординированным сокращением волокон сердечной мышцы. И приходит клиническая смерть...

А там, в трубке, рыдала Люсенька: у Скалолазки, мол, клиническая смерть!

Ольга понимала, что с ним сейчас произошло: наступил отек мозга из-за тяжелейшей алкогольной интоксикации. А мозг человеческий находится — прописная истина! — в черепной коробке. Это ведь кости, крепкие кости, а не резина! Они не могут расширяться при увеличении их содержимого. Они сдавливают мозг до нестерпимой боли, до потери сознания — и человек умирает.

— Оля, приезжай! — истерически вопила Люся.

А у Ольги тут у самой пациент с клинической смертью! И она вспомнила, что ей сказал один старый доктор — давно, когда она самые первые дни на «Скорой» работала еще фельдшерицей и они вместе оказались вот у такого алкаша, подобия Скалолазки, которого невозможно было реанимировать, как они ни старались. Тот врач сказал:

— Он всю жизнь к этому шел — к этому самоубийству. Отпусти его. Пусть дальше один идет.

Ольга прокричала это Люське слово в слово и отшвырнула мобильник. А Гриша уже с дефибриллятором наготове:

— Проводим? Ольга, проводим?!

— Да! Разряд! — крикнула она, поворачивая рукоятку синхронизатора, и «полковник» Витя, содрогнувшись, ожил на глазах — ну как в кино!

Нет, даже круче, чем в кино, потому что он не просто открыл глаза, но буквально их выпучил, облизнул пересохшие губы, приподнялся и... никто и ахнуть не успел! — вдруг выдернул из вен иглы, выкрикнул что-то нечленораздельное, бросился вперед и вцепился Ольге в горло.

...Игорь, Игорь, да неужели это Игорь?! Ольга глазам не поверила, увидев мужа совершенно здоровым! Он медленно шел к их дому на улице Дунаева, держа за руку девочку лет трех.

«Кто это? — удивилась Ольга. — Ну надо же, такая же кудрявенькая, как я. Тоже ярочка! Чья же это дочка? Надюшкина Асенька постарше, и у нее косички. У друзей Игоря вроде бы все сыновья...»

Вдруг малышка запищала, жалобно уставилась на Игоря, и тот легко подхватил ее на руки:

— Что случилось?

— Боюсь! Боюсь!

Девочка испуганно смахнула что-то с рукава платьица.

— Да ведь это просто муравей! — засмеялся Игорь. — Смотри, он еще больше, чем ты, перепугался. Вон как улепетывает! Со всех своих шести ног!

Игорь спустил девочку на землю, присел рядом на корточки, и они вместе принялись разглядывать этого муравья, который и в самом деле мчался к спасительной траве.

— Он упал? — всхлипнула малышка. — Я его сбросила! Он ударился? Ему больно?

— Нет-нет, — успокоил ее Игорь, осторожно поглаживая по мягким кудряшкам. — Конечно, он упал с очень большой высоты! С огромной! Но на самом деле он не упал, а мягко опустился на землю. Это называется — спланировал. Он слишком легкий для того, чтобы разбиться. Он даже не почувствовал удара. Нам кажется, что воздух легкий и прозрачный, а для крошечного муравьишки воздух очень плотный. Он как бы держит его крошечное тельце и помогает ему осторожно опуститься на землю. Видишь, как быстро он побежал? Значит, ему совсем не больно!

— Это хорошо, — сказала девочка очень серьезно, и Ольга не выдержала — засмеялась. Игорь почти слово в слово повторил то, что она прошлым летом вычитала в каком-то журнале и рассказала мужу. Он повторил даже ее ласковые, «детские», как он это назвал, интонации!

— Ты со мной разговариваешь, как с ребенком! — усмехнулся тогда Игорь.

— Я тренируюсь, — объяснила Ольга. — Когда у нас родится ребенок, я буду с ним разговаривать именно с такими интонациями. Чтобы ему было еще интересней то, что я говорю, и еще понятней.

Игорь взглянул настороженно:

— Когда у нас родится ребенок?.. А ты... ты уже?

— Нет, я еще! — покачала головой Ольга.

Она сама себе не доверяла: цикл у нее был неравномерный, иногда задержка «на пустом месте» случалась месяца на два, именно поэтому она не имела представления о том, что беременна, когда нашла на лестнице тот проклятый пистолет и принесла его своему мужу.

Проклятый, да, проклятый... Из-за него Ольга лишилась ребенка. Он был еще так мал, что пол его было невозможно определить. Так сказали врачи. Поэтому Ольга даже не знала, кто у нее родился бы, мальчик или девочка.

И вдруг ее словно толкнуло что-то в сердце! Эта голова в хорошеньких кудряшках... вспомнилась ее собственная детдомовская фотография... Ольга внимательней взглянула на девочку. Эти волосы, эти удлиненные серые глаза с ярким черным ободком вокруг радужки, эти брови домиком... точно такие же на той фотографии у самой Ольги. А прямой изящный нос, длинные ресницы и очень четко вырезанные темные губы — это от Игоря.

Что? Что это лезет в голову?! Она что, решила, будто это девочка — их дочь? Их так и не родившаяся дочь?!

Нет, она ведь умерла. Как же Ольга может ее видеть?!

Она метнулась к малышке, протягивая руки, но не смогла дотронуться до нее. Девочка на нее даже не взглянула, хотя руки Ольги словно бы прошли сквозь ее тело.

Призрак, это призрак, это несбывшаяся мечта!

Ольга повернулась к Игорю, который, казалось, не замечал ее, осторожно простерла к нему руки... она даже ощутила кончиками пальцев тепло его тела, однако он отшатнулся, повернулся к жене, и та увидела ужас в его устремленных на нее глазах.

У Ольги сжалось сердце. Как давно, как давно, как бесконечно давно она не видела этих глаз — невероятных, удивительных, бесконечно любимых! С того зимнего дня, как рухнула их жизнь, под обломками которой оказались погребены они оба, глаза Игоря были закрыты. А сейчас он смотрит, смотрит на нее! Но почему в этих черных глазах нет любви, почему в них только страх?

— Оля, уходи! — крикнул Игорь, задыхаясь от волнения. — Беги отсюда! Возвращайся туда, откуда пришла! Иначе ты уйдешь так же далеко, как ушел я, — и не сможешь вернуться. Беги, говорю тебе, беги!

— Идем со мной, идем, — бормотала Ольга, снова и снова пытаясь схватить мужа за руку, но он отстранялся снова и снова. — Вернись ко мне! Я люблю тебя, мне так плохо без тебя!

— И я люблю тебя! — воскликнул Игорь с такой тоской, что у Ольги перехватило дыхание. — Я люблю тебя больше жизни, больше жизни, понимаешь? Прости меня! Прости за то, что я сделал!

— Я простила, простила, — задыхалась Ольга. — Я все простила! Вернись!

— Нет, нет! — качал головой Игорь. — Уходи! Если ты коснешься меня, то останешься здесь. Если ты коснешься меня, то я вернусь, а ты останешься, понимаешь? Прощай!

Он подхватил девочку на руки, резко отвернулся и почти побежал прочь. Малышка уткнулась в его плечо, не взглянув на Ольгу, — только, не поднимая головы, слабо помахала ей. Почти сразу оба исчезли во внезапно сгустившихся сумерках, а Ольга все бежала, бежала за ними, и сумерки липли, липли к ней, как паутина, которой не замечаешь, пробираясь между деревьев, но она вдруг приникает к лицу, и склеивает ресницы, и лезет в нос и рот, и, когда ты пытаешься снять ее, она липнет к твоим рукам, и ты не можешь вздохнуть, не можешь шевельнуться, только ощущаешь, что нити паутины туго натянуты и дрожат, угрожающе дрожат, потому что по ним пробирается к тебе страшный ее хозяин, черный паук с ярким белым крестом на спине, — и это твоя смерть...

И вдруг что-то произошло! Ольгу сотряс сильнейший удар, паутину сорвало с лица порывом свежего ветра, чистый, чистейший воздух пробрался в стиснутые легкие, сильно забилось еле трепещущее сердце...

Темное пламя любви

В давние времена

Как-то раз легла Ольгушка спать, да мается, уснуть не может от духоты: это было в июле, как раз в ночь на Илью-грозника[1], ох и жарища тогда стояла! — и решила окошко в каморке, где спала, приотворить. Тетка Лукерья всегда бранилась и приказывала ни одной, даже самой малой щели не оставлять на ночь: сквозняков и комаров боялась пуще нечистой силы. От нее, говорят, окошко, на ночь растворенное, закрестить можно, а от комара не закрестишься!

Но Ольгушке совсем невмоготу сделалось — каморка впритык к кухне располагалась, оттуда и день от печки тепло шло, и ночь. Зимой-то хорошо, а летом нестерпимо тяжко!

Отважилась Ольгушка тетку прогневить да хоть глоток воздуха сделать.

Шуганула она кошку, которая вечно пристраивалась спать у Ольгушки в головах, а ведь известно: кто спит с кошкой, у того лягушки в волосах заводятся! — подошла к оконцу, отворила его, потом ставенку толкнула. Видит — в небе луна-лунища! Ну да, вечером солнце сильно при закате светило — к большому ветру. Вот он и поднялся, вот и размел тучки, большие и малые, и луна засветила так ярко, что все звездочки по соседству с ней померкли. И при этом ярком лунном свете увидела Ольгушка тетку Лукерью, которая, озираясь, бежала со двора.

Ольгушка перепугалась.

---

[1] По старому стилю день Ильи-пророка-грозника отмечали 20 июля, по новому он приходится на 2 августа.

Что такое? Неужели тетка снобродит?! Да, луна таких людей выманивает идти со двора с широко открытыми, но незрячими глазами, под вой собак, которых тревожит бледное сияние небесного светила... Опасны лунные ночи, хоть и прекрасны несказанно!

Надо тетку Лукерью остановить, решила Ольгушка. Как бы не забрела невесть куда, влекомая луной!

Но в это мгновение попадья оглянулась, и Ольгушка увидела встревоженное выражение ее лица. Ох нет, не во сне она бродит, а бежит стремглав, и не куда-нибудь, а прямиком к рощице, которая огибает поповское подворье, а потом, за небольшим овражком, сливается с лесом. И опасается попадья, как бы не увидал ее кто в этом ночном пути.

Ольгушка даже руками развела.

Что за притча?! В ту рощицу девки на тайные свиданья с парнями бегали! И ее Филя туда зазывал, да она, понятное дело, не пошла! Но тетка-то Лукерья! Неужто сударика завела да поблудить с ним отправилась, едва мужа спровадив?

Нет, быть того не может! И не потому, что тетка Лукерья больно уж скромна и плотского греха убоится, не потому, что звание попадьи вынуждает женщину держать в узде нечистые желания, а просто ну кому она нужна? Кому она может приглянуться, тощая да унылая, что осина сухостойная? Кто ей свиданье назначит?

Нет, тут что-то другое, только вот что?!

Ольгушка, разумеется, не усидела дома: выскочила вон, как была, простоволосая, только юбку на сорочку надела, кацавейку на плечи набросила да ноги в чуни[1] свои растоптанные сунула — в темноте того и гляди напорешься на сук, а то и на змею наступишь!

Ну, пока возилась Ольгушка, одеваясь, попадью она упустила. Исчезла тетка Лукерья, будто сквозь землю провалилась. Ольгушка по рощице побегала, в овражек заглянула — никого. Не станешь же звать да кричать: «Где ты, тетенька, отзовись!» Наоборот — она сторожилась, как только могла. Не дай бог тетке Лукерье даже заподозрить, что Ольгушка за ней следила: потом сживет со свету! И даже ежели Ольгушка увидит ее греховодничавшей, что прокуто? Открыть правду отцу Каллистрату она не посмеет, да и жалко его, он же от позора умрет... А что еще хуже — не поверит Ольгушке и, разобидясь за жену, в самом деле отошлет в ненавистный монастырь.

Нет, пора возвращаться. Очень страшно ночью в лесу! В чаще какие-то диковинные огоньки мелькают, перемигиваются, перебегают. То они разгораются сильнее, то меркнут.

А в глубине лесов, говорят, иногда просвечиваются старые клады!

Может быть, тетка Лукерья решила клад среди ночь искать? Не пойти ли Ольгушке ей помочь? Но страшно, ох как страшно! Не только темноты страшно: попадья скупая баба, увидит племянницу, решит, что та ее ограбить задумала, да еще пришибет заступом!

Ольгушка нахмурилась, пытаясь вспомнить, был ли заступ в руках тетки Лукерьи, когда она из дому

[1] Лапти из пеньковой веревки. Иногда так называют обрезанные по щиколотку старые валенки или сапоги.

уходила. Вроде бы не было. Так что, она голыми руками будет землю копать?..

Нет, клад тут, пожалуй, ни при чем.

Да что же в лесу делает-то тетка Лукерья?!

Так ни до чего и не додумавшись, так ничего и не узнав, только прозябнув от ночной прохлады, Ольгушка наконец пошла домой — от греха подальше.

Воротилась, чуни с ног сбросила, кацавейку на гвоздь в сенях повесила, улеглась на свою лавку, ряднинку, под которой спала, натянула на озябшие плечи, помолилась быстрым шепотом на сон грядущий, глаза смежила — а сон нейдет. Все про тетку думала: где она, да что она, да с кем она, да когда воротится?

Ночь шла, а тетка Лукерья все никак не возвращалась. Уже третьи петухи отпели, а ее все нет. Наконец Ольгушку, несмотря на тревогу, начала одолевать дремота. Только завела глаза — вдруг грохот в сенях! Словно что-то тяжелое упало!

Ольгушка подхватилась, выскочила из своей каморки, кухню перебежала, толкнула было дверь в сенцы, а она не открывается, будто ее завалили с той стороны. И стонет кто-то едва слышно!

Прислушалась — а это, оказывается, тетка Лукерья стонет:

— Оля... Ольгушка... помоги...

Господи, воля твоя! Что же это творится?!

А темно, а ничего не видно! Ольгушка лучинку от божницы зажгла, в светец воткнула, кое-как в этой полутьме на вершок дверь сдвинула — дальше не может: при каждом толчке тетка громче стонет да шибче охает.

Ну, боженька все ж надоумил: вылезла девка в окошко, обежала дом и заскочила в сени со двора.

Видит, тетка Лукерья лежит согнувшись, к двери приткнувшись. На ту минуту она обеспамятела, поэтому не охала, не стонала, когда Ольгушка ее в сторонку оттащила, чтобы двери можно было отворить, а потом заволокла в избу.

И заметила Ольгушка — что-то попадья вся мокрая. И волосы, и одежда. Платка на голове нет — видать, потеряла. Но почему мокрая? В речку, что ли, сорвалась с обрыва? Но речка с другой стороны, не с той, куда тетка Лукерья направлялась. Или в какой-то болотине увязла? Но поблизости никаких болот нет. Дождя тоже не было... Удивительно!

Простынет тетка, думает Ольгушка, в мокром-то, надо ее раздеть. Потянула с нее одежду, глядит — а все тело у нее исцарапано да изранено до крови! На шее царапины от чьих-то когтей глубоченные — диво, что из них кровь не струится. Или вытекла уже вся кровушка?.. Вот почему одежда тетки Лукерьи мокрая, значит!

— Господи, — пробормотала Ольгушка, — Боже милостивый, да что же это с вами, тетушка?!

Жалко ей тетку стало — чуть не плачет, все обиды забылись, хочет помочь, а не знает, что делать, как быть, кого звать. В округе ни одной порядочной знахарки не осталось после того, как Ольгушкины родители померли, а бабка Агафья, которая тоже травознайством пробавлялась, теперь в соседнюю деревню к сыну перебралась. Сын-то, чай, не выдаст родимую матерь, если опять на мир крещеный найдет страсть виновников беды искать среди тех, кто ни в чем не виновен!

А может, сбегать к Филькиной матушке, Марфе Игнатьевне Березкиной? Она хорошая, она всегда Ольгушку привечала, заступалась за нее вместе с отцом Каллистратом, когда ее сельчане в огонь хотели затолкать, Филькиной невестушкой ласково Ольгушку кликала, а что тетку Лукерью терпеть не могла, так кто ее терпеть мог, кроме отца Каллистрата, да и то лишь по его доброте неизмеримой? Но хоть и не любила Марфа Игнатьевна попадью, а все же не откажет помочь!

Метнулась Ольгушка к порогу — и вдруг слышит: тетка Лукерья зашевелилась.

— Племянушка, — бормочет, — подойди ко мне. Да свечей зажги побольше — страшно мне, страшно!

Девушка проворно с десяток свечей запалила — светло в комнатушке стало как днем. Опустилась на колени рядом с теткой Лукерьей:

— Что, тетенька? Водички попьешь? Чего тебе подать? Или сможешь подняться да в постель лечь? Долго ли захворать, на полу валяючись? А я быстренько за подмогой сбегаю.

А тетка Лукерья шепчет:

— Никуда не беги, никого не зови! Уж теперь никакая хворь меня не возьмет, и помочь никто не в силах. Поздно! Помираю... помираю я. Сядь около меня, Ольгушка, исповедаться тебе хочу! Грешна я, грешна! Через свой грех и отца с матерью твоих погубила. Простишь ли ты меня — не ведаю, однако земля меня не примет, ежели не откроюсь тебе во всех грехах своих. Молю Христом богом — выслушай!

Ольгушка стояла над ней подобно древу недвижному. Одеревенеешь небось от слов таких! Но ничего ей не оставалось — только слушать то, что хочет поведать перед смертью тетка Лукерья.

Когда она сказала, что погубила Ольгушкиных отца с матерью, девушка почувствовала, что всегда об этом догадывалась! Только боялась думать, что родная тетка на такой грех способна. И вот теперь она сама призналась в своем злодействе.

Слезы так и хлынули!

— За что?! — всхлипнула Ольгушка. — За что же?! Что они могли открыть, какой ваш грех?

— Чтобы отомстить! — простонала тетка Лукерья. — За то, что убила Грунька моего единственного сыночка!

* * *

— Завели! Завели! — закричал кто-то рядом, и Ольга открыла глаза.

Надо ней склонялись две раскрасневшиеся физиономии, которые казались ей и знакомыми, и нет. С трудом сообразила, что это, во-первых, Егорыч, а во-вторых, фельдшер Гриша Семенов.

— Ну, ладно, раз жива, тогда погнали в больничку, — пробормотал Егорыч и, бесцеремонно перевалившись через что-то громоздкое, лежащее на полу, перелез к себе в кабину.

А Ольга, ничего не понимая и чувствуя только странную тяжесть в голове и боль почему-то в губах, таращилась на Гришу. Выражения такого счастья на его лице, на котором обычно в равных пропорциях были смешаны возмущение и презрение (Гриша к человеческой суете относился пренебрежительно и уверял, что на всё воля Божия, а реаниматологи сами не понимают, что делают, возвращая к жизни тех, кому суждено помереть), видеть ей до сих пор не приходилось.

— Ну, Ольга, — пробормотал Гриша, — ну слава тебе...

У него перехватило горло, а на глаза навернулись и даже пролились — если бы Ольга сама этого не видела, никому не поверила бы! — слезы.

— Мне? — с трудом выговорила она.

Гриша прокашлялся:

— Вообще-то Господу, конечно, но тебе тоже. Я уж думал...

Он всхлипнул и вытер мокрое от пота и от слез лицо, но известную всем по голливудским фильмам фразу: «Я уж думал, мы тебя потеряли!» не произнес.

Врачи со «Скорой» этого никогда не говорят. Это только в Голливуде так говорят!

— Да что случилось-то? — не понимала Ольга.

Повернула голову, оглядела себя и окружающее пространство.

Вот те на! Оказалось, она лежит в салоне родимой «Скорой», причем на носилках для пациента, роба невесть куда подевалась, блузка расстегнута, у Гриши в руках «ложки» дефибриллятора, а внизу, около носилок, на полу, покоится какой-то здоровенный дядька с испуганно вытаращенными глазами, запеленатый в клетчатую рубаху так, что руки заломлены ему за спину. Ноги связаны желтой резинкой.

Ольга не без труда вспомнила, что это не простая резинка, а медицинский жгут из «желтого чемоданчика», непременной принадлежности фельдшера всякой «Скорой», а в этой самой клетчатой рубахе дядька был, когда его, воскрешенного после обширного инфаркта, их бригада увозила из дома. Но лежал он тогда на носилках, с иголками в венах, под капельницами, и Ольга с тревогой следила за его пульсом, потому что был он очень нехорош — отчасти, между прочим, благодаря своему характеру «настоящего полковника», пусть и отставного...

О том, что потом произошло, Ольга узнала только с Гришиных слов.

Стало быть, «полковник» Витя набросился на реаниматолога Васнецову, повалил и принялся душить ее и грызть ее лицо (так показалось Грише с перепугу), иногда отрываясь от процесса и выкрикивая что-то нечленораздельное. Гриша попытался его оттащить, но «полковник» отшвырнул фельдшера с силой просто нечеловеческой. Тут Гриша заорал так, что Егорыч, поглощенный тем, как бы поскорей и без потерь доставить бригаду и пациента в больницу, а оттого отключивший на время свой исключительный слух, оглянулся, мигом оценил ситуацию, приткнул автомобиль к обочине и, едва не проломив перегородку между кабиной и салоном, перескочил Грише на помощь. Не сразу они смогли скрутить «полковника» и вырубить его, а потом связать тем, что нашлось под рукой: его же рубашкой, да еще и запасным жгутом.

Ольга к тому времени уже не дышала, пульс не прощупывался, и адреналин не помог, и непрямой массаж сердца, и Гриша снова пустил в ход дефибриллятор, благодаря чему она и воротилась к жизни.

— Спасибо, Гриша, — пробормотала Ольга, жмурясь, как будто от слабости, а на самом деле пытаясь скрыть слезы.

Наверное, плакать сейчас для нее было бы вполне естественно, однако она боялась, что Гриша догадается: плачет она не от счастья возвращения к жизни, а от горя. Тот страх, который она испытала *там*, заплутавшись в липких сумерках, уже исчез — осталось только мучительное сомнение: а если бы ее не выдернули оттуда — смогла бы она догнать Игоря?

Или правда случилось бы так, как говорил он: она осталась бы, а он бы ушел? То есть она отдала бы жизнь взамен его жизни?

Он бы ушел, а она осталась... а девочка? А девочка с кудрявыми волосами? Она осталась бы с Ольгой?!

Нет, не думать об этом, это только морок, морок, это все привиделось! Реальность — боль в сердце и почему-то в губах.

— Ты что, делал дыхание изо рта в рот, а заодно решил меня поцеловать взасос? — старательно улыбаясь, взглянула она на Гришу.

— Да это не я! — воскликнул тот возмущенно. — Это вон кто тебе «дыхание изо рта в рот» делал!

И он ткнул ложкой дефибриллятора в связанного «полковника» Витю.

— Он тебя чуть не загрыз! Ты в зеркало посмотри — губищи как в частушке!

— В какой еще частушке? — не без опаски спросила Ольга: Гриша, конечно, верующий человек, но словарный запас был у него более чем отвязный... как, впрочем, у всех мужчин-«скоряков» (имеются в виду работники «Скорой помощи», не путать со скорняками!).

Однако частушка, несколько фальшиво пропетая Гришей, оказалась вполне детской:

— Меня милый, меня милый целовал —
Родный батюшка нечаянно увидал.
«Почему припухли губки?!» — он спросил,
А я сказала, что комарик укусил!

— Это же не инфарктник — это маньяк какой-то! — закончив вокал, продолжил Гриша суровой прозой. — Я сначала не понял, что он творит, а потом разглядел: ну натурально выдыхал в тебя из себя воздух и орал жутким ором что-то вроде «буми, эйми!»

— Буми, эйми? — тупо повторила Ольга. — А что это значит?

— Что это значит, придурок? — спросил Гриша, с ненавистью глядя на связанного «полковника» Витю.

Но тот не отвечал — грозно таращился снизу и бухтел:

— Вы что со мной сделали?! Да я вас засужу! Вы как с больным обращаетесь?!

— Все бы здоровые такие были, как ты больной! — прорычал Егорыч, перегнувшись из кабины, потом повернулся к рулю, и «Скорая» наконец тронулась.

А Ольга с Гришей некоторое время молча переглядывались, читая мысли друг друга так же безошибочно, как если бы высказывали их вслух. Размышляли они о том, что пациент есть пациент, больной есть больной, его нападение на Ольгу было спровоцировано, очевидно, реакцией организма на лекарства, которые ему вкололи в немалом количестве, и морфин, введенный при обезболивании, сыграл свою роль, и кратковременное пребывание на том свете (она хоть и клиническая, а все же смерть!) подействовало... В любом случае везти инфарктника связанным по рукам и ногам, да еще валяющимся на полу, — это, как бы поделикатней выразиться, чрезмерно экстремально, а потому вряд ли будет правильно понято начальством. Как бы с работы не вылететь или, что вполне вероятно, вообще под суд не угодить!

После краткого мысленного совещания Ольга с трудом переместилась в кресло, прикрыв первым делом свою полунаготу. Егорыч, призванный на помощь, снова остановил автомобиль, снова перебрался в салон и снова помог Грише — на сей раз переложить «полковника» Витю на носилки. Тот продолжал всячески ворчать и браниться, и тогда разъяренный Гриша в доходчивой, хотя и весьма многословной форме объяснил пациенту, что за нападение на врача ему самому светит срок, это раз, а если он сейчас сам у себя очередной приступ спровоцирует, то его спасать больше никто не будет.

— Только посмотрите на губы доктора Васнецовой! — провозгласил Гриша, кивнув в сторону Ольги. — Это ведь вы ее чуть не загрызли! И экспертиза это легко докажет! Это не просто покушение на врача, а какое-то гнусное сексуальное домогательство! Мы с доктором Васнецовой (еще один кивок в сторону Ольги) промолчим о вашем безобразном поведении, если вы сами забудете о том, что мы с вами обошлись сообразно вашему мерзкому поведению.

«Полковник» Витя не без ужаса взглянул на Ольгины губы, пробормотал, мол, не понимает, что это на него нашло и как он вообще мог совершить такое, и дал слово, что будет молчать о случившемся, — если и врачи промолчат.

Гриша кивнул дважды — за себя и за Ольгу, — помог Вите принять приличный вид, опять ввел в его вену иглу (врачи всегда заинтересованы привезти любого пациента, даже такого, как этот тип, живым!), а Ольга достала зеркальце и принялась рассматривать свои губы.

Да... ну и видок! Вспомнилось, как в юности Надюшка пригласила Ольгу вместе провести каникулы у бабушки в деревне. Детдомовцы учились в обычной средней школе — вместе с детьми из обычных семей, тогда Ольга с Надюшкой и подружились — еще в первом классе. Сказать по правде, и детство, и юность Ольги прошли не столько в детском доме, сколько в доме Надюшки.

— Подружку ты себе очень предусмотрительно выбрала! — шутила Надюшкина мама, когда Ольга окончила медицинское училище, потом институт и Михеевы получили хорошего семейного врача. Потом подружка прямо в «Скорой» приняла у Надюшки роды и помогла появиться на свет Асеньке.

Так вот о деревне.

Называлась она диковинно — Курдуши, правда, никто толком не знал, что это значит. Да и не важно! В этих Курдушах случился у Ольги небольшой роман с одним парнем, который тоже, как и Оля с Надюшкой, приехал из города на каникулы к родне. Родня эта недавно приобрела дом в Курдушах, где местных жителей оставалось все меньше и меньше, а пустеющие избы активно скупали горожане, так что Курдуши называли дачной деревней.

Короче, случился маленький роман — с прогулками в роще при луне, с поцелуями на сеновале... а вернувшись домой, Оля обнаружила ужасные синяки на шее. Не только в губы ее целовал кавалер, оказывается, а она как-то и не заметила! Надюшкина бабуля синяки увидела — и чуть в обморок не упала.

— Да что ж, тебя домовой душил, что ли? — закричала она испуганно.

— Почему домовой? — удивилась Оля. — Я на сеновале была!

— С дворовым или сарайником? — сердито осведомилась бабуля и велела внучке намазать синяки бодягой, за которой сбегала к соседке, местной знахарке. Из Курдушей до поликлиники и аптеки не наездишься, поэтому народная медицина там процветала.

Почему Ольга это вспомнила? Ах да! Потому что с ужасом рассматривала свои распухшие и кое-где прокусанные до крови губы. Тут бодягой не спасешься, знахарка посоветовала бы алоэ или облепиховое масло, однако сама-то она бы лучше пошла проторенной медицинской тропой и как следует продезинфицировала этот кошмар. Надо посмотреть, что у Гриши там есть подходящее в «желтом чемоданчике».

«Однако с чего так вдруг разобрало нашего «полковника» Витю? — размышляла Ольга. — Неужто я в нем внезапно пробудила этакую неистовую страсть?! Боже упаси!»

Вдруг что-то зазвенело буквально под ее ногами. Ольга испуганно подпрыгнула, не сразу сообразив, что это звенит ее «Нокия», которую она отбросила, еще когда начинала реанимировать пресловутого Витю.

Наклонилась, пытаясь нашарить телефон, — сразу застучало в висках и затошнило.

Интересно, как монтируется недавно перенесенное тяжелое сотрясение мозга с дефибрилляцией? Кажется, плоховато...

Телефон Ольга все же подняла, но звонки прекратились. Взглянула на дисплей — да это Владимир Николаевич звонил. Что случилось? Что-то с Игорем?!

Руки так затряслись, что не сразу удалось перезвонить.

— Олечка, извини, если отвлекаю, ты на вызове, наверное? — раздался взволнованный голос свекра. — Просто хотел сказать, что мне удалось уговорить Валентину Петровну уйти домой ночевать. Вместо нее я останусь. Так что ты сегодня могла бы навестить Игоря... Как думаешь, получится?

Руки у Ольги так задрожали, что она чуть опять не выронила телефон. И с голосом справилась не сразу.

— Я постараюсь, — прохрипела она наконец. — Я буду очень стараться. Спасибо, что позвонили.

Сидела, тупо глядя на дисплей.

— Оля, все в порядке? — осторожно спросил Гриша.

— Да, все хорошо, — судорожно сглотнув, проговорила Ольга.

Так, надо срочно позвонить главврачу подстанции, чтобы нашли замену на ночные вызовы доктору Васнецовой. Конечно, она не скажет, что надо навестить мужа, — сошлется на плохое самочувствие. Гриша не даст соврать: реанимация врача на рабочем месте — это вам не фунт изюму, какая уж после этого работа, надо как минимум дома отдохнуть, если не в больнице! Но это уж личное Ольгино дело, где отдыхать. А в палату к Игорю она прорвется, только сначала надо дернуть Кирилла Поликанова, реаниматолога Центральной больницы. Все врачи так или иначе друг друга знают, особенно по своему профилю. Наверняка у Кирилла найдется какой-нибудь кореш в медицинском центре.

Кирилл Ольге не откажет: они вместе когда-то в медучилище учились, потом в институте, Кирилл даже ухаживал за Ольгой, но был вынужден посторониться, когда появился Игорь. Тогда все парни посторонились: поняли, что с любовью с первого взгляда не шутят!

Правда, вскоре дошли до Ольги слухи, будто Кирилл от разбитого сердца пытался травиться, и она ринулась к нему в больницу, однако старый друг оказался вполне жив и не без стыда объяснил, что всего лишь пытался завить горе веревочкой — в смысле, не повеситься, а напиться. Однако, к своему несчастью, напоролся на палёную водку, вот и вышло нешуточное отравление. Правда, это излечило его от неудачной страсти, что порадовало Ольгу, ибо она предпочитала Кирилла в качестве доброго друга, но уж никак не любовника.

Друг-реаниматолог очень пригодился: именно Кирилл выводил Ольгу из комы, когда ее привезли с разбитой головой, и Игоря выводил из комы, когда его привезли с огнестрельным ранением...

Кирилл поможет, обязательно поможет!

Кстати, надо Люсе перезвонить, вспомнила Ольга. Как она там, перестала Скалолазку оплакивать?

Вдруг заметила, что мигает значок диктофона. Ого, да он был включен! Ну да, наверное, когда Ольга его отшвырнула, от удара какая-нибудь кнопочка нажалась, он и заработал. Интересно, что он там назаписал? Ну, ее разговор со свекром, это само собой, а еще что? Процесс ее реанимации, наверное?

Ольга нажала на знак воспроизведения и услышала:

— Проводим? Ольга, проводим?!

Это Гриша кричит перед тем, как начать «полковника» Витю реанимировать. А это уже сама Ольга ему отвечает:

— Да! Разряд!

Потом начинается какая-то суматоха.

— Во! — обрадовался не диктофонный, а натуральный Гриша. — Для истории записала? Здорово! — Слушайте, слушайте, — обернулся он к присмиревшему «полковнику» Вите, — у нас есть доказательство вашего нападения на доктора! Ольга Васильевна, сделайте погромче!

Она послушно увеличила звук, и в это мгновение из диктофона вырвался жуткий, ну вот натурально нечеловеческий вопль:

— Бу-ми! Суруде-ми! Эй-ми мучудя-ми окин-да!

Ольге почудилось, будто каждое из этих странных, безумно странных слов взрезает ее мозг, буквально разрывает голову! Она вдруг снова оказалась в тех же липких сумерках, где побывала недавно, снова задыхалась, но Игорь был рядом, а потому Ольга не спешила сорвать с лица эту мучительную паутину. Лишь бы не расставаться с ним!

— Я тебя отдаю, — проговорил Игорь, но голос его был едва слышен. — Отдаю своими руками, отдаю ему...

— Что ты говоришь? — испуганно спросила Ольга. — Я ничего не понимаю!

— Лишь одно это вернет меня к жизни, — продолжал Игорь. — Я не слишком дорожу ею, ведь теперь она станет только раскаянием за то, что я сделал, только раскаянием, горем и тоской, но если я умру, то уведу с собой и тебя. Заберу против своей воли! Понимаешь, Оля? Ты умрешь, если умру я, потому что любишь меня, потому что цепляешься за меня и не сможешь избавиться от желания видеть меня снова и снова. Только он, только другой сможет вернуть к жизни тебя и меня, только с его помощью ты поймешь, что произошло с нами, но это будет не прежняя наша общая жизнь. У каждого будет своя... наши тропы разойдутся... Но мы оба останемся живы, вот что самое главное, понимаешь, Оля?

— Нет, я не понимаю, я не хочу этого понимать! — услышала она свой крик — не смогла удержаться от крика боли и муки! — вскочила, но в этот момент машину встряхнуло на каком-то ухабе, Ольгу швырнуло в сторону, она ударилась головой о пластиковую перегородку между кабиной и салоном — и потеряла сознание.

Темное пламя любви

В давние времена

— Не может быть! — горячо выкрикнула Ольгушка. — Не могла моя матушка... не могла убить кого-то! И разве у тебя, тетушка, был сын? Отчего же я про это никогда не слышала?

— Не только ты — никто не слышал, — тихо ответила тетка Лукерья. — Никто, потому что хранила я это в тайне. Даже муж мой, Каллистратушка, про сие не знал и не ведал. Конечно, того, что досталась я ему не девицею, не скроешь, но я ему правду сказала: напал на меня однажды, еще давно, еще до встречи с ним, в лесу лихой человек, ссильничал — да и сгинул навеки. Только и радости было, что в тот же день нашла я на лесной тропе перстенек чудной красоты: из какого-то черного железа, с камешком зеленым. Вот он, на пальце моем... Конечно, я его подняла и надела. У меня никогда ничего подобного не было... да и у моих подружек не было! И даже у Груньки, которой муж вечно дарил всякие побрякушки, не было такого перстенька. Видать, от зависти она и начала мне твердить всякие глупости: дескать, зачем, сестреница[1], ты этот перстенек подобрала? Порча, мол, на нем! «Сними, говорит, да мне отдай — я попробую его отчитать!» Я ей, конечно, в ответ: «Ишь чего захотела! Ты всякими побрякушками увешана с головы до пояса, а у меня в кои-то веки колечко завелось? Не отдам! И не выдумывай про порчу, знаю я тебя! Заберешь себе — и поминай мой перстенек как звали!» Ох, как разозлилась

---

[1] Сестреница — двоюродная сестра (старин.).

75

Грунька! Прошипела: «Ну что ж, тогда терпи да не жалуйся. Только много зла ты с ним натерпишься, а еще больше другим этого зла принесешь!» — «Каркай, ворона, каркай!» — сказала я ей да и прочь выгнала. И впрямь накаркала мне беду Грунька — вскорости поняла, что забрюхатела... Ах, как я от всех таилась, как пряталась, до какой боли брюхо тряпками затягивала! Даже родимый батюшка ни о чем не подозревал, ну да он по большей части в отхожем промысле был. Однако все же настал день моих родин. Кому мне было открыться, кого на помощь позвать, как не сестреницу мою, Груню Васнецову? Ведь, кроме нее, никакой женской родни у меня больше не осталось! Сговорились мы с Грунькой, что она ребеночка примет и в лес его тайно снесет, спрячет там, а я его на другой же день отыщу, когда с подружками в лес пойду, — отыщу, будто нечаянно. И заберу к себе, будто из жалости, и вырастет он как приемыш, но только я одна буду знать, что это мое роженое дитятко, мой Демьянушка.

Тут тетка Лукерья с трудом перевела дух и не сразу продолжила:

— Ох как больно мне было рожать! Как же я мучилась! Сунула мне Грунька жгут между зубами, велела покрепче зажать, чтоб криков моих слышно не было, — и ну орудовать своими ручищами в нутре моем женском, чтобы дитя поскорей на свет явилось. Этой боли я уже не вынесла, обеспамятела, а когда очнулась, надеясь увидеть свое дитятко, была при мне одна только Грунька. И сказала она, будто сыночек мой родился мертвеньким, и, пока лежала я без памяти, она снесла дитя в лес и бросила там в болото. А потом вернулась в мой дом и все кругом меня прибрала и вымыла, чтобы, не дай бог, ни один досужий соседский глаз не высмотрел, что здесь происходило.

Ольгушка с ужасом таращилась на тетку Лукерью, не в силах поверить ни единому словечку, но при этом понимая, что той уже смотрит смерть в глаза, а перед этим непрощающим, беспощадным взором, наверное, не лгут...

— Ну что ж, — горестно продолжала тетка Лукерья, — оклемалась я, оплакала я сыночка родимого, заплатила Груньке, чтобы молчала о моей беде, да ей все мало было, то и дело приходила из меня деньги тянуть! Поблагодарила ее, однако все же понять не могла: почему она не дала мне на роженое мое дитятко взглянуть, почему не дала омыть его слезами, почему унесла да сунула сыночка моего в болотину? Тоска по нему меня ни на день, ни на час не оставляла, ни на минуточку. И вот начали мне являться страшные видения, как будто сыночек мой родился живым, а не мертвым, как будто очнулся он в болотине, кричал, плакал, да никто спасти его не мог, как будто на крики явился моховик, дух злобный, который является людям в виде зеленой мохнатой свиньи, да и заел дитя беспомощное! Едва не помешалась я от таких снов, уже руки на себя хотела наложить, да убоялась греха. Жизнь моя текла, будто вода мутная, а Грунька не унималась, тянула да тянула с меня деньги, а коли денег не дам, грозилась всему честному народу рассказать о том, что со мной случилось. Приходилось мне у отца тайком подворовывать, подпаивая его, чтобы не мог вспомнить, сколько оставалось в кошеле монет. Как-то спросила я Груньку, за что она меня так ненавидит, за что мучает? Не сразу, но все же поведала она мне правду: мол, мстит за то, что муж ее, Василий Васнецов, был некогда в меня влюблен, однако робел со мной заговорить, со скромницей, не то что присвататься. А Грунька по нему сохла! И вот пошла она на страшное дело: мало того что на себя его однажды затащила, по пьяной-то лавочке, когда парень не соображал, что делает и кого целует-милует, да еще принялась его беспрерывно опаивать приворотами да присушками, от которых он и вовсе разум потерял, женился на Груньке и стал верным помощником ее ведьмовских проделок...

Ольгушка рада была бы уши заткнуть, чтобы не слышать ужасных слов об отце своем и матери, да тетка Лукерья крепко держала ее за руки, не давала ими шевельнуть, и все вела, вела свои ужасные речи, от которых сердце Ольгушки билось уже с перебоями, а иной раз ей казалось, будто оно и вовсе остановится.

— Шло время, стала душа моя потихоньку успокаиваться, и страшные видения меня больше не посещали. Жизнь моя кое-как наладилась. Я вышла замуж за отца Каллистрата, заплатив Груньке вовсе уж цену немереную. Боялась, как бы она не открыла моей вины миру честному да мужу моему! Он простил... от любви ко мне и доброты своей простил, что я не девицей непорочной ему досталась. Однако, конечно, узнав, что у меня ребенок родился да был в болоте утоплен, будто падаль, этого он простить бы не мог! А Грунька, которой по-прежнему хотелось завладеть моим перстеньком, для начала намекнула отцу Каллистрату, что не иначе полюбовник мне его подарил. Велел муж его снять: негоже, мол, попадье носить что-то еще, кроме колечка венчального! Однако снять его оказалось невозможно: я раздалась вширь, и пальцы у меня потолстели, вот перстенек в палец врос. Не обрубать же его! Смирился с этим отец Каллистрат. А Грунька, своего не добившись, все не унималась: грозилась наговорить мужу моему, будто я сама дитятко утопила! Насилу, говорю, откупилась от твоей матушки... чтоб ее черти на том свете жарили да парили!

Прежняя злоба зазвенела в голосе тетки Лукерьи, и Ольгушка вдруг почувствовала, что здесь что-то не то: не могла ее добрая да ласковая матушка оказаться такой злодейкой, какой тетка ее описывает. А что до того, будто любовь отца к матери зиждилась только на присушках и приворотах, то уж в это Ольгушка никогда не поверила бы, потому что вся жизнь родителей происходила на ее глазах, и такую любовь, которая сияла между ними, можно было только в сказке отыскать. Ни на минуту не засомневался бы Василий оседлать черта и полететь на нем в дальние дали, чтобы отыскать царицыны черевички для любимой своей Грунюшки!

Да, может, и думают люди, что перед смертью нельзя соврать, но то, что тетка Лукерья сейчас напраслиной поливает Васнецовых, даром что минуты ее жизни сочтены, — в этом Ольгушка с каждой минутой уверялась все больше.

А тетка Лукерья между тем продолжала:

— Прошло какое-то время, и увидела я сон. И во сне том явился ко мне мой сыночек, сказал, что жив он, не заел его, по счастью, моховик, однако же попал он во власть злобного болотника, который забирает всех детей, умерших некрещеными. А ведь сыночка моего не то что не крестили Демьянушкой — глоточка воздуха живого ему вдохнуть не дали, и только по ночам выпускает несчастных своих узников из трясины, чтобы они мелькали над болотами синими огоньками и заманивали неосторожных путников в болото на погибель. Но есть, сказал мой сыночек ненаглядный, одно средство спасти его. В том оно состоит, чтобы не просто убить его погубительницу Груньку Васнецову, но и все семейство ее извести под корень, то есть и мужа, и дочку. Но если хоть кто-то из этого проклятого семейства в живых останется, сыночек мой снова сгинет, а вернется ко мне, лишь когда срок его службы у болотника кончится. Но уж когда это произойдёт — неведомо. Может, и никогда!

— Боже ты мой, боже... — пробормотала Ольгушка, чуть дыша. — Но ведь это был только сон! Мало ли что кому приснится! А ты, тетенька, так этому сну поверила, что после него, значит, и...

— Да, — признала тетка Лукерья. — После этого сна раздобыла я отравы, забралась к Васнецовым, когда их дома не было, подсыпала ее Груньке в кашу, она и померла, и Василий помер, а тебя, видно, сила нечистая спасла — не ела ты той каши, потому и жива осталась. Хотела я тебя, отродье ведьмовское, в огонь толкнуть, да пожалел тебя Каллистратушка, не посмела я против его воли пойти. Оттого ты жива осталась, а я лишилась счастья своего — не вернулся ко мне сыночек мой, не вернулся ко мне Демьянушка!

— Так вот почему ты меня так ненавидела, тетенька! — печально вздохнула Ольгушка.

— А за что мне было тебя любить? — прошипела тетка. — Ты, мерзавка, жива и здорова, а мой Демьянушка гнил в болоте невесть сколько лет! Но не радуйся, тварюга ненавистная! Все же смилостивилась надо мной судьба моя недобрая, все-таки сжалилась! Подал мне сыночек знак, оставив свои следочки под окном! Ты их погаными назвала, замести захотела, дурища злобная, а я в кои-то веки порадовалась, в кои-то веки счастлива была.

— Погоди, тетенька, — озадачилась Ольгушка, — ты про какие следы говоришь? Про птичьи? Но ведь такие следы только навьи оставляют! Мертвецы! Значит, сын твой... значит, он мертвец?!

— Какие птичьи следы, да ты ополоумела?! — возмутилась тетка Лукерья. — Там были следы сапожков моего Демьянушки! Живого моего сыночка!

«Может, я чего-то не заметила?» — усомнилась Ольгушка и спорить не стала, только спросила:

— Но отчего же сын твой, если под окошком ходил, в дом не зашел? Чего испугался?

— Не чего, а кого! — процедила тетка Лукерья. — Тебя, злыдни! Испугался, что ты изведешь его так же, как мать твоя некогда его извести хотела!

— Так значит, тетенька, ты ночью сама к нему в лес бегала? — догадалась Ольгушка.

— А ты откуда знаешь?! — насторожилась тетка Лукерья.

— Видела в окошко, как ты за околицу ринулась, — призналась Ольгушка, не решившись, впрочем, рассказать о том, что следила за попадьей. —

Но скажи, тетенька, встретились ли ты со своим сыном?

— Да! — торжествующе выкрикнула тетка Лукерья и бессильно откинулась на спину. На лице ее играла счастливая улыбка. — Да, я его видела! Только обнять его мне не удалось, потому что вдруг выметнулось из чащи какое-то чудище и на меня набросилось, изодрало меня когтищами, сама видишь как... насилу я от него отбилась, насилу убежала, насилу из чащи выбралась и до дому добрела, истекая кровью.

— Так что же за тебя сыночек твой не заступился? — пробормотала недоумевающе Ольгушка. — Отчего он тебя домой не привел?

— Да он... да я... да что... — растерянно забормотала тетка Лукерья, отводя глаза, словно ответа не ведала, и вдруг взгляд ее упал на дверь, лицо озарилось радостью, и она воскликнула: — Вот он! Пришел! Вот сыночек мой, смотри! Пришел ко мне!

Ольгушка почувствовала, как понесло по комнате ледяным ветром, повернула голову и увидела, что на пороге стоит какой-то человек, и был он самым красивым из всех, которых она видела в жизни.

Ах, какими же яркими были его зеленые глаза, как они сияли! Черные брови сходились на переносице, оттеняя бледность лица, лишенного румянца. Зато губы были яркими, алыми, что у девицы. Черные волосы волнами спускались на широкие плечи. Одет он был во что-то зеленое, шубу, что ли, да в черные сапоги, но ни одежду, ни обувь его разглядывать Ольгушке было некогда, потому что глаза ее как приковались к лицу красавца, так и не могли от него оторваться.

— Демьянушка мой! — снова воскликнула тетка Лукерья. — Сыночек родименький! Как же хорошо, что ты пришел, чтобы принять мое последнее благословение да закрыть мне глаза! Умру я счастливой, потому что ты будешь со мной в мои последние мгновения! Подойди ко мне, склони колени, я тебя благословлю!

Она воздела руку для крестного знамения, однако Демьянушка отшатнулся с таким ужасом на лице, что его красивые черты на миг показались уродливыми. Ольгушка так испугалась этого мгновенного преображения, что на всякий случай быстро перекрестилась, — и вдруг красавца словно какой-то неведомой силой отбросило к стене! Он не удержался на ногах, упал... ноги его мелькнули в воздухе, и Ольгушка глазам не поверила, увидев, что на ногах его не сапожки черные, а... птичьи лапы троепалые размером в человечью стопу! Птичьими лапами ноги его заканчивались!

«Значит, это его следы я под окном видела! — смекнула Ольгушка. — А бедной тетушке померещилось, что это следы сапог ее Демьянушки! От тоски по сыну померещилось!»

— Ничего ей не померещилось, — огрызнулся пришелец, поднимаясь, и Ольгушка только сейчас разглядела, будто одеяние его диковинное — это никакая не шуба, а длинная зеленая шерсть, которая клочьями спускалась с его тела. — Это она тебе так сказала... о да, знаю я, что много чего она тебе наговорила, а ты и уши развесила! Нашла кого слушать! Нашла кого жалеть! Нашла бедную тетушку! Ты вот меня выслушай! Я тебе всю правду открою!

— Демьянушка, родненький! — зарыдала тетка Лукерья. — Нет! Смилуйся надо мной! Пощади меня! Не говори ничего! Я ведь ради тебя, только тебя ради... Демьян, смилуйся!

— Не зови меня этим глупым именем! — взревел незнакомец. — Имя мое — Демон! Не Демьян, а Демон! Ты волю мою не исполнила, эту девку со свету не сжила — а теперь я хочу, чтобы она всю правду о тебе услышала. Видно, мало ей известия о том, что ты ее отца с матерью убила. Она еще и жалеет тебя, неразумная! Пусть же откроется ей та ложь, которую ты скрывала, пусть она возненавидит тебя так же, как ее ненавидела. И если после этого не придушит она тебя своими собственными руками, не даст волю своей злобе, я убью и ее, и тебя. Слушай же!

Случилось это, когда Лукерья Митяхина была совсем молоденькая — едва ли исполнилось ей семнадцать...

* * *

— ...Семенов. Мужчина восьмидесяти лет, острый коронарный синдром, болевые ощущения купированы, отказался от госпитализации.

— Урень. Одна женщина с нарушением мозгового кровообращения, в коме, в реанимации в центре интенсивной терапии. Еще мужчина... позднее обращение...

— Оль, ну ты как?

Она открыла глаза.

Высокий белый потолок, светло. Нет липких сумерек... нет Игоря!

Над Ольгой склонялся Кирилл Поликанов — старинный друг.

— А ты откуда здесь взялся? — растерянно спросила Ольга.

— Я здесь работаю, ты забыла? — не менее растерянно ответил Кирилл.

— Ты что, на «Скорую» перешел?

— Нет, я по-прежнему в центральной реанимации.

— А я что здесь делаю?!

Ольга огляделась. Да ведь это один из двух реанимационных залов Центральной больницы!

Просторное помещение, шесть кроватей, между ними аппараты искусственной вентиляции легких, наркозно-дыхательные аппараты, инфузоматы (они же инфузионные насосы): помпы для дозированного введения препаратов, — тут же привычные и обычные штативы для капельниц, дефибрилляторы, прикроватные мониторы пациента, которые фиксируют частоту сердечных сокращений, сердечный ритм, артериальное давление, частоту дыхания, уровень кислорода и углекислого газа в крови, температуру тела и еще множество показателей, необходимых для неусыпного наблюдения над состоянием здоровья пациентов. Сестринский пост у двери, но еще не меньше шести человек персонала — врачи, медсестры, санитарки, лаборанты — около кроватей. Особая сосредоточенность персонала — непременный признак реанимации.

— Мне мерещится, что ли?! — пролепетала Ольга. — Или это провал в прошлое? Я же тут полгода назад была!

— Ну вот, видимо, понравилось, решила вернуться, — осторожно погладил ее запястье Кирилл.

— А если серьезно? — отдернула руку Ольга. — Погоди... я вспоминаю... мне стало плохо в нашей «Скорой», да?

— Вспомнила! — обрадовался Кирилл. — Умница. С твоим недавним сотрясением такие удары неполезны. Да еще дефибрилляцию имела счастье перенести!

— Да, имела я такое счастье, повезло нереально, — пробормотала Ольга. — Слушай, а почему у вас так громко связь работает?

— Какая связь? — озадачился Кирилл.

— Ну, когда ежеутреннюю обязательную дистанционную конференцию реаниматологов и анестезиологов проводите. Вот слышишь? — И она повторила слова, только что прозвучавшие на весь реанимационный зал: — «Шахунья. Направленный вами пациент поступил, доехал благополучно...»

— Ты серьезно?! — чуть ли не глаза вытаращил Кирилл. — Это же только в кабинете главного слышно. Сюда не может доноситься ни звука.

— А ты не слышишь? — не поверил Ольга.

Кирилл покачал головой.

— Правда не слышишь? — Ей стало не по себе. — Но почему... почему я слышу?

— Оль, не переживай. — Кирилл присел на краешек кровати. — Такое бывает. После сотрясения чего только с людьми не случается! Особенно после клинической смерти.

— Что? — слабо выдохнула Ольга. — У меня что, была клиническая смерть?!

Темное пламя любви

— В первый раз, зимой, — да, — кивнул Кирилл. — Неужто забыла? И сегодня, как я понимаю, завели тебя только дефибрилляцией, то есть тоже, знаешь, по краешку ходила. Но честно скажу, я просто в шоке от того, насколько быстро ты восстановилась. В привычку, что ли, у тебя вошло умирать и воскресать? Все жизненные показания в норме, не веришь — сама посмотри, — он кивнул в сторону монитора. — Конечно, я этому очень рад, но фокусы всякие возможны, поэтому сутки у нас полежишь под капельницами. Я как раз дежурю, за тобой пригляжу, чтобы без осложнений обошлось. А то иные начинают чудесить... Знаешь ведь, как у нас: то тишь да гладь, то гром и молния! Помню, еще несколько лет назад была ужасная история. Привезли мальчишку — дерево на него упало во время урагана. Сотрясение, да, но не такое уж тяжелое. Но вдруг начал слышать голоса, которые уверяют, что вот-вот придут фашисты и его убьют.

— Фашисты?! — изумилась Ольга. — А что, современные дети боятся фашистов? Я думала, вампиров, космических монстров... ну, ЕГЭ...

— ЕГЭ боятся, если только по русскому языку, — ухмыльнулся Кирилл. — Но вот такой был мальчик нетипичный. Короче, наслушался этих голосов, выдернул у себя все иглы из вен и кинулся к окошку. А у нас тогда как раз кондиционеры полетели, а лето, а жара смертельная... Окна пооткрывали, ну, мальчик взял да бросился в окно — спасаться, значит, от фашистов. И погиб.

— У вас же первый этаж, — недоверчиво покосилась на окно Ольга.

— Да, но под окном оказалась плита строительная: после ремонта осталась. Мальчик и угодил виском на край...

Кирилл развел руками с тем выражением фаталистического спокойствия, которое частенько возникает на лицах хирургов, анестезиологов и реаниматологов. Кто-то назовет это признаком цинизма или профессионального выгорания, но Ольга знала, что это нечто вроде инстинктивного средства самозащиты. Ибо только в романах врач умирает и заново рождается с каждым пациентом!

— Сама знаешь, у нас тут паноптикум, порой даже печальный, — продолжал Кирилл. — Вон там, в том углу, вдова: на похоронах мужа ударилась ногой о край гроба. Через день отек, покрасненье, затем газовая гангрена. Сделали ей утром ампутацию, пытаемся спасать. Шансы есть. Рядом с ней еще одна жертва своего мужа. Обмывали новый автомобиль. Придурок поставил жену у ворот гаража и начал репетировать навыки экстренного торможения. Ну и вдавил супругу в ворота. Вся переломанная лежит, не знаю...

— Нет, нет, она выздоровеет, а вдова... — вдруг выпалила Ольга.

— Что с ней такое?

— Вздрогнула так резко!

— И что? — удивился Кирилл.

— Если больной внезапно вздрогнет, это знак, что смерть ему в очи поглядела, — пробормотала Ольга и испуганно уставилась на Кирилла, который озадаченно смотрел на нее:

— Это что еще за народные приметы и поверья?

— Не обращай внимания, у меня иной раз и не такое с языка сорвется, — смущенно пожаловалась Ольга. — Наверное, тоже последствия... Внутренний голос, может, какой-нибудь прорезался? У кого третий глаз, у кого внутренний голос...

— Ну твой голос хоть слушать приятно, без разницы, внутренний или внешний, — ухмыльнулся Кирилл. — А то здесь такого матюгальника одновременно с тобой привезли, что даже у меня уши вяли от него, хоть я вроде уже большой мальчик и поднаторел в обращении с великим и могучим. Вот он, дядька этот, по соседству с тобой лежит. Якобы после инфаркта мужик, а буйствовал, а буйствовал-то!..

Он поднялся, чуть посторонился, и Ольга увидела на соседней кровати не кого-нибудь, а «полковника» Витю собственной персоной.

Ее пробрала такая дрожь, что зубы застучали.

— Эй, — озабоченно воззрился на нее Кирилл, — ты что, помирать мне тут собралась?!

— С чего вдруг? — пробормотала Ольга.

— Ты же сама только что сказала: если больной внезапно вздрогнет, это значит, что ему смерть в глаза поглядела. А тебя заколотило вдруг так, что кровать трясется. И что тебе сейчас подсказывает твой внутренний голос?

— Слушай, Кирилл, передвинь меня в другой угол, а? — взмолилась Ольга. — Это ведь тот самый инфарктник, который меня задушить пытался и... губы, видишь, у меня какие? Это он меня искусал!

— Он?! — недоверчиво смерил взглядом «полковника» Витю Кирилл. — Да его после такого сексуального безумия надо в психушку было везти, а не к нам. Хотя да, инфаркт же... Ладно, погоди, сейчас все организуем. Только проще его передвинуть, чем тебя, рядом с ним с другой стороны как раз свободное местечко образовалось. Девочки-мальчики, помогите-ка! — окликнул он дежурных, быстро объяснил ситуацию, и кровать «полковника» Вити вместе с подключенными к нему приборами и капельницами медленно поехала в сторону, сопровождаемая смешками и хохотками веселых молодых врачей.

— Подальше, подальше, пожалуйста! — умоляла Ольга. — А еще лучше загородите меня от него ширмой, что ли! Вдруг он очухается, увидит меня и опять одуреет?

— И я этому не удивлюсь, — кивнул Кирилл, — от тебя одуреть можно очень даже запросто! Я вот, как в одной старой песенке пелось, поглядел и обалдел... на всю оставшуюся жизнь. Честно говоря, увидев сегодня твои выразительные губки, сначала даже подумал, что нашелся наконец везунчик, ради которого ты забыла Игоря...

— Игорь! — вскинулась Ольга так резко, что из вены выскользнула игла капельницы и кровь закапала на простыню.

Кирилл ловко подхватил иглу, а другой рукой с силой согнул Ольгин локоть, пытаясь остановить кровотечение.

— Девочки, смените иглу, положите пока салфетку на простыню, потом ее сменим, когда прокапаем пациентку, — быстро велел он, повернувшись к медсестрам, и только потом виновато взглянул на Ольгу:

— Прости, ради бога. Я ничего такого не имел в виду...

— Да нет, не в этом дело, — попыталась отмахнуться Ольга, но Кирилл проворно придержал ее другую руку, тоже соединенную с капельницей. — Это ты меня извини... просто я должна была сегодня ночью попасть в медцентр, хотела тебя просить помочь. Мой свекор как-то уговорил Валентину Петровну пойти ночевать домой. Она ведь меня к Игорю не подпускает, а тут такой случай... Ты мне поможешь пройти к нему в палату? У тебя ведь какие-то есть в этом центре знакомые, да? Попросишь, чтобы сделали мне пропуск?

Кирилл смотрел на нее молча, чуть прищурясь, с каким-то странным выражением, не то жалости, не то презрения.

— Ну что?! — сердито спросила Ольга наконец, не выдержав молчания.

— Ты, часом, не ополоумела, Ольга Васильевна? — хрипло проговорил Кирилл. — О чем, ради господа бога, вообще говоришь? Конечно, у меня в медцентре есть свои ребята, и я напряг бы их, это без вопросов, но после того, что с тобой сегодня происходило, я и пальцем не шевельну, чтобы ты куда-то могла отправиться. Тебя ведь дважды с того света выдергивали, ты это понимаешь? Так что придется подождать другого удобного случая.

— Кирилл, да ты что говоришь?! — чуть ли не закричала Ольга. — Они меня полгода к Игорю не подпускали, в кои-то веки хотя бы свекор смилостивился... Я просто не могу этого случая упустить!

Кирилл прищурился:

— А не желаешь полежать пристегнутой к кровати ремнями? Под хорошим ударом релаксантов? Для твоей головы это, конечно, не так чтобы здорóво и здорóво, но уж всяко лучше, чем ринуться сейчас в медцентр на свиданку с человеком, который мало что тебя чуть не убил, да еще и лежит в коме! А может, он из нее не выходит из чувства самосохранения, вернее, тебя сохранения, чтобы не довести начатое до конца и не сделаться полным и законченным убийцей?

Ольга задохнулась от той ненависти, которая вдруг так и ударила ее, как если бы в лицо швырнули снежный ком. Слова Кирилла, голос его, выражение его лица были пропитаны этой ненавистью!

— Как ты... как ты можешь? — пролепетала беспомощно.

— Да так и могу, — прорычал Кирилл, чуть оскалясь от злости. — Тебе восемьсот раз было умными людьми говорено, чтобы ты от этого фрукта подальше держалась, но нет, ты к нему рвалась, как бабочка на огонь... и что? Дорвалась? Как поживают твои крылышки? Еще трепыхаются?

Ольга зыркнула исподлобья — гневно, яростно, но все же придержала язык, потому что ненависти в глазах Кирилла уже не было — только боль там осталась, мучительная боль. Ну да, он не раз предупреждал, что с Игорем счастья ей не дождаться, слишком они разные, но Ольга была уверена: Кирилл твердил это только из ревности. Может быть, и сейчас он завел старую шарманку из ревности, однако Ольге вдруг подумалось, что та «паленая водка» была, очень возможно, выпита не случайно...

Впервые она видела такое бешенство во взгляде Кирилла. А ведь с него станется и в самом деле привязать ее ремнями, лишь бы не пустить к Игорю. И не поймешь, ревность ли заставит его это делать или элементарная забота врача о пациенте.

Впрочем, подумала Ольга, покосившись на окно, еще только слегка вечереет, ночь впереди, мало ли что еще случится, может быть, Кирилл сменит гнев на милость...

— Ладно, — уже совсем другим тоном пробормотал Кирилл, — еще раз извини, погорячился. Но не строй никаких дурацких планов и не надейся, что я со временем подобрею. Только рыпнись — и отведаешь ремня, вернее, ремней. Единственное, что я могу для тебя сделать, это дать телефон, чтобы ты позвонила этому своему свекру и объяснила, что не придешь к одру любимого супруга по уважительной причине.

Очень захотелось послать Кирилла вместе с его подначками насчет одра так далеко, откуда вообще нет возврата, но Ольга сдержалась и на сей раз.

— Давай телефон.

Кирилл достал из кармана робы мобильник, и Ольга удивленно вскинула глаза:

— Но это не мой!

— Твой сдан в камеру хранения вместе с прочими вещичками, — пояснил Кирилл. — Придется попользоваться этим.

— Да как же я им попользуюсь, если номера Владимира Николаевича не помню! — в отчаянии воскликнула Ольга.

— Ну в этом уж я не виноват! — развел руками Кирилл.

— А ты не можешь принести мой из камеры хранения, а? — взмолилась Ольга.

— Думаю, что нет, — качнул головой Кирилл. — Поздно уже, все закрыто. Ломать двери и сносить замки не буду, извини, даже ради тебя.

Ольга в отчаянии зажмурилась.

Можно себе представить, что напридумывает себе свекор, сколько раз наберет Ольгин номер, чтобы высказать нелюбимой снохе все, что о ней думал раньше и думает теперь! Не дождется ответа, еще больше накрутит себя и, не дай бог, расскажет и Валентине Петровне. Вот радость ей будет...

Ну хоть кто-то порадуется, на том спасибо!

Слезы жгли глаза.

— Оль, ну ладно тебе, — пробормотал Кирилл. — Завтра в семь утра принесу тебе телефон, объяснишься. А может, этот твой свекор догадается позвонить на подстанцию и там ему объяснят, где ты и что с тобой. У него есть номер подстанции?

— Откуда, ты что? — вздохнула Ольга и буркнула, не открывая глаза: — Освободи мне руку, пожалуйста.

— Зачем? — Голос Кирилла стал настороженным.

— Слезы вытереть, — сдавленным от слез и унижения голосом объяснила Ольга, и Кирилл осторожно вынул иглу из вены ее левой руки:

— Ладно, освобождаю, тем более что всю дозу ты уже приняла. И вот, держи.

Кирилл сунул ей в руку марлевую салфетку, и это значило сейчас для Ольги куда больше всех его объяснений и извинений. Это был знак истинного дружеского понимания, сочувствия, желания помочь.

Такой трогательный знак!..

Ольга вытерла глаза и вернула салфетку, глядя поверх плеча Кирилла: смотреть ему в лицо было стыдно.

И вдруг она увидела в дверях реанимации какого-то человека. Он показался очень знакомым, однако всмотреться в него и понять, кто же это такой, Ольга почему-то не могла: взгляд ее словно бы откидывало в сторону, в голове вспыхивала тупая боль. Не понимая, что происходит, она вновь попыталась вглядеться в его лицо, прорываясь сквозь боль. Почему это так важно, она не понимала, но узнать визитера было необходимо! Поэтому Ольга собралась с силами и, чуть слышно застонав от напряжения и боли в глазах, сфокусировала взгляд на сморщенной, изможденной физиономии, смотревшей на нее с издевательским выражением. Козырек белой каскетки наполовину прикрывал лоб, и только по этой дурацкой каскетке Ольга узнала... Скалолазку!

Когда глаза их наконец встретились, Скалолазка широко улыбнулся, словно порадовался встрече, махнул рукой и отпрянул в коридор.

— Что там такое? — недоумевающе спросил Кирилл, оглядываясь и снова поворачиваясь к Ольге. — У тебя такой вид, будто ты призрака встретила.

— Именно так, — пробормотала она. — Ты видел мужика в белой каскетке?

— Да, мелькнул тут какой-то, — кивнул Кирилл, — видимо, родственник чей-то, теперь ушел. У нас же теперь родню в реанимацию пускают, слышала? А почему ты думаешь, что это призрак?

— Да потому что, когда мы сегодня выводили «полковника» Витю из небытия, мне позвонила одна докторша из линейной бригады, Люся, и закричала, что у нее на руках Скалолазка умирает.

У Кирилла стали большие глаза, и Ольга торопливо объяснила этимологию Скалолазкина прозвища.

— Люся — она недавно работает, Скалолазка у нее первый умирающий, вот она и впала в истерику. А я не раз бывала в этой их бомжатской берлоге, знаю, что он всю жизнь себя старательно готовил к самой поганой смерти, поэтому и говорю ей: «Отпусти его!» А потом на меня этот наш инфарктник накинулся, так что мне стало не до Скалолазки, сам понимаешь. Но я ведь его фактически к смерти приговорила, закономерно, что мне его призрак и должен являться.

Кирилл несколько раз задумчиво моргнул, потом покрутил пальцем у виска:

— Рехнулась ты, Олечка, совсем! Этот твой альпинист — он что, первый, кого доктор Васнецова приговорила, как изволишь выражаться? А нам что делать тогда? Реанимация — это отнюдь не гарантия спасения! У нас тут толпы призраков должны в дверях и под окнами толочься, друг друга отталкивая, рожи корча и завывая на разные голоса, так, что ли? Почему тебе не приходит в голову, что твоя докторша Лида...

— Люся, — шепнула Ольга.

— Она не обидится! — зло оскалился Кирилл. — Люся, Муся, Лида — главное, что она докторша и что ей вдруг да удалось спасти Скалолазкину никчемную жизнь? И он, оклемавшись, приперся сюда по какой-то совершенно случайной надобности, не имеющей отношения к твоей персоне. И вообще,

откуда он мог знать, что именно ты этой Люсе по-
рекомендовала сделать?!

— Ну так вроде же призракам все известно... — заикнулась Ольга — и вжалась в подушку, как будто ее
пригвоздил ледяной взгляд Кирилла:

— Во все мягкие места влепим уколов и еще ремнями свяжем, если не перестанешь дурить, поняла?!
Телефон этой Люси помнишь?

Ольга слабо кивнула.

— Звони! — Кирилл снова сунул ей в руку свой мобильный, и Ольга быстро набрала номер.

Спустя минут пять после разговора с Люсей, которой прежде всего хотелось вызнать все подроб-
ности об Ольгином здоровье (можно было представить, как красочно живописали Гриша и Егорыч
историю «болезни» доктора Васнецовой!), все же
удалось узнать, что Скалолазка совершенно непо-
нятным образом очухался, когда его уже везли на
труповозке, обложил санитаров невероятным коли-
чеством мата и сбежал, не доехав ни до морга, ни
до реанимации.

Выслушав это, Ольга быстренько прервала Люсю,
отговорившись тем, что телефон чужой, взят украдкой, сейчас придет хозяин и поднимет скандал.

— Так ты ради Скалолазки звонила?! — Это безмерно изумленное восклицание Люси осталось по-
следним, что слышала Ольга, прежде чем нажала на
сброс.

— Врешь ты, как всегда, не краснея, — покачал
головой Кирилл, забирая телефон. — Этаким зверю-
гой меня выставила перед докторшей Мусей!

— Люсей! — вздохнула Ольга.

— Я уже говорил, что она не обидится, — ухмыльнулся Кирилл.

Ольга отвела глаза. После известия о том, что Скалолазка все же остался жив, настроение вдруг испортилось — против всякой логики.

Теоретически радоваться надо, что «приговоренный» ею человек выжил, но отчего так тяжело стало на сердце?..

Ну вот чего его сюда принесло? Может быть, конечно, какой-нибудь его сосед по бомжатнику сюда угодил, вот Скалолазка и решил наведаться? В самом деле, он ведь некоторым образом человек, а значит, ничто человеческое ему не чуждо!

Да и правда что, подумала Ольга, хорошо, что ей не призрак явился, то есть она еще не совсем сдвинулась, хотя основания предполагать такое есть... взять хотя бы эти видения липкого сумрака, Игоря, кудрявой девочки... и странные слова о том, что он отдает Ольгу кому-то... кому?! Какому-то спасителю? Кириллу? Неужели Кириллу?!

В эту минуту его телефон зазвонил. Пришла эсэмэска.

Кирилл взглянул на дисплей:

— Оля, извини, больше не могу здесь оставаться, надо подняться к «подводникам», там какие-то проблемы, но потом еще загляну.

— «Подняться к подводникам» — это звучит нелепо, — буркнула Ольга, хотя прекрасно знала, что «подводниками» называли сотрудников отделения гипербарической оксигенации, где установлены барокамеры. С виду эти капсулы напоминают батискафы с иллюминаторами-окошечками, правда, находятся не в морской пучине, а в светлой и стерильной, весьма прозаической комнате. Условия, создаваемые в барокамере, приравнивают к погружению на пять-десять метров под воду. При этом восстанавливается кровоток и, как следствие, устраняется кислородное голодание в поврежденных органах и тканях. Отделение гипербарической оксигенации находилось на четвертом этаже. Так что к «подводникам» из реанимации, с первого этажа, и в самом деле приходилось подниматься.

Кирилл помахал на прощанье и пошел к дверям реанимационного зала. На пороге нагнулся, поднял что-то с пола и изумленно обернулся к коллегам:

— Ничего себе! Кто это у нас «паркерами» разбрасывается?! Ребята и девочка, чье это?

На него посмотрели как на идиота, недоуменно пожали плечами. Кирилл вышел, неотрывно глядя на черную матовую изящную ручку с золотым колпачком, а Ольга, опасливо покосившись на недвижного «полковника» Витю с кислородной маской на лице, откинулась на подушку и принялась думать о том, как бы уломать Кирилла все же отпустить ее ночью к Игорю.

В давние времена

Случилось это, когда Лукерья Митяхина была совсем молоденькая — едва ли исполнилось ей семнадцать. Замужем она в ту пору еще не была, даже жениха у нее еще не было, да и подружек тоже не завела. У всех у них были ухажеры, а Луше никак не везло. Стоит ей взгляд положить на какого-то парня, как тот, словно нарочно, начинает за другой ухлестывать! Ох, как им Луша завидовала, а пуще всего завидовала она своей двоюродной сестрице, Груне. Нравился, ну просто до смерти Луше нравился Василий Васнецов из Курдушей, очень по сердцу ей пришелся! Да только он не к Луше, а к сироте да бесприданнице Груне, Лушиной сестренице, присватался.

Была Грунька пятью годами старше Луши и хитра, ох как хитра! С виду скромна, тиха — воды не замутит, но про таких как раз и говорят, мол, в тихом омуте черти водятся. Как матушка ее травознайствовала, пока не померла, так и Груня к этому делу способна стала и вскоре знахаркой прослыла. А травяные зелья не только исцелить человека могут, но и пагубу навести, а что до варения приворотных зелий, так это само собой разумеется, без них не обойтись. Луша не сомневалась, что сестрица ее двоюродная Василия именно зельями опоила — так и приворожила. Да разве можно Груню без приворота полюбить, если рядом Луша? Ну никак! Никак! Однако же полюбил Груню Василий, и свадьбу сыграли, и стали жить в доме, который в наследство Василию остался от отца. Его несколько лет назад шатун заломал, а мать померла, еще когда Васеньку рожала.

Наверняка Груня мужа чуть ли не ежедневно присушками потчевала, потому что жили молодые так ладно да складно, что любо посмотреть. Ну, кому любо, а кому завидно! Завидовали им те бабы, кого мужья поколачивали, или у кого запивали горькую, или на сторону косились... в том числе и на Груню косились мужики завистливо, потому что была она и собой красавица, и хозяйка, каких поискать. Все у нее в руках горело, любая работа спорилась на диво, да и у Василия тоже. И дочка родилась у них — красавица, певунья, веселая да ласковая Ольгушка. Все чаще в Лушиных завистливых шепотках проскальзывало, что не может такая спорина[1] одной семье валиться, неспроста это, а потому, что Груня никакая не знахарка, а ведьма чистой воды, с чертом дружбу водит, вот он ей и помогает. Однако злая слава к Груне не приставала, ибо она врачевала отменно и детей, и взрослых, и животину всякую, днем и ночью готова была на помощь прийти!

Прошло еще сколько-то лет, Груня жила со своим мужем и дочкой счастливо, а Луша все помирала от зависти. С того, небось, и с лица спала, и не сватался к ней никто. Вот-вот — и в старых девках засидится!

И вот однажды ушел ее отец, Петр Митяхин, в отхожий промысел: был он печником, а значит, часто оставлял дочь одну. Ох как жалела Луша, что в доме Василия и Груни печь исправна, не дымит да не пышет попусту искрами! Случись такое, они, конечно, позвали бы Лушиного отца помочь печку наладить, а уж дочка папашу всенепременно бы уплакала, чтобы он какую-нито пакость сотворил в этой печи.

Отец Луше часто рассказывал, что творят печники с теми, кому хотят отомстить — например, за недостаточный расчет! Митяхин однажды и сам, обиженный хозяйской жадностью, вмазал в трубу две незаткнутые бутылки — по самые горлышки вмазал.

---

[1] Удача (*старин.*).

Хороша вышла печь — и тепло дает, и кашу варит, и пироги печет, — только в трубе знай свистит кто-то, да так, что страшно жить: никак, завелись черти-дьяволы!

Позвали хозяева Митяхина снова. «Поправить, — говорит он, — можно, только меньше десятки не возьму». Уперлись хозяева — дорого, мол! И правда — дорого, Митяхин и сам знал, что заломил несусветное... Сошлись на семи рублях, однако Митяхин не сомневался, что рано или поздно возьмет свое. Разобрал трубу, бутылки вынул, а вместо них положил гусиных перьев. Свист прекратился, но кто-то стал в трубе охать да вздыхать.

Хозяева опять к Митяхину: что, мол, за притча? А тот руки врозь: знать не знаю, ничего не ведаю, небось печка обиделась, ворчит на вас, что вы с печником неладно разочлись! И опять за свое: коли дадите десятку, да вперед, уговорю печку, чтоб не обижалась на вас, чтоб пекла-варила-грела исправно, как положено доброй печи в добром доме, да не ворчала на хозяев понапрасну.

Конечно, хозяева не дураки были, поняли, что печник их на бобах разводит, однако делать нечего: печь-то житья не дает! Пошли на его условия, разочлись честь по чести, и тогда Митяхин сладил все как надо.

Очень хотелось Луше, чтобы отец какой-нибудь хитростью, на которые печники горазды, жизнь испортил Груне и Василию, однако, как уже было сказано, не было у них в услугах Митяхина надобности.

Ну вот, значит, ушел Лушин отец на промысел, а дочка осталась одна. А в ту пору малина поспела —

пошли девки в лес по ягоду, Луша с ними. Набрели на большой малинник, однако Луше он что-то не показался. Отошла она в сторону, потом дальше, дальше... даже и не заметила, что отбилась от своих, а когда спохватилась, начала аукать да кричать, однако никакого отклика не услышала: знать, далеко забрела. Только отголосье вторило ей, да и то тихое какое-то! Луша помнила, что тихое отголосье предвещает непогоду, однако позабыла, что вторит человеку в лесу сила нечистая — леший!

Ходила она, бродила, наконец набрела на какую-то тропинку средь высокой травы. А уже вечереет, а уже темнеет, и гроза вроде бы собирается... «Пойду по этой тропе, — думает, — небось куда-нибудь она меня да выведет: либо к жилью, либо на дорогу торную, а там, глядишь, какого-нибудь путника встречу, он меня и выведет».

Шла-шла Луша неведомо куда, наконец заплелись у нее ноги от усталости и прилегла она отдохнуть прямо на тропе.

Вдруг слышит чьи-то шаги! Вскочила испуганно и видит: выходит из-за куста молодец-красавец в барской одежде, с ружьишком за плечами.

— Добрый путь, — говорит, — красавица, что в лесу делаешь одна-одинешенька?

Луша, дичась и стыдясь, поведала ему свою беду: заплуталась, мол, дороги домой, в Курдуши, отыскать не могу!

— Так ты из Курдушей? — говорит встречный, играя глазами, зелеными, будто трава. — Далеко же тебя занесло! Я дорогу-то знаю, проводил бы тебя, да гроза, вишь ты, вот-вот грянет. У меня тут балаган охотничий поблизости — давай-ка там непогоду переждем, а потом я тебя в Курдуши и сведу.

Прошли еще немного по тропе и впрямь наткнулись на балаган. Забрались туда. У барина в ягдташе хоть и не было дичи, однако нашлись в его охотничьей сумке и хлеб, и мясо, а во фляжечку его было налито винцо, да такое сладкое да вкусное, какого Луша никогда в жизни не пробовала, причем сколько они ни пили из этой маленькой фляжечки, винца не убавлялось.

Тут бы Луше и спохватиться, что дело диковинное, неладное, однако она враз опьянела, и не столько от вина, сколько от взглядов, которые исподтишка бросал на нее зеленоглазый барин.

— Так ты, — говорит он, — значит, из Курдушей... А знаешь ли, почему ваша деревня так называется?

— Да, — отвечает Луша, — знаю. В старые времена водилось в окрестных лесах множество лис, которые кур крестьянских душили, вот деревню так и начали называть. Потом лис всех повыбили или повыловили, теперь едва ли сыщешь в лесу хоть одну, а название как прилипло.

Барин ну хохотать!

— Сейчас расскажу, кто такие курдуши, — говорит наконец, отсмеявшись. — Это злые духи, которые ведьмам и колдунам помогают в их работе. Ты небось слышала, что всякий колдун или ведьма с дьяволом кровавый договор заключают на продажу своей души? От грамотных он требует расписки кровью, а неграмотным велит кувыркаться несколько раз через ножи, воткнутые в землю. И как только договор заключен, дьявол на всю жизнь приставляет к новообращенным колдунам для услуг мелких да бойких бесов. Они и зовутся курдуши. В самом деле: если увидит такой бес чужую курицу, то непременно ее придушит и сожрет вместе с перьями, однако главная его польза для колдуна или ведьмы в том, что он всячески хозяину своему помогает. Скажем, надо колдуну порчу на неугодного навести и решил он это сделать относом. Раздобудет какую-нибудь вещь, снятую с тяжело больного, а сам отнести вещь опасается: вдруг кто приметит да потом на колдуна укажет? Мир крещеный, знаешь ли, иной раз зело недобр бывает что к знахарям, что к ведьмам с ведьмаками. Запросто красного петуха могут им в избу подпустить! Вот тут-то своему хозяину курдуши и помощники. Берут они порченую вещицу да относят куда надо. Или заклятый порошок бросают по ветру на обреченного. И щепотку земли со следа, и волосы с головы жертвы принесут колдуну — все прихоти его исполнят!

— Значит, чтобы порчу на кого-то навести, надо непременно курдушей в услужении иметь? — спрашивает Луша.

— Можно и без курдушей обойтись, если смелости набраться. А тебе что, охота кого-нибудь испортить? — ухмыляется барин.

— Да я просто так спрашиваю, — заюлила глазами Луша, хотя мысль о том, как помешать Груниной счастливой жизни, никогда ее не покидала. — Просто так! Разные ведь хитрости есть? Отчего бы им не научиться?

— Ну, я тебе про эти разные хитрости сколько хочешь могу наговорить, — сказал барин, — потому что человек я весьма ученый, и книг много колдовских прочел, и людей, к этому причастных, не единожды слушал. Да, много способов имеется, чтобы извести неугодных людей, вот только на одного доку всегда другой дока может отыскаться, посильней, на одного знатку другой знатка сыщется, покрепче, который любую порчу снять может. Одно только средство есть, от которого ни отчитать невозможно, ни исцелить.

— Какое же это средство? — спрашивает Луша, и аж голос у нее задрожал, так захотелось узнать, как же Груню погубить можно наверняка.

— Средство это — навья кость, — таинственным полушепотом сообщил барин. — Зовут ее также мертвой костью или могильной, потому что она непременно умертвит человека, в могилу его загонит. Непременно вырастет она у того, кто в Навий день, то есть на Радуницу, в день проводов мертвых, перелезет через забор. Таких шуток над собой мертвецы не любят, а потому непременно отплатят за это злейшим злом! Появится навья кость у обреченного либо на ступне, либо на руке у комля пальца, выпрет под кожей наподобие малого бобочка. Однако она не только того погубит, в чьем теле образуется, но и любого другого человека. Только тут особенной храбростью надобно обладать, ибо сыскать эту косточку надобно в разложившемся трупе. Ведь кость эта никогда не разлагается и при луне в мертвом теле белеет, будто чистый белый камушек.

— Батюшки-светы! — прошептала Луша. — Да где ж такой смелости набраться, чтобы в мертвечине-дохлятине ковыряться?! Неужто это непременное условие?!

— Ну отчего ж? — пожал плечами барин. — Можно в лес прийти, крест перед этим сняв, лешачью тропу отыскать да там с лесным хозяином встретиться. Не бойся, вреда он тебе никакого не причинит! Он и даст тебе ту самую навью косточку. Если бросить ее в варево недругу, он помрет всенепременно!

— Всенепременно... — повторила Луша как зачарованная, представив умирающую Груню и улыбаясь с надеждой.

Барин покосился на нее, словно хотел что-то сказать, но сдержался.

И тут над лесом загрохотало так, что Луша про Груню позабывала и затряслась от страха.

— Да ты замерзла, никак? — говорит барин и ближе к ней придвигается. А глаза его зеленые так и сияют, так и обливают Лушу своим ясным светом! — Давай-ка я тебя согрею, красавица моя.

Никто и никогда не называл Лушу красавицей, вот она и разомлела от таких слов даже пуще, чем от вина.

Сначала барин ее приобнял, потом поцеловал... а потом девку на подстилку повалил, юбчонку да рубаху задрал — и пристроился сверху со всей своей мужской охотою. А Луша и не спорила, и не противилась — то ли винцо с ума-разума свело, то ли молодое тело своего требовало. Целовались-миловались-любострастничали долго!

Наконец заснула Луша в объятиях своего нечаянного ухажера, и такие-то сладкие сны ей снились! Как будто забрал ее барин в свое поместье, женился на ней, стала она барыней-владычицей, красивой да нарядной, деток нарожала во множестве, таких же зеленоглазых, как Лушин муж, и теперь Груня от зависти помирает, а Василий локти кусает, на Лушину красоту несказанную да ее довольство глядючи. А Ольгушка у барыни Лукерьи Петровны прислужницей стала, и какое ж это оказалось удовольствие шпынять ее почем зря!

Что и говорить: сладок был сон, да горько пробуждение!

Утром проснулась Луша от холода, открыла глаза — да и не поверила им.

Где балаган, где зеленоглазый барин?! Лежит она одна-одинешенька на лесной тропке, что вьется средь травищи, и сухо кругом, словно и не гремел гром, не сверкала молния, не лил дождина... в рассветном небе ни облачка.

«Неужто все это было сном?» — думает Луша испуганно. Однако еще больше она испугалась, когда увидела, что вся рубаха на ней в кровях и ноги таковы же, и болит все ее женское нутро так, будто дубинкой в нем всю ночь ворочали...

Только теперь вспомнила Луша, что старые люди рассказывали: если увидишь, блуждая по лесу, неприметную тропу, ни в коем случае на нее не заходи, ибо это лешачья тропа, и хозяин лесной может завести тебя невесть куда. Но еще хуже придется тому, кто на эту тропу уляжется. Мужика леший прибьет, а девку непременно изнасильничает: либо в своем обличье, либо каким-нибудь прохожим-проезжим скинувшись, а потом еще и хохотать над ней будет: мол, сама ко мне пришла, сама на мою тропу легла, сама передо мной ноги развела, ну а мой пострел везде поспел!

Темное пламя любви

И тут, словно в подтверждение этой ужасной мысли, с таким запозданием осенившей Лушу, раскатился по лесу странный отрывистый звук — словно захохотал кто-то. Знать, и впрямь с девкой спознался лешак, принявший человеческий облик, а теперь над ней же и хохочет!

* * *

— ...Борцов идет, Борцов! — восхищенно воскликнул кто-то, и в реанимационный зал вошел, тяжело ступая, огромный краснолицый мужик в зеленой робе, которая казалась по-детски наивной и даже слегка нелепой на его могучем тулове и в сочетании с большим, щекастым, носатым лицом. Это был главный «подводник» Центральной больницы, в ведении которого находились знаменитые барокамеры.

Ольга видела Борцова только однажды, однако забыть его корпулентную и выразительную фигуру было невозможно. Борцов выделялся среди какого угодно общества, и сейчас просторный реанимационный зал показался вдруг тесным, а люди — слишком малорослыми и невзрачными.

— Принимайте нового постояльца, мальчики и девочки, — басил Борцов (даже эта мощная фамилия казалась для него слабоватой!). — Присматривайте тут за ним хорошенько, нервный больной оказался. Мало что реакция на профопол плохая, мало что фентиловая дрожь![1] У него, видите ли, клаустрофобия вдруг возникла, чуток барокамеру нам не разнес вдребезги, думал, вот-вот крышку сорвет!

---

[1] Тремор после введения наркотического анальгетика.

Раздались смешки.

Если учесть, что барокамеры изготавливаются с применением космических технологий и материалов, их никаким топором не расшибешь, а байонетный замок[1] можно открыть только снаружи, обличительная речь начальника отделения ГБО показалась и впрямь милой шуткой. Однако то, что Борцов сам, лично, явился в реанимационный зал сопроводить какого-то случайного пациента, выглядело впечатляюще.

Медперсонал засуетился вокруг кровати на колесиках, которую установили на том месте, где недавно находилось ложе «полковника» Вити. Он, кстати, вел себя по-прежнему совершенно мирно, находясь в глубокой отключке.

Повязка, прикрывающая голову нового пациента, выглядела влажной: намокала жидкостью, которая омывает мозг. Это обычное последствие травмы черепа или отека мозга.

— Выяснили вообще, кто это? — спросил Борцов, оглядывая персонал реанимационного зала, но ответом было только общее молчание и пожатие плеч. — А между тем, похоже, иностранец. Ни слова в той тарабарщине, которую он периодически несет, я понять не могу. Впрочем, товарищи, вы знаете, что нам безразлично, иностранец пред нами или соотечественник, последний бомж или сам губернатор: ко всем у нас отношение не по Маяковскому, а самое-пресамое гуманное, чувствительное и вни-

---

[1] Байонетный, или штыковой, замок запирается путем перемещения деталей по оси. Они входят друг в друга и обеспечивают герметичность запора.

мательное! Так что оставляю вам этого скандалиста на попечение. Удаляюсь и жду новых поступлений!

Борцов ушел; оставшиеся переглянулись.

— Приходи еще, тезка! — пробормотала немолодая медсестра. Ольга вспомнила: ее звали Викторией Сергеевной. А поскольку имя Борцова было Виктор Сергеич, они вполне могли считаться тезками.

— А что это значит, отношение не по Маяковскому? — робко спросил молоденький лаборант.

— Это значит, что отношение не плевое, — пояснил кто-то.

— А, так это он того Маяковского имел в виду, который поэт, а я думал, может, какое-то светило реанимации! — хихикнул лаборант.

Вслед за ним засмеялись все.

Атмосфера реанимационного зала, несколько взвихренная явлением главного «подводника», постепенно приходила в норму.

Когда все нужные приборы были подключены, а на мониторах замелькали показатели, от нового больного отошли, убедившись, что с ним все в порядке, и Ольге стал виден его профиль.

Где-то она уже этот четко очерченный профиль видела... нос с горбинкой, высокие скулы... что-то восточное в лице...

— Би Гантимур, этэвумну мова, — внезапно пробормотал неизвестный, не открывая глаз.

Стоявшая неподалеку Виктория Сергеевна быстро подошла, наклонилась над ним, но пациент больше не издал ни звука.

— Бредит, наверное, — пробормотала сестра и отошла к другой кровати.

— Би этэвумну мова! — снова прозвучало едва слышно.

Виктория Сергеевна оглянулась, пожала плечами, опять отвернулась. А Ольга нахмурилась сосредоточенно, вглядываясь в профиль соседа.

Стоп, да это же не кто иной, как загадочный древоруб, которого она сама сдавала сегодня в приемный покой Центральной больницы! Древоруб с разбитой головой, ненавистник сухих лиственниц!

Ну и встреча. И опять Ольга слышит те же слова, которые он бормотал, когда его укладывали в машину «Скорой». Еще там было что-то... ах да, мол, его никто не может победить, только какой-то мугды.

А Егорыч, конечно, не преминул свести этого мугды к обычному общему знаменателю...

Однако что-то сегодня урожайный день на тарабарщину, как выразился великий Борцов! Этот лопочет невесть что, «полковник» Витя орал жуть какую-то...

Кстати, очень странно: как ни жутко Ольге вспоминать его слова, они все же сохранились в памяти.

Интересно, что эти слова все-таки значили? Они чем-то похожи на те, которые произносил древоруб. Звучанием, интонацией... Может быть, он их сможет перевести, когда очнется?

Если очнется, конечно...

Словно почувствовав ее мысли, древоруб медленно, с усилием повернул голову, и его черные удлиненные глаза встретились с глазами Ольги.

И в это мгновение она внезапно ощутила, что лежит на своей каталке голая — как и положено в реанимации. Конечно, прикрыта легким одеялом, но под одеялом на ней и нитки нет! Раньше не думала об этом, даже когда Кирилл сидел рядом и таращился на нее горячими, ревнивыми глазами, — а сейчас необычайно остро почувствовала вдруг свою незащищенность.

От кого? От чего? От мужского взгляда?

Но она же все-таки прикрыта одеялом!

Смутилась, потянула его повыше на плечи...

— Здравствуй, страж высоты, — внезапно прошептал древоруб. — Я Гантимур, страж деревьев.

Вот странно! Медсестра, стоявшая по другую сторону кровати, даже ухом не повела, а Ольга отчетливо слышала каждое слово, тем более что теперь незнакомец говорил по-русски.

Бред, конечно, однако довольно поэтичный бред. Опять про какого-то стража высоты! А Гантимур, надо думать, — это имя древоруба?

— Да, — шепнул он, вновь услышав не слова ее, а мысли. — Имя.

— Имя очень красивое, но какой же ты страж деревьев, если их рубишь? — слегка усмехнулась Ольга. — Ничего себе страж!

Почему-то она с легкостью обратилась к нему на «ты». Ну что ж, он ведь и сам говорил ей «ты»!

— Сухую лиственницу непременно надо срубить и сжечь, — серьезно проговорил Гантимур. — Особенно покрытую паутиной. Это может оказаться мугдыкен, на котором обитают мугды, не попавшие вовремя в мир мертвых и ставшие убийцами. Если мугдыкен не сжечь, паутина перелетит на другие деревья, они иссохнут и тоже станут приютом для мугды.

Ольгу дрожь пробрала! Что-то неведомое и вместе с тем знакомое вдруг приоткрылось перед ней после этих страшных и почти непонятных слов — что-то неведомое и в то же время дышащее воспоминаниями: она только одним глазком туда заглянула — и оказалась на лестнице, по которой, задыхаясь, взбиралась на верхний ярус колокольни, дергала за веревку тяжелого колокола, а потом увидела притаившееся в углу существо в белом колпаке... нет, в белой каскетке!

Ольга с ужасом зажмурилась, вцепилась в края кровати, боясь даже взглянуть на Гантимура, боясь каждого нового слова, которое он произнесет!

Кто он такой? Кто он такой?! И почему назвал ее стражем высоты? Да, он именно ее так назвал, именно с ней поздоровался!

Она не успела спросить.

— А это кто еще здесь объявился? — послышался вдруг чей-то резкий голос, и Ольга открыла глаза.

Открыла — и удивилась. Возле кровати Гантимура стоял Кирилл.

Вот только голос у него сейчас был совершенно чужой, и сам он... никогда в такой ярости Ольга его не видела, даже представить не могла, что вспышка дурного настроения способна так изменить человека!

Интересно, с чего это он так завелся?

— Мы не знаем, Кирилл Максимович, — осторожно начала Виктория Сергеевна, тоже, по всей видимости, озадаченная тоном доктора Поликанова. — Его привез сам Борцов, сказал, что у него клаустрофобия...

— У него? — ткнул пальцем в Гантимура Кирилл. — Какая еще клаустрофобия?! Да он же бешеный! Он сумасшедший! Его надо связать! Он нам тут сейчас всех с ума сведет... принесите веревки, ремни! Он же буйный, вы что, не видите?! Чего вытаращились?! Ну, говорю вам, давайте ремни!

Никто не сдвинулся с места — все просто оцепенели, не веря ни глазам своим, ни ушам. Таким доктора Поликанова они тоже никогда не видели! А Кирилл вцепился в спинку кровати Гантимура и рванул ее так, что пациент едва не свалился на пол. Однако он все-таки удержался, вцепившись в бока кровати, и яростно выдохнул:

— Мугды! Вернись в свои края, вернись на свой мугдыкен!!

Кирилл мгновение смотрел на него расширенными глазами, потом схватился за голову, вцепился пальцами в волосы и вдруг издал не то крик, не то вой, не то рычание, в которых смешались ненависть и страдание, а затем обернулся к Ольге и уставился на нее.

Глаза, его светло-карие, ясные глаза, сейчас были словно бы сплошь закрашены чем-то белым — да, белые у него сделались глаза, белые, с холодным, мертвенным, серебристым отблеском, рот искривился жуткой судорогой, пальцы судорожно, хищно сжимались и разжимались, и это было так страшно, так... так страшно, что Ольга вжалась затылком в подушку и что-то закричала громко, надрывая горло...

Только умолкнув, она сообразила, что именно выкрикнула. Это были те же самые слова, которые она слышала от «полковника» Вити, те слова, которые остались записанными в ее телефоне... те ужасные слова, которые она запомнила неожиданно для самой себя:

115

— Бу-ми! Суруде-ми! Эй-ми мучудя-ми окин-да!

Рванувшийся к ней Кирилл словно ударился об этот надрывный крик — и остолбенел, не сводя взгляда с Ольги. Пальцы его разжались, руки повисли, он покачнулся, но вдруг рванулся к двери, пробежал несколько шагов, потом схватился за грудь, крутнулся на одной ноге, снова обратив на Ольгу взгляд своих страшных белых глаз, захрипел — и внезапно рухнул навзничь. Забился — сначала неистово, хватаясь то за горло, то за грудь, то за лицо, оставляя на нем кровавые царапины, потом дергался тише, тише... судорога, другая — еще слабее... и он замер.

Люди, до сей минуты стоявшие в оцепенении, наконец очнулись: бросились к нему, подняли, положили на свободную кровать, расстегнули одежду.

Из коридора вбежали, привлеченные шумом, Борцов и заведующий реанимационным отделением.

Поднялась суматоха.

Кирилла немедленно интубировали, вставив в трахею пластиковую трубку, подключили к аппарату искусственной вентиляции легких. Делали закрытый массаж сердца и кололи адреналин, вводили в вену лекарства, использовали дефибриллятор... И снова, и снова, и снова... Периодически на экране монитора регистрировались сердечные сокращения, но тут же утихали.

Это длилось больше часа, в течение которых Ольга лежала в страшном оцепенении, словно веревками связанная, дыша с трудом, и только одно слово бестолково толклось в голове: «Почему? Почему?!»

А врачи все возились, возились с безжизненным телом... почему-то никому и в голову не пришло перевезти Кирилла в другое помещение. Впрочем, где, как не в реанимационном зале, немедленно нашлось все, что было необходимо для реанимации?.. Люди бились над ним, и ни у кого не хватало сил первым сказать: «Он умер, все наши усилия напрасны».

Наконец Борцов выпрямился, поднял красное, отяжелевшее, отекшее от бессмысленных усилий лицо, покачал головой.

Главный, помогавший ему, тоже разогнулся с усилием, окинул взглядом измученных врачей и опустил глаза:

— Бесполезно. Отметьте время смерти.

Они вышли.

Кирилла накрыли простыней, переложили на каталку и увезли.

Врачи и медсестры тоже ушли; дольше других задержалась санитарка, которая сгребла постельное белье с той кровати, на которой только что пытались вернуть к жизни Кирилла.

Наконец ушла и она.

Так никто и не подошел к Ольге, не крикнул гневно, обвиняюще, глядя ей в лицо: «Что ты ему сказала? Как ты его убила?!»

Можно было подумать, что ее страшные слова так никто и не услышал, кроме Кирилла...

В давние времена

По пути в деревню, которая оказалась не так уж и далеко, и Луша, конечно, еще вчера бы до нее дошла, кабы блукатый (ох, не зря так лешего зовут!)

не заставил ее по лесу блукать, постепенно смирилась она с тем, что произошло. Сделанного не поправишь, отрезанную косу не приклеишь, потерянного девичества не найдешь и не воротишь! Теперь она думала только о том, чтобы никто ничего не узнал по ее виду, чтобы никто догадаться не смог, что с ней произошло, в чьи лапы она угодила.

Но чем выше поднималось солнышко, чем ярче становился день, тем отчетливей видела Луша, что только слепой не догадается, что ее всю ночь кто-то почем зря валял-канителил. Ладно, что коса растрепана и из нее торчат трава да ветки: это ерунда, косу вычесать да переплести можно; ладно, что кофтенка изодрана в клочья, — и это ерунда, можно сослаться на ветки, которые немилосердно цеплялись за одежду и рвали ее. Но что делать с юбкой да сорочкой, которые кровью испятнаны там и сям?! Луша попыталась было пятна эти травой озеленить, однако ничего не получилось, только еще пуще видимо позорище ее сделалось.

На счастье, вскоре дошла она до речки и отмыла ноги от кровищи. Юбку да сорочку застирала, вздохнула было с облегчением, однако тут же и спохватилась: в деревне-то не покажешься раньше, чем одежонка просохнет. Это ж сколько ждать надобно! А ну как принесет нелегкая девок да баб, которые в эту пору то по грибы, то по ягоды только и знают что бегают?

И словно черт подзудил: не успела Лушенька этак-то подумать, слышит — окликают там и сям:

— Лушка! Лукерья! Отзовись, Лушенька-подруженька! Ау-у! Да куда ж ты запропала, глупая?

Да ведь это ее ищут, с ужасом сообразила Луша. Вот-вот из ближних кустов вывалятся и увидят ее растелешенной! Сразу догадаются, с чего это вдруг вздумалось в лесной реченьке постирушки устраивать!

Тут вдруг Луше словно кто-то в ухо шепнул: «Одевайся, дура, да в воду сигай!»

Мигом напялила она сорочку, юбку — и прыг в речку! Только успела окунуться с головой, как на берег вывалилась ватага молоденьких бабенок и девок, которые звали ее на разные голоса, да вмиг онемели, увидав подругу по шейку в воде.

— Что ж там делаешь, Лушенька? — спросила Марфушка Петрова, которая на минувшую Красную горку сыграла свадьбу со своим любимым Ванькой и теперь стала Березкиной. — Неужто на свиданье с водяным отправилась?

Вот же зараза эта Марфушка! Почти угадала! Она вроде Груньки Васнецовой — из тех, кто в яйце иглу видит. Поосторожней с такими надо. Главное — не показать свой страх и растерянность, дерзко держаться и нахраписто.

— Все у тебя свиданья на уме, а ведь уже мужняя жена! — осуждающе воскликнула Луша. — Заблудилась я, наконец ваши голоса услышала и помчалась со всех ног, да голова что-то закружилась — с голодухи никак: ни маковой росинки во рту не было со вчерашнего утра, кузовок свой с малиной потеряла невесть где, — вот и сверзилась в воду. Хватит болтать, лучше помогите выбраться.

Ну, вытянули девки подружку на берег, дали изголодавшейся ломоть хлеба да повели в деревню.

Радовались, что живая из лесу вышла, никакой медведь ее не задрал.

По пути встретилась им Грунька Васнецова. Увидала мокрехоньую Лушу — и руками всплеснула:

— Что с тобой, сестреница?!

Девки наперебой принялись ей описывать Лушины злоключения, Грунька охала и ахала, а сама на Лушу смотрела, да странно как-то смотрела — не то испуганно, не то с жалостью.

«Неужто догадалась, ведьма чертова, что со мной сподеялось?» — словно бы змейка ужалила Лушу за сердце. Отвела она глаза от Грунькиного пристального взора и убежала в свою избу.

Спать легла.

Пока ворочалась, поудобней укладывалась, сама себя успокаивала: ничего, глядишь, все и обойдется. Ну что, великое дело, обгуляли девку, всякое бывает, да ведь никто об этом не догадается, ежели она не понесла! От этой страшной мысли Луша дрожкой задрожала! А потом опять принялась себя уговаривать: да быть того не может, никто и слыхом не слыхал, чтобы девки от лешаков брюхатели!

И в голову ей не приходило, что, если даже и случалось с кем-то этакое несчастье, бедолажная об этом никому не сказывала, тайну свою позорную держала при себе, а язык — за зубами!..

Наконец кое-как успокоилась да заснула Луша, а поутру проснулась от того, что ее тошнит, да сильно-то как! Едва добежала до поганого ведра.

«С чего бы это?»

Потом вспомнила, что лешие имеют обыкновение угощать своих жертв сладкими яствами и хмельными напиточками (ну так же, как ее «добрый барин» угощал!) и с собой гостинчика дают, а придет человек домой, сунет руку в карман, а там не пряники или пирожки, а сухой помет... и ладно еще, если сухой! Не иначе, такого же угощенья и бедная Луша объелась вчера, вот все обратно и вышло.

Не отходила она от ведра до самого вечера: всю ее вывернуло, почитай, наизнанку. Кое-как уснула, уверенная, что от лешачьего угощения в утробе ее ни крохи не осталось, однако чуть стало рассветать, опять ее наизнанку выворотило. Уже одна желчь извергается, а Лушу все рвет. Воды изопьет — вода наружу, хлеба пожует — и того хуже! Уже и ноги ее не держат, а никак оторваться от поганого ведра не может. И вот что удивительно: казалось бы, пустой живот должен к спине пристать, а он между тем как-то странно выпятился, будто Луша не тошнится беспрестанно, а кашу гороховую безостановочно наворачивает. И что-то там, в ее набитом животе, словно бы поворачивается и бьется изнутри. И с каждым часом живот все туже, все больше становится!

Призадумалась Луша: что же это делается? Слышала она, будто малые змеюшки иной раз заползают в горшки с молоком, и если кто залпом такого молока выпьет, у того змеюшка в животе поселится и начнет там расти до неизмеримых величин. От тогда брюхо у страдальца вспухает ого как! Но молока Луша с малых лет своих детских не пила, потому что не выносила его на дух. Значит, змею она проглотить никак не могла. Но что же там шевелится да колобродит в ее животе? Отчего ее наизнанку выворачивает?!

Тут накатил очередной приступ рвоты, да такой, что Луша подумала: сейчас задохнется! Уже и встать не может. Ведь вторые сутки мается беспрерывно! В голове помутилось, в глазах все смерклось. Ну, думает, смертушка моя пришла!.. И вдруг подхватили ее чьи-то руки, приподняли, дотащили до лавки, помогли улечься, одной мокрой тряпкой лицо ей обтерли, на лоб другую тряпку положили.

Сразу легче стало. Луша кое-как смогла отдышаться и поняла, что помирать ей время еще не настало.

Но кто же это пришел на помощь?

С трудом открыла глаза и увидела перед собой... Груньку!

— Ой, Лушенька, да как же такая беда с тобой приключилась, милая? — ласково сказала та, и Луша от этого ее ласкового голоса залилась слезами: так обрадовалась, что не одна, что рядом какая-никакая, а родня и, вдобавок, знахарка, которая облегчит ее страдания.

— Что со мной, Грунюшка? — простонала она, едва ворочая языком, — и тут же он едва не присох к гортани от Груниных слов:

— Да ты ж брюхата, голубушка моя! Брюхата и вот-вот родишь!

Как худо ни было Луше, а она все же не могла не расхохотаться. Пусть этот хохот был похож на жалкое хрипенье, но перестать смеяться ей удалось не скоро.

— Да ты спятила, Грунька! — наконец прохрипела Луша. — Ты ж меня позавчера видела, когда я из лесу вышла. Я была с голоду как доска плоская. Видать, чего-то не того я съела, пока по лесу ходила, вот в брюхе и заколобродило.

— Ты не чего-то не того съела, а с кем-то не тем переспала! — воскликнула Груня. — С лешим блудила, с водяным или еще с какой-то силой нечистой?

— Да ты что такое городишь?! — возмущенно взвилась было Луша, но тут ее скрутило такой болью, что показалось: между ногами ее кто-то когтищами рвет!

Груня задрала ей юбку, ахнула и, сдернув с ее лба тряпку, скрутила ее жгутом и приказала Луше:

— Зажми зубами, а то орать начнешь — вся деревня сюда сбежится. Тогда тебе еще хуже будет, чем сейчас!

Как ни была Луша обессилена болью и ужасом, а все же поняла: если хоть кто-то из деревенских пронюхает о случившемся, ей несдобровать. Ворота дерьмом измажут, дурные слухи по всей округе разнесутся. Отец, воротившись и узнав о беде, дочку до смерти забьет, а потом и на себя руки наложит.

Ох, да не лучше ли ей к той речке побежать да утопиться в ней?

Но перво-наперво опростаться надобно.

Вцепилась Луша зубами в жгут, грызла его так, что едва челюсти не свернула, давила, давила крик, который так и рвался из ее нутра, и вдруг сквозь звон в ушах прорвался чей-то писк и скуленье, а потом она почувствовала, что боль утихла, и смогла кое-как приоткрыть запухшие от слез глаза.

Приоткрыла — и едва не лишилась сознания, увидев в Груниных руках какое-то окровавленное существо: телом очень тощее и невообразимо уродливое. Ноги у существа были тоненькие, что ветки, руки висели плетьми, брюхо огромное, а большая голова, слишком тяжелая для тоненькой шеи, свисала на сторону. Глаза, лишенные век, были зелены, как трава.

— Да неужто ты на лешачьей тропе ночевала?! — простонала Груня, держа на вытянутых руках уродливое Лушино детище и отстраняя его как можно дальше от себя. — Что же нам теперь с этим отродьем делать?!

Вдруг лешачонок резко дернулся своим окровавленным тельцем, вывернулся из Груниных рук, грянулся об пол, но тотчас резво подскочил, поглядел на обеих ошарашенных женщин, сделал им своими тощенькими пальчиками «нос» — да и кинулся бежать. Ударился в запертую Груней дверь, но словно не почувствовал этого: сквозь дубовую плаху проломился, зыркнув на прощанье через плечо своими зелеными глазищами, так похожими на глаза «барина-красавца», — и исчез, словно сквозь землю провалился.

— Пропади ты пропадом, сила нечистая! — простонала Груня, крестясь, а Луша залилась слезами.

Ох как многое надо было оплакать: и честь свою поруганную, и девство утраченное, и пережитый страх, и ужас перед будущим: прореху между ног суровой ниткой не зашьешь, заплатку не поставишь. Кто же ее теперь за себя возьмет, порченую?!

А пуще всего горевала Луша о том, что спасением жизни обязана она ненавистной Груньке, и от нее же, от противной сестреницы, зависит Лушино будущее: а ну как начнет Грунька мести языком, словно помелом, да откроет позорную тайну соседям?..

И, хоть Груня поклялась всеми святыми молчать и в самом деле молчала — никаких разговоров по деревне так и не пошло, — злобная тревога Лушу с тех пор и не оставляла: изгрызла ее, измаяла!

В реанимационной палате воцарилась полная тишина: и вдова, поранившая ногу на похоронах мужа, и страдалица, которую чуть не задавил своим автомобилем удалой супруг, и «полковник» Витя, и еще какая-то женщина, попавшая сюда после инсульта, как поняла Ольга из долетевших до нее недавно реплик медперсонала, — все они находились без сознания. И только теперь Ольга, которая никак не могла осмыслить и принять то, что происходило на ее глазах все это время, решилась повернуть голову и посмотреть на Гантимура.

А он словно ждал этого: Ольга встретила его напряженный взгляд, в котором, впрочем не было изумления или страха: он смотрел с пониманием и сочувствием. И Ольга осознавала, что это был единственный человек, который поможет ей ответить на вопросы.

— Что произошло? — Она с трудом заставила шевелиться свои пересохшие от напряжения и страха губы. — Что это было? Что я сказала ему, почему он умер?! Неужели это я... я убила своего друга?!

— Ты убила оболочку, в которую вселился мугды, — дух давно умершего существа. На ветрах человеческой злобы мугды переносится в пространстве и времени, возбуждая в людях жажду убийств себе подобных — или самих себя, — тихо проговорил Гантимур. — Вы называете этих существ демонами. Твой друг принял подачку от мугды и оказался для него тем более легкой добычей, что он, как тебе известно, уже пытался по своей воле покончить с собой, а всякий добровольный самоубийца отдает свою душу во власть черным силам.

— Я ничего не понимаю, — вскрикнула Ольга. — Что за мугды? Что это значит? На каком это языке? И на каком языке говорила я? Я ведь раньше не знала этих слов, только сегодня их услышала, когда...

— Ты их впервые услышала, когда мугды пытался вселиться в тело вон того человека, — продолжил Гантимур и слегка повел головой в сторону «полковника» Вити, — чтобы уничтожить тебя. Совершенно верно. А говорила ты по-эвенкийски. Эти слова значат: «Уйти! Умереть! Не возвращаться никогда!» Этими словами шаманы провожают душу, отводя ее в Буни — подземное обиталище мертвых. Но для живых людей это смертельное заклинание. Убивает мгновенно, как выстрел в сердце. Ты сегодня дважды осталась жива чудом! Думаю, это потому, что каждый страж получает защиту от смертельных проклятий.

Ольга почувствовала, что ее рот изумленно приоткрылся. Несколько мгновений она вообще ничего не могла сказать, потом выдохнула:

— Про каких стражей ты все время говоришь? И при чем здесь эвенки? Я в жизни ни слова не знала на этом языке! Или ты хочешь сказать, что «полковник» Витя — эвенк?!

— Разумеется, нет, — слегка усмехнулся Гантимур. — Однако мугды не имеет ни обличья, ни пола, ни национальности, ни языка. Он принимает тот образ, который ему нужен. Он говорит тем наречием, которое ему нужно. Мугды явился в ваш мир, преследуя меня, потому и говорил на языке моих предков. Он говорил по-эвенкийски.

— Ужас какой-то, — беспомощно пробормотала Ольга. — Чем дальше в лес, тем больше дров. Я вообще ничего не понимаю... Кстати, ты не похож на эвенка!

— Мой прапрапрадед по отцовской линии был чистокровный эвенк, — уточнил Гантимур. — Шаман! Прапрапрабабка по линии матери — русская колдунья.

— Поздравляю! — буркнула Ольга. — Но при чем тут я? Почему Витя набросился на меня, крича по-эвенкийски?

— Я же говорю: им в ту минуту владел мугды, он и внушил этому несчастному слова смерти, — терпеливо пояснил Гантимур. — А ты должна была погибнуть потому, что ты, страж высоты, спасла жизнь мне — стражу деревьев. Встреча двух стражей опасна для мугды, ибо двое сильнее, чем один. Твое появление защитило меня от полицейского, который забил бы меня до смерти. Его подчиненные не смели ему возразить... Но и он действовал не по своей воле, а находился в эту минуту под властью мугды!

— Этот мугды что, дух такой с крылышками? — раздраженно помахала руками Ольга и едва успела подхватить одеяло, которое поползло в сторону с ее груди. — Летает туда-сюда, мотается по белу свету и вселяется в тех, в кого хочет?!

— Бокан мугды, то есть раб мугды, относит вещь, в которой скрывается его властелин, тому человеку, которого злой дух избрал своей жертвой, — сказал Гантимур. — И жертва не в силах выйти из воли мугды, пока не погибнет.

— Ах, так есть еще и раб мугды?! — чуть не закричала Ольга. — Типа раб лампы? Это еще кто такой?!

— Я тебе все расскажу, — успокаивающе сказал Гантимур. — Я отвечу на все твои вопросы. Слушай и не перебивай. У нас не так много времени, ведь ночью мы должны уйти отсюда.

Ольга приподнялась на локте, уже не обращая внимания на сползшее одеяло.

Вот еще, какого-то сумасшедшего стесняться! А Гантимур сумасшедший, и нечего слушать его бред!

— Уйдем? — повторила она с издевкой. — А как ты это себе представляешь? У тебя, между прочим, — если ты помнишь, конечно, о таких мелочах! — мозговая жидкость из трещины черепа вытекает! Куда ты собрался идти? И мы оба отправимся в путь как есть — в чем мать родила, так, да?

Ольга не удержалась от хриплого ехидного хохотка, от которого судорогой свело горло.

— Ты сама захочешь оказаться как можно дальше отсюда, — проговорил Гантимур, — когда мугды придет за тобой. Но если откажешься от моей помощи, тебя никто уже не спасет от него.

— Но ведь мугды — это дух, как же он может прийти? — прищурилась Ольга, против воли снова втягиваясь в этот бессмысленный диалог.

— Он придет в образе своей последней жертвы. Умершего врача. Мугды может заставить свою временную оболочку, даже лишенную жизни, двигаться и выполнять свои приказания.

«Хлопотуна страшись! — словно бы прошептал кто-то в ухо Ольги наставительно и заботливо. — Знаешь ли, кто это? Так зовется дух мертвого колдуна, дьяволова прислужника. Хлопотуны могут принять чужой облик и проникнуть в чужое тело для того, чтобы по ночам сосать кровь и заедать живых людей».

Никогда еще этот внезапно прорезавшийся внутренний голос не казался Ольге таким пугающим! Мугды, хлопотун — это одно и то же, так, что ли?!

— Не важно, каким именем назовется зло, оно навсегда остается злом! — тихо сказал Гантимур.

Да он, никак, мысли ее читает?! Еще не хватало!

Ольга резко отвернулась от Гантимура и вытянулась, пытаясь успокоиться, однако отвернуться от его слов так же просто, как она отвернулась от него самого, было сложно. Вернее, невозможно. Его слова вспыхивали в памяти и терзали ее. Особенно вот это: «Раб мугды относит вещь, в которой спрятался его властелин, тому человеку, которого злой дух избрал своей жертвой. И тот не в силах выйти из его воли, пока не погибнет».

Так. Будем рассуждать спокойно. Если следовать этой логике, избыточно ретивый старший лейтенант получил какую-то вещь, которая подчинила его своей власти... А кстати, мобильник под названием «уавэй» он и впрямь получил, никак не мог от него оторваться, словно приклеился к нему.

А Кирилл нашел на полу «паркер»...

Откуда он там взялся?

Гантимур — если все-таки взять да поверить той ерунде, которую он говорит... но, с другой стороны, как ей не поверить, если с Кириллом вдруг произошло совершенно необъяснимое превращение, а потом он умер после каких-то непонятных слов, которые до этого едва не погубили саму Ольгу?! Итак,

Гантимур утверждает, что опасную вещь приносит «раб мугды».

А ведь Ольга о чем-то подобном вроде бы слышала когда-то...

«Знаешь ли ты, что всякий колдун или ведьма с дьяволом кровавый договор заключают на продажу своей души? И как только договор заключен, дьявол на всю жизнь приставляет к новообращенным колдунам для услуг мелких да бойких бесов. Они и зовутся курдуши. Скажем, надо колдуну порчу на неугодного навести. Вот тут-то своему хозяину курдуши и помощники. Берут они порченую вещицу да относят куда надо...»

Опять проснулся внутренний голос? При чем тут курдуши?.. Это ведь название деревни, в которой Ольга когда-то давно проводила лето!

Однако ситуация похожа. Бокан — раб мугды, курдуши — слуги колдуна... Наведение порчи через подброшенную вещь... относом...

Старлей и Кирилл.

Перед тем как они нашли какую-то вещь, приковавшую их внимание и (если опять же поверить Гантимуру!) сделавшую их жертвами мугды, Ольга видела Скалолазку! И в парке он мелькал, и в дверях реанимационного зала.

Не он ли подбросил старлею и Кириллу телефон и ручку? Не он ли этот самый бокан? Раб мугды?

— Именно так, — чуть слышно шепнул Гантимур. — По сути дела, он и сам мертвец: не единожды подыхал от того злого зелья, которое вливал в себя безмерно. Но нечистая сила пока что спасает его от посмертных мучений, ибо этот раб нужен мугды, он его волю исполняет беспрекословно. Вспомни, когда ты его еще видела! Постарайся вспомнить!

Зачем стараться вспоминать то, что и так невозможно забыть? Да, Ольга видела Скалолазку в тот страшный день, когда сломались их с Игорем жизни — жизнь каждого, и общая их жизнь тоже сломалась. Скалолазка встретился ей на лестнице, а потом Ольга нашла пистолет, который отдала Игорю.

А если бы не отдала?! Тогда мугды вселился бы в нее и она убила бы Игоря?!

— Мугды не в силах овладеть стражем: он способен только уничтожить его через другого человека, — сказал Гантимур, вновь каким-то непостижимым образом проникая в ее мысли. — Через свою жертву.

— Но ты сказал, что эти... жертвы мугды потом погибают! — чуть не вскрикнула Ольга. — Да, Кирилл погиб. А тот старлей, тот полицейский? А...

— Полицейский погиб в аварии, — спокойно сообщил Гантимур. — Двое его подчиненных остались живы, а он мертв. Жертва мугды не заживется на этом свете!

А ведь и в самом деле, вспомнила Ольга: проходило какое-то сообщение о том, что в аварию попал экипаж патрульной полицейской машины. Один человек погиб, бригаду реанимации не вызывали, поэтому Ольга сразу забыла об этом случае.

Неужели это был тот самый экипаж?

Итак, мертвы Кирилл и старший лейтенант.

А Игорь?..

Нет, нет! Неужели Игорь тоже умрет?!

Ольга мучительным усилием словно бы вытолкнула из головы мысли о неизбежной смерти мужа, как если бы они были столь же материальны и убийственны, как тот проклятый — нет, про́клятый! — пистолет, который она ему вручила, и, приподнявшись на локтях, взглянула на неподвижное тело «полковника» Вити, по-прежнему находившегося в глубокой коме:

— А он?! Он пытался убить меня. Но не подбирал никакой вещи, да и Скалолазка рядом не мелькал!

И тихо ахнула, вспомнив: да, Скалолазка рядом не мелькал. Скалолазка в это время просто-напросто умирал, и Ольга велела Люсе отпустить его...

— Но мугды не дал ему умереть, мугды послал дух своего верного раба в другого человека, — подхватил ее мысль Гантимур. — Этот человек с больным сердцем, — он чуть качнул головой в сторону «полковника» Вити и поморщился от боли, — чуть не стал твоим убийцей, и теперь часы его жизни сочтены. Так же, как и часы жизни твоего мужа. Пока ты держишь его тем, что жива сама и жива твоя любовь к нему. Но силы зла неизмеримы, противостоять им очень трудно, почти невозможно. Мугды погубит и меня, и тебя, и твоего мужа, если не уничтожить мугдыкен.

— Это лиственницу сухую срубить? — простонала Ольга. — Чокнуться можно!

— Послушай меня и попытайся понять, — серьезно сказал Гантимур. — Душа только родившегося человека называется оми и выглядит как синичка. Когда ребенок научился ходить и говорить, оми перерастает в душу хаян. С хаян человек проживает всю свою жизнь. Она похожа на него как две капли воды и помещается в его груди. Впрочем, иногда она ненадолго покидает тело — когда человек спит. Тогда она способна удалиться на большие расстояния, но к утру возвращается вновь. И вот человек умирает... теперь его душа называется мугды. Она находится в теле своего хозяина до тех пор, пока полностью не разложились его сухожилия и суставы. После этого мугды отделяется от тела человека и готово к переходу в загробный мир — Буни. Ведет ее туда шаман, однако если он неловок, неумел, если пропустил тот срок, когда душа должна быть сопровождена в Буни, если при похоронах не был соблюден ритуал проводов покойника, то мугды может вырваться из-под его власти и отправиться в странствие. Мертвое всегда враждебно живым, поэтому и мертвая душа — враждебное человеку существо. А уж если мугды принадлежала злодею, шаману, который насылал на людей болезни, навлекал на них несчастья, тешился злобной местью, тогда мугды многократно враждебнее живым! Однако и ее силы не бесконечны. Опору им мугды находит, отдыхая на ветвях мугдыкена, о котором я тебе уже говорил. Оно стоит на голом утесе над огромной рекой в самом сердце тайги. Если сжечь мугдыкен, силы мугды иссякнут, злой дух вернется в обитель смерти и перестанет вредить живым. Только в этом спасение для тебя, для меня... и для того, кого ты любишь.

Ольга сжала виски, мучительно покачала головой.

Боже мой, что творится? О чем говорит этот человек? Это безумный бред или нечто, что теперь становится жизнью Ольги? Нечто, в котором ей придется обитать до тех пор, пока... пока не будет уничтожен мугдыкен?!

Она хрипло, безнадежно рассмеялась, подавленная бессилием и страхом.

Хотелось закричать, покрыть Гантимура всеми известными ей матерными словами, хотелось позвать людей на помощь и потребовать отпустить ее или перевести в другую палату, однако что-то подсказывало: это бесполезно.

— У тебя ведь никакой клаустрофобии в барокамере не было, да? — спросила с тоской. — Ты это подстроил, чтобы оказаться рядом со мной, правильно?

— Конечно, — согласился Гантимур. — Не думал, что ты догадаешься. Но, если бы меня не было рядом, жертва мугды убила бы тебя. Потому что твоя защита сегодня уже дважды была разорвана смертельным заклятием. На третий раз тебя ничто бы не спасло.

— Кирилл убил бы меня?!

— Да.

— Но вместо этого я убила его, — пробормотала Ольга, и слезы вдруг так и хлынули из глаз. — Уж не ты ли помог мне вспомнить эти слова? Уж не тебя ли я должна за это благодарить?

— Не время лить слезы! — раздраженно перебил Гантимур. — Я хочу рассказать тебе...

Он не договорил. Дверь реанимационного зала открылась: вошли врачи, сестры. Лица у всех были печальны, глаза у девушек заплаканы, покраснели, и Ольга поняла, что они прощались с Кириллом. Однако их работа требовала забыть обо всем, что не имело к ней отношения, пусть даже это внезапная смерть их коллеги и друга, поэтому они вернулись к своим обязанностям: проверке показаний мониторов, замене опустевших пакетов или бутылок в штативах капельниц, замена повязок, обработка пролежней...

Внезапно один из мониторов издал тревожный звук. Стоял этот прибор у кровати вдовы, и по той поспешности, с которой бросились туда медики, Ольга поняла, что страшная примета, о которой она рассказывала Кириллу, сбылась.

Сколько времени с тех пор прошло? Час, полтора? А не пол ли жизни?!

Приборы были отключены, датчики отсоединены от неподвижного тела, и кровать с покойницей, прикрытой простыней, поспешно выкатили из зала.

Чем дольше длилась эта трагическая, но, увы, вполне привычная для реанимационных залов суета, тем, как это ни странно, спокойней и уверенней чувствовала себя Ольга. Ее разговор с Гантимуром, все, что он только что рассказал, словно бы тоже оказались накрыты некоей почти непроницаемой простыней обыденности, и сейчас было уже почти возможно убедить себя, что все это бред.

Бред, морок! И к ней отношения не имеет!

Обойдя пациентов, проверив состояние каждого и обнаружив, что Ольга не спит, врач, заменивший Кирилла, спросил, не хочет ли она есть:

— Время ужина, конечно, мы пропустили, но если попросим, то еду принесут. Сегодня, кажется, запеканка — макароны с мясом — и чай. Кстати, очень вкусная запеканка!

Ольга взглянула на него с ужасом:

— Какая может быть еда?! И вообще, я хотела бы уйти отсюда. Я отлично себя чувствую!

Елена Арсеньева

— Насколько мне известно, — врач взглянул на пластиковый планшет с данными Ольги, прикрепленный к спинке ее кровати, — Кирилл Андреевич собирался оставить вас здесь до утра, а потом посоветоваться с главврачом, чтобы тот решил, можно ли вас выписать или вам лучше еще полежать в палате общей терапии. Его нерешительность можно понять. Вообще непонятно, как вы остались живы после того, как на вас сегодня обрушилось столько бед!

— Вот именно, бед, — прошептала Ольга. — Ведь и Кирилла я...

Она осеклась, удержала на самом кончике языка уже готовые сорваться слова о том, что это она убила доктора Поликанова. Да после таких слов ее не в палату общей терапии переведут, а в психушку отправят!

И в приступе отчаянной надежды Ольга принялась снова и снова умолять этого незнакомого доктора отпустить ее, потому что у нее в областном медицинском центре лежит муж, который находится в коме, рассказала и про ненавидящую ее свекровь, которая не подпускает ее к Игорю, и про добряка свекра, который, конечно, больше никогда не пойдет Ольге навстречу, если она не появится этой ночью... в общем, наговорила сквозь слезы множество отчаянных слов, — однако постоянно чувствовала присутствие Гантимура, который словно бы не сводил с нее настороженного взгляда... и это при том, что она видела: глаза его закрыты!

Все уговоры были бессмысленны, да Ольга и так знала, что они окажутся бессмысленны!

Врач сказал, что она в любом случае останется здесь до утра, потому что все выписки происходят в первой половине дня и без подписи главврача Ольгу из больницы не выпустят, а главный уже ушел.

Наконец свет в зале приглушили, хотя и не выключили совсем — не положено; персонал в последний раз прошелся вдоль кроватей, проверяя показания мониторов. Затем свет потушили: теперь слабо светилась только лампочка у столика палатной сестры.

В палате царила тишина.

Ольга устала от слез, лежала тихо, измученная до предела этим бесконечным днем, этими неистовыми ужасами, лежала и думала о Кирилле.

Пыталась вспоминать прошлое, их дружбу, его безответную любовь, его ревность, однако в памяти постоянно возникало лицо с тем новым, пугающим выражением, белые, словно бы серебром затекшие глаза, звучал чужой, ненавидящий голос...

Что случилось с Кириллом? Не может, не может оказаться правдой этнографический бред Гантимура! Ведь Кирилл не умер сразу после отчаянных, страшных Ольгиных слов — он рвался, боролся за жизнь, он словно бы сопротивлялся чему-то...

— Конечно, — пробормотал Гантимур. — Он всей душой противился тому, что должен был стать убийцей. Это противоречит его судьбе, его сути! Он всю жизнь воскрешал или пытался воскрешать людей, а мугды принуждал его к убийству. Вот этот взрыв противоречий и позволил ему оставаться живым еще несколько минут после того, как ты отдала ему приказ погибнуть. Но мугды все еще владеет им, и он придет, чтобы довершить начатое. Помни: надо молчать, когда он позовет тебя.

«Что за чушь?» — едва не выкрикнула Ольга, но вдруг вновь зазвучал в ее голове рассудительный голос: «Если человек оказался ночью на перекрестке или на кладбище, а также опасно болен и вдруг услышит неведомый голос, окликающий его по имени, он ни в коем случае не должен отзываться: этот голос может принадлежать нечистой силе, ибо порча носится в воздухе и ищет себе жертвы!»

— Но если это так, если это правда, почему я должна оставаться здесь и ждать смерти? — хрипло спросила Ольга. — Ты собирался увести меня куда-то — почему мы не можем уйти сейчас?

— Нужно ждать полуночи, — ответил Гантимур, и сколько Ольга ни пыталась выспросить у него хоть что-то еще, он больше не отвечал ни слова.

Время шло, текли минуты, и постепенно спокойствие начало возвращаться к Ольге.

В самом деле, ну почему она так покорно ведется на «этнографический бред»? Почему так прислушивается к странным голосам, которые звучат в ее голове? Этой голове нужна помощь хорошего психиатра, а не какого-то там «потомка шамана», который городит невесть что об опасных вещах, в которые вселяется мугды...

А кстати, вопрос на засыпку: оттуда мугды — существо как бы эфемерное, и не существо даже, а дух бесплотный! — может раздобывать предметы вполне материальные, более того, весьма престижные — настолько престижные, что нашедший их человек не может ими пренебречь: пистолет, мобильник, ручку знаменитой фирмы?

— Ты забываешь, что у него есть бокан, — шепнул Гантимур. — Раб мугды.

— То есть раб мугды грабит салоны сотовой связи, бутики офисных товаров, а заодно и оружейные магазины? — презрительно выдавила Ольга. — Да Скалолазку и близко к ним не подпустят! Его с порога вышвырнут вон!

— Мугды способен на недолгое время завладевать и другими людьми, а не только своим рабом. Этого достаточно, чтобы кто-то передал бокану пистолет, телефон, ручку... да что угодно! Этого также достаточно, чтобы заставить сестру незадолго до полуночи покинуть свой пост, — прошелестел Гантимур.

Ольга приподнялась, вгляделась. Да, за столиком палатной сестры было пусто, Ольга и не заметила, как сестра ушла.

— Теперь будь настороже! — приказал Гантимур, и вслед за его словами до Ольги долетел бой часов, тяжело, гулко разносившийся в ночи...

В давние времена

Прошло еще какое-то время, и помер старый священник в селе Берложье, а вместо него приехал новый, молодой — отец Каллистрат. Петр Митяхин у него печку в доме правил, воротился к дочке сам не свой — глаза так и сияют — и долго рассказывал, какой добрый да приветливый новый батюшка, как собой пригож, а самое главное — холостой, нету у него попадьи.

Луша удивилась: как так? Ведь прихода не дают неженатым.

Оказывается, накануне выезда в Берложье молодой батюшка должен был свадьбу сыграть, да, на беду, невеста его померла в одночасье. А Берложье таким медвежьим углом считалось (одно название чего стоило!), что отправлять там службы мало находилось желающих. Поэтому отца Каллистрата в Берложье все-таки отправили, обязав его найти новую невесту и жениться как можно скорей.

Рассказав об этом, Петр Митяхин значительно поглядел на дочку, которую злые языки уже начали кликать перестарком. Пока втихаря, но ведь недолго и до громкой славы.

Непонятно, что с девкой не так! И собой хороша, и хозяйка неплоха. А ведь ни один парень деревенский на нее не взглянул, ни один тропку к крыльцу Митяхиных не протоптал, никто к Петру Иванычу не подступал с намеком на сватовство. Может, оттого, что Лукерья слишком скромна?

Подумал Петр Иваныч, порассудил — и решил пристроить дочку за нового батюшку. Чуть ли не две недели подряд, пока печку ладил (конечно, Митяхин нарочно работы затягивал!), он такие сладкие песни пел про несравненную Лукерьину красоту, скромность ее, добрый нрав и домовитость, что в конце концов отец Каллистрат призадумался: а почему бы, в самом деле, не жениться на Лукерье Петровне? Собой она и в самом деле недурна, хоть не такая уж раскрасавица, улыбка у нее ласковая, повадка скромная, ну а дальше жизнь покажет. И благочинный доволен будет, что молодой батюшка в Берложье так скоро сыскал себе новую матушку и оброс семейством!

Сыграли свадьбу, и в первую брачную ночь понял отец Каллистрат, что крепко нагрел его велеречивый печник, когда рассказывал о скромности дочери! Девка-то не девкой оказалась!

Лукерья, конечно, поведала мужу страшную историю о том, что ее какой-то разбойник в лесу изнасиловал, слезами залила постель, в ногах у Каллистратушки валялась, ну, он молодую жену пожалел и простил, ибо не судите, да не судимы будете...

Вот только ни словечком не обмолвилась Лукерья, что перед свадьбой бегала она тайно к ненавистной Груньке и просила-молила дать ей какого-нито зелья, чтобы хоть на несколько минут срослось в ее женском нутре то, что было однажды порвано.

— Слышала я, что многие ведьмы такие секреты знают, — рыдала Луша. — Не может такого быть, чтобы тебе хоть что-то не было известно!

— Наверное, потому, что я не ведьма, вот ничего такого не знаю, — покачала головой Груня.

— Христа ради тебя молю, ради боженьки! — упала ей в ноги Луша. — Любые деньги с меня проси, что хочешь для тебя сделаю!

— Зная, какая беда тебя постигла, помогла бы задаром, если бы могла, — с жалостью ответила Груня, поднимая Лушу. — Но, хоть и грех обманывать такого доброго человека, как отец Каллистрат, один совет все же могу дать: подгадай свадьбу к своим женским дням. Тогда крови на простыне непременно останутся. А потом мужа к себе некоторое время не подпускай: скажешь, что больно тебе и боязно. Он поверит, пожалеет, а потом все у вас сладится...

Луша зажмурилась. Миновали ее женские дни, невозможно этому совету последовать! Никак свадьбу не перенести! Она не верила, что Грунька не может ей помочь, — уверена была, что просто не хочет. И былая нелюбовь к сестренице перешла в ее душе в такую ненависть, что Луша не сдержалась от злого ехидства:

— Ага, теперь я знаю, как ты с первого взгляда угадала, что меня лешак в лесу ссильничал! Сама небось на Лысой горе сношалась с Сатаной и всякой другой нечистой силой, вот и узнала все их уловки. А потом, вишь ты, свадьбу свою к женским дням подгадала и Ваську-дуралея вокруг пальца обвела!

Грунька ни словом не обмолвилась — только вытолкала Лушу прочь из своей избы и вслед ей плюнула.

— Ага! — закричала Луша злобно. — Правда глаза колет? Колет правда твои лживые очи! Ну погоди, я еще с тобой сквитаюсь, с ведьмой проклятой!

Сама не помнила Луша, как до дому дошла, как избыла дни до свадьбы, за одно судьбу благодаря: что из уважения к сану попадьи ее простыни после брачной ночи напоказ всему миру не выставляют, так что Лушин грех остался между ними двумя: между ней и добрым, снисходительным отцом Каллистратом.

Однако если он думал, что нарушенное девство — единственный обман, который открылся ему после свадьбы, то он жестоко ошибся. Шло да шло время, а Лукерья никак не беременела, и то многочисленное семейство, о котором мечтал отец Каллистрат, так и осталось пустой мечтой.

Может быть, другой человек живого места на жене, грешнице нерожалой, не оставлял бы, вся бы она в синяках да кровоподтеках ходила, однако не таков был отец Каллистрат. Не мог он учить людей подставлять врагу другую щеку, если бы сам этого не делал, тем более что жена врагом ему не была, конечно, и сам не хотел бы врагом ей сделаться.

Однако любовь или нелюбовь мужа ничего для Лукерьи не значили, потому что заботила ее, поглощая всецело, вражда и ненависть к Груне. Не раз так и подмывало ее броситься в леса, найти лешачью тропу, испросить у нечистого помощи и получить навью косточку, чтобы Груньку и ее семейство извести. Да, теперь мечтала она не только о Грунькиной погибели, но и о смерти Василия, которого раньше любила, и даже о смерти их невинного дитяти — Ольгушки, потому что самой Лукерье, как уже говорилось, забеременеть и родить больше не суждено было. Винила она в этом только Груньку, поскольку наслышалась о криворуких повитухах, после неумелого вмешательства которых все женское нутро бывает изувечено и испорчено раз и навсегда, так что больше не может принять мужское семя и выносить плод. Именно такой повитухой-вредительницей для нее и стала Груня. Лукерья словно позабыла начисто о том, с кем спозналась однажды в лесу, как чувствовала себя и что за чудище вылупилось из нее после той встречи, забыла, что, кабы не Грунина помощь, она непременно померла бы, забыла, что сестреница вот уже который год молчком молчит о случившемся, свято хранит позорную тайну двоюродной сестры... И все никак не приступала Лукерья к исполнению своего злобного замысла, но не только потому, что было ей страшно обратиться впрямую к нечистой силе за помощью, а еще и потому, что хотела она не только погубить Груньку, но и опозорить ее.

Ни одного доброго слова о своей сестренице Лукерья и раньше не говорила — не изменила себе и теперь, сделавшись попадьей. Только если раньше соседки мимо ушей пропускали Лушины бредни, то теперь, по новому, важному положению матушки Лукерьи, наоборот, прислушивались к ним. А поскольку людям всегда нужно в своих бедах обвинить кого-нибудь другого, вскоре всем в Курдушах и в Берложье стало ясно, что во всем дурном, что только творится на свете, виновата Грунька Васнецова и ее муж Васька. Она ведьма, он ведьмак, и давно пора было бы выгнать их прочь из деревни, а не то подпустить им красного петуха. И вскоре Лукерья столько яду налила всем в уши, что и Груня, и Василий сами стали бывших своих доброжелательных соседей побаиваться, встречая враждебные взоры и слушая злобный шепоток, из которого узнавали о себе не только то, чего никогда не было, но и то, чего быть не могло.

И все же никак не находила Лукерья утоления своей злобе! Грунька по-прежнему красавицей оставалась, годы словно не властны были над ней, и Василий по-прежнему смотрел только на нее, и Ольгушка росла умницей им на радость... Нет, поняла Лукерья, больше не может она жить с такой болью и ненавистью в душе, скоро змея-зависть ее задушит!

И вот как-то раз, когда отец Каллистрат куда-то отъехал по своим делам, набралась она храбрости и пошла под вечер той дорогой, по которой не раз проходила в снах.

Однако в лес ей попасть удалось не сразу: чудилось, всякая тропа, даже самая малая, для нее накрепко заперта, будто чужая дверь. Звезды текли на полночь, Лукерья начала опасаться, что ничего у нее не получится, как вдруг вспомнила, что креста не сняла, а ведь это было всем известным непременным условием посещения всяких про́клятых мест! А каким еще местом, как не про́клятым, была лешачья тропа, которую она искала? И вспомнились ей слова, сказанные силой нечистой в одну незабываемую ночь: «Можно в лес прийти, крест перед этим сняв, лешачью тропу отыскать да там с лесным хозяином встретиться. Не бойся, вреда он тебе никакого не причинит! Он и даст тебе ту самую навью косточку. Если бросить ее в варево недругу, он помрет всенепременно!»

Ну что же, набравшись храбрости, сняла Лукерья гайтан с шеи — и в тот же миг протянулась перед ней тропа, с обеих сторон которой светились гнилушки, словно кто нарочно дорогу приготовил да заботливо выложил ими.

Что ж, очень может быть, что так оно и было... Наверняка это была та самая лешачья тропа.

Пошла Лукерья вперед. Очень хотелось ей перекреститься, да знала: лишь только решит сделать это, как рука у нее вмиг отсохнет. Очень хотелось ей оглянуться, но знала, что делать этого ни в коем случае нельзя: налетит сила нечистая да свернет голову назад, так что, если выживешь после этого каким-то чудом, всю жизнь будешь с вывернутой головой ходить, и всяк будет знать, что ты у нечистой силы помощи ходила просить.

За спиной чувствовала она шепот да шорох, иногда чудилось, что чьи-то ледяные, влажные либо мохнатые руки касались ее плеч, шеи, а то и юбку задирали, пощипывая за голый зад, но она шла вперед, и с каждым шагом страх ее ослабевал, словно чуяла Лукерья, что лесные страхи и чудища над ней не властны и вреда ей причинить не смогут — прежде всего потому, что некогда на лешачьей тропе спозналась она с хозяином лесным, который ее в обиду не даст.

И вдруг разнесся вокруг хохот, однажды в жизни ею уже слышанный, а потом возникла перед ней на тропе темная, неразличимая, словно из ночной тьмы вышедшая и во тьму готовая кануть огромная фигура, и голос, который она только раз слышала, но забыть до сих пор не могла, спросил:

— Значит, все-таки вернулась ко мне, красавица? Не желаешь ли снова на лешачьей тропе прилечь, юбку задрать да ноги передо мной развести?

Лукерья затряслась вся, коленки у нее подогнулись. Оказывается, так и не забыла она, сколько сласти изведала в объятиях красивого барина, который лешим оказался... Но стоило вспомнить тот ужас, который Лукерья испытала, рожая лешачонка, как она скрепилась, собралась с силами и сказала:

— Я тебе сына родила, теперь ты должен мне помочь. Помнишь ли, как говорил мне про навью косточку? Она мне нужна.

— Знаю, знаю, — ухмыльнулся леший, сверкнув зелеными глазами, и сердце у Лукерьи сжалось, когда вспомнила она, как сверкнул на нее зелеными глазами лешачонок, бросаясь прочь из ее избы.

— Что знаешь? — пробормотала Лукерья.

— Знаю, вижу, — кивнул леший понимающе, — болит у тебя душа по единственному твоему сыночку. Томишься по нему! Хочешь поглядеть на него хотя бы краем глаза!

Лукерья опустила голову. Не хотела она, чтобы это чудище видело ее слезы, но и впрямь болела душа по тому лешачонку, да еще как! Ведь другого она родить не могла и уже никогда не сможет...

— А хочешь ли, чтобы он тебе явился, твой сыночек? — вкрадчиво спросил леший.

Лукерья прижала руки к сердцу. Она уже привыкла к тому, что суждена ей горькая доля бездетной матери, но сейчас страстно возмечтала, чтобы чудо свершилось.

Хоть одним глазком бы увидать дитятко свое! Хоть на один миг почувствовать себя матерью! Ведь этого счастья лишила ее проклятущая Грунька!

Она уже не помнила, сколько ужасов и боли натерпелась, рожая нечистика, — помнила только, что есть у нее сыночек, есть!

— Хочу, — прошептала она, — хочу! Счастлива буду увидеть его хоть единожды!

— Тогда оглянись, — приказал леший, и Лукерья послушалась его.

Перед ней стоял зеленоглазый отрок в белой рубашонке до пят, настолько ладный, да складный, да пригожий, что Лукерья слезами счастья залилась.

Неужто это ее дитятко?! Неужто оно ею рожено?!

— Твое да мое дитятко, — за спиной пробасил леший. — Тобой рожено! И осталось бы оно при тебе, когда бы во время родов не было при тебе Груньки! Кабы не она, увидела бы ты не чудище какое-то, а самого обычного младенчика.

— Почему? — удивилась Лукерья.

— Да потому что такие души, как люди считают, чистые, безгрешные, вроде этой Груньки, видят то, что от других скрыто! — прорычал леший.

— Да чтоб у Груньки очи повылезли, чтоб она ослепла! — жарко выдохнула Лукерья. — Она, она во всем виновна! Я это всегда знала! Из-за нее я в разлуке с сыночком живу. На все готова, только бы удалось его воротить, милого моего, пригожего!

— А ты верь и жди! — проговорил леший. — Когда-нибудь он к тебе воротится. Только есть одно условие: со свету сжить не только Груньку и ее мужа, но и дочку их. В ней зла побольше, чем в отце с матерью, ибо судьба далеко ее заведет, если не остановить поганую девку. А коли не получится, долго тебе встречи с сыночком ждать придется!

Столько ярости и ненависти прозвучало в голосе лешего, что Лукерья удивилась: чем это Грунька так его разгневала? Ну ладно, Грунька, но Василий в чем виноват?

Леший нагнулся, посмотрел ей в глаза и тихо сказал, словно в мысли Лукерьи заглянул:

— Не я сестреницу твою ненавижу, а хозяин мой, властелин всякого зла. Понимаешь небось, о ком я говорю? Вот он, безликий и многоликий, уродливый и обольстительный, отталкивающий и неотразимый, и провидит судьбу твоей племянницы, которая хоть малую опасность, да несет для моего владыки. Поэтому, когда утолишь свою жажду мести, утоли требование и моего хозяина. А не сможешь на сей раз, другого раза жди!

Протянул лешак руку Лукерье, глянула она на его волосатую ладонь, а на ней лежит что-то... малая косточка белая!

Навья кость!

— Бери ее, матушка, да изведи всех Васнецовых, — промолвил отрок. — Тогда я с тобой весь век буду!

Лукерья слезами залилась:

— Все сделаю, родимый! Все сделаю, радость моя! Скажи только, как тебя зовут?

— Если хочешь меня как-нибудь звать, зови Демьяном, — сказал сын. — Это хоть и не подлинное мое имя, но все же на него похоже. И помни, матушка: если не удастся тебе всех Васнецовых извести, я появлюсь вновь лишь тогда, когда навьи под твоим окном следы оставят. Это будет тебе знак того, что я тебя на встречу жду в лесу, на этой самой тропе!

Сказал это отрок — и исчез, словно и не было его никогда.

— Демьянушка, родимый! — возопила Лукерья, но никто ей не отозвался, а вслед за сыном исчез и лешак.

Рухнула Лукерья наземь, залила лешачью тропу слезами, но скоро спохватилась: чего это она попусту слезу льет и время теряет, когда надо поскорей в деревню ворочаться да с Васнецовыми расправляться?

Поднялась она на ноги, прижала к груди навью косточку — и понеслась во всю прыть по лесной тропе обратно...

* * *

Ольга не представляла, откуда здесь, в больнице, где так заботились о ночной тишине, могли взяться часы, да еще с таким дребезжащим и громким боем.

Скорее всего, эти часы имели такое же отношение к Центральной больнице, как то, чего они с Гантимуром, замерев, ожидали, имело отношение к реальной жизни.

Ничего себе так — ожидать появления ожившего мертвеца! И вновь такое вдруг Ольгу охватило возмущение из-за этой нелепости, из-за своего легковерия, из-за того, как охотно она развесила уши, уже сплошь облепленные этнографической лапшой, что она резко села на постели, намереваясь высказать этому болтуну Гантимуру все, что он нем думает, но не успела даже рта раскрыть — по палате резко понесло сквозняком.

Это казалось тем более странным, что окна были плотно закрыты, да и дверь даже не шелохнулась. При том это было не прямое движение воздуха в горизонтальном направлении, которое, если верить учебнику природоведения за четвертый класс, называется ветром, а разнонаправленные струи, которые словно бы исходили из ниоткуда, прямо из центра реанимационного зала. Некоторые из них дотягивались до лица и рук Ольги и то легко касались их, то словно бы прилипали к коже, буквально вцеплялись в нее, то начинали ерошить волосы, а то оплетали шею и, чудилось, сжимали ее.

Ее начал бить озноб.

«Чудится! — твердо сказала себе Ольга. — Мне все это чудится! Гантимур нагнал на меня страху, вот и...»

И вдруг она поняла, откуда исходят ледяные струи. Их источало тело Кирилла, который стоял посреди палаты, слегка покачиваясь и медленно поворачивая голову.

Только что там было пусто.

Как он сюда попал? Ведь дверь по-прежнему закрыта!

Кирилл был в расстегнутой рубашке и чуть спущенных, расстегнутых брюках, босиком — точно таким его вывезли из этой палаты после того, как реаниматологи, отчаявшись воскресить своего коллегу, опустили руки и признали, что не могут совершить чудо.

Ольга отчетливо видела его голую грудь — на ней не было шва, который остается после вскрытия: видимо, тело еще не отправили в морг к патологоанатому. Наверное, Кирилл пока лежал в одной из палат реанимационного отделения, хотя это, конечно, было нарушением правил. Оттуда он и вышел, неслышно ступая босыми ногами и слабо посверкивая из-под век мертвенно-серебристыми глазами.

Ольга прижала руки к груди, пытаясь удержать крик ужаса.

Это не может быть живой человек! Перед ней стоит мертвец!

Но и этого не может, не может быть...

Кирилл медленно повернул голову налево, потом направо. Из серебристых глаз вырвались и прочертили полумрак два узких лучика и начали шарить по палате, ощупывая лица лежавших на кроватях людей, приближаясь то к кровати Гантимура, на которой видно было неподвижное тело лежащего на спине человека, то к стоящей рядом Ольгиной кровати.

«Он нас ищет!» — с ужасом догадалась Ольга, и в это мгновение чьи-то пальцы легко стиснули ее руку, а когда она конвульсивно дернулась, прохладная ладонь прижалась к ее рту.

— Тихо! — долетел до ее слуха даже не шепот, а словно бы легчайший вздох, а потом ее потянули в сторону, заставляя соскользнуть с постели.

Ольга повернула голову и, если бы ладонь по-прежнему не зажимала ее рта, она закричала бы, потому что это был Гантимур.

Ольга покосилась в сторону соседней кровати — на ней по-прежнему лежал спящий Гантимур с повязкой на голове. И в то же время Гантимур держал ее за руку, в то же время стоял перед ней!

Она отчетливо видела его лицо, а тело было не-различимо: словно бы обернутое серой пеленой — не то тканью, не то мглой, чем-то вроде непрони-цаемого взглядом облака.

Этот новый Гантимур нетерпеливо дернул Оль-гу к себе, и она скользнула с постели. В последнюю минуту вспомнила, что совершенно раздета, и потя-нулась было схватить одеяло, однако Гантимур силь-ным рывком отправил ее к себе за спину, выдохнув едва слышно:

— Тихо! Молчи! Иначе смерть!

А между тем ищущий, мертвенный взгляд Кирил-ла или того, кто в полуночный час явился в его об-разе, приближался. Вот он скользнул по постели полковника Вити, вот добрался до кровати Гантим-ура, вот ощупал ее — сначала медленно, словно на-слаждаясь созерцанием беспомощного тела, потом бледный свет нервно заметался от груди спящего до его лица, а вслед за этим резко переместился, как бы перепрыгнул на соседнюю кровать.

Гантимур с силой стиснул пальцы Ольги, но та и без этого молчаливого приказа словно онемела, со стороны увидев свое собственное тело, прикрытое до плеч одеялом, свое лицо с закрытыми глазами — спокойное лицо крепко спящего человека.

Серебристый взгляд Кирилла запрыгал, задергался, и Ольга, стоявшая у стены за спиной Гантимура, ощутила неприятные покалывания там, где ее тела, оставшегося на кровати, касался мертвенный — и мертвящий, как она внезапно поняла! — луч.

Самое удивительное, что Ольгу ничто из происходящего не удивляло. Наверное, она воспринимает нереальность как должное потому, что это всего лишь сон.

Да, наверное, это сон, только почему Ольга так покорно подчиняется его законам, вместо того чтобы взять да и проснуться?

Ответить на этот вопрос она не могла.

В это мгновение свет, исходящий из глаз Кирилла, померк. Казалось, серебристые лучи-щупальца втянулись в них. Страшный посетитель реанимационного зала словно бы зажмурился, пытаясь сосредоточиться.

Пальцы Гантимура снова стиснули Ольгину ладонь, и в следующий миг по палате пополз, словно сырой, стылый туман, легкий шепот:

— Гантимур! Ольга!

Они молчали. Их тела на кроватях не шевельнулись.

Кирилл вслушался в тишину и вкрадчиво позвал:

— Страж деревьев!.. Страж высоты!..

Ольга ощутила, как вздрогнул, подался вперед, словно намереваясь отозваться, Гантимур, но тут же замер, а потом и она сама ощутила почти неодолимое желание откликнуться, тоже качнулась вперед, однако наткнулась на сильную, напряженную спину Гантимура — и только это ее остановило.

— Страж высоты! — завел снова Кирилл. — Страж деревьев!

На сей раз, впрочем, желание броситься на призыв оказалось у Ольги куда слабее, а Гантимур — тот и вообще даже не вздрогнул.

— Я знаю, ты хочешь уйти, страж деревьев, — вновь пополз по реанимационному залу шелестящий шепоток Кирилла, — хочешь уйти и увести стража высоты, но ты же знаешь, что я настигну вас, где бы вы ни скрылись, и вам не удастся совершить то, что вы задумали!

Гантимур оставался неподвижен, и Ольга оставалась неподвижной, прижимаясь к его широкой спине.

Внезапно из коридора раздались встревоженные голоса, топот, дверь в реанимационный зал распахнулась, вспыхнул свет, а потом раздался крик, шум падающего тела — и Ольга увидела, что Кирилл лежит посреди палаты, а в дверях застыла, зажимая рот руками, Виктория Сергеевна. Через переплетенные пальцы прорвался слабый стон — и медсестра начала валиться на стоящего за ее спиной мужчину. Это был тот самый врач, который остался дежурить после смерти Кирилла. Он не мог сдвинуться с места — только поддерживал обеспамятевшую Викторию Сергеевну да ошалело таращился на мертвого Кирилла, лежащего на полу.

— Идем! — шепнул Гантимур, дернув Ольгу за руку. — Быстро! Сейчас им не до нас, а мугды пока бессилен. Ну, нельзя медлить!

Ну да, Ольга застыла на месте, оглядываясь на свое тело, по-прежнему распростертое на кровати. В вену левой руки вставлена игла, в нее медленно, по каплям, поступает физраствор из капельницы... В то же время ее левую руку сжимал Гантимур, и, подчиняясь ему, Ольга сделала шаг, другой... Странно, она была босиком, но не ощущала босыми ступнями холода кафельных плит, покрывавших пол, — и в то же время чувствовала, что ступает по этому полу!

Поглядела вниз, ощупала себя руками.

Она чувствовала свое обнаженное тело, однако не видела его: оно было покрыто таким же серым туманом, как и тело Гантимура.

Как это может быть? Что вообще происходит?!

Внезапно жуткая мысль так ее и пронзила, словно стрела пролетела от виска к виску, и Ольга прошелестела:

— Я умерла? Мы умерли?!

Конечно, раньше ей, как и множеству других людей, не раз приходила в голову страшная мысль: «Неужели я когда-нибудь умру?!» Но впервые пришла мысль, еще более пугающая: «Неужели я уже умерла? И что теперь делать?!»

Гантимур указал на ее прикроватный монитор, на котором высвечивались стабильные показания вполне здорового состояния того тела, которое лежало на кровати:

— Ты вполне жива. Но настало время тебе встретиться со своей сущностью и исполнить то, для чего ты была в незапамятные времена призвана в стражи.

Эта несусветная фраза надолго ошеломила Ольгу, и она покорно подчинилась Гантимуру, который, по-прежнему не отпуская ее руки, повел ее из палаты. В дверях все так же стоял врач, поддерживавший бесчувственную Викторию Сергеевну и не сводивший глаз с трупа Кирилла Поликанова, неведомым образом оказавшегося посреди реанимационной палаты. Доктор был так потрясен, что даже не замечал, что еще по монитору, стоявшему у кровати «полковника» Вити, потянулись прямые линии, означавшие, что и эта жертва мугды не зажилась на свете...

И тем более он не заметил, как мимо него неслышно проскользнули беглецы.

Следуя невероятной логике происходящего, Ольга уже решила, что они с Гантимуром будут проходить сквозь стены, однако ничего подобного не произошло: они пробежали по коридору и через приотворенную дверь вышли на балкон, огибающий здание. Там слегка пахло табачным дымом, валялся тлеющий окурок — должно быть, дежурный врач курил, прежде чем бросился в палату, почуяв неладное, и впопыхах забыл закрыть дверь на ключ, хотя это и предписывалось строжайшими правилами.

С другой стороны, кому сбегать из реанимационного зала? Разве что таким, как Ольга и Гантимур.

— Куда мы идем? — решилась-таки спросить Ольга, когда они вышли с больничного двора через боковую аллею, ведущую к жилым домам, и направились в обратную сторону от шоссе, к обрывистому берегу, круто нависавшему над Волгой.

— Мы ищем вход в тот мир, куда должны попасть, — спокойно ответил Гантимур.

— В какой еще *тот* мир?! — с силой рванула его за руку Ольга, заставив остановиться. — Объясни мне хоть что-нибудь! Я не пойду дальше, если не пойму, что происходит!

— Если ты сейчас не пойдешь со мной, ты никогда не сможешь вернуться в свое реальное тело, — спокойно ответил Гантимур.

— А это что?! — с силой хлопнула она себя по лбу. — Это что — дух бесплотный? Астрал ходячий?! Но я чувствую боль! Как это может быть?!

— Мы должны обрести свои тела, которые существовали в том времени и в той реальности, когда мы стали стражами, — с прежней невозмутимостью сказал Гантимур. — Именно — и только! — в сущности стражей мы способны уничтожить мугдыкен. Впрочем, даже сейчас мы отнюдь не бесплотные духи. Ты почувствовала боль, ударив себя по лбу, но такую же боль ощутило сейчас твое тело, лежащее на больничной кровати. Путь наш будет стремительным, однако тяжелым. И каждая рана, которую ты получишь на этом пути, будет получена и твоим телом. Если останешься невредима — невредимым останется и оно. Так же, как и ты, оно будет ощущать голод и жажду. Если ты погибнешь, погибнет и твое тело.

— То есть там, — Ольга мотнула головой в сторону больничного корпуса, — мы днями и месяцами будем лежать неподвижно, как две колоды, и никто не будет знать, отчего мы вдруг впали в такую беспробудную спячку?

— Ты забыла, что у наших реальных тел есть все основания впасть в кому, это во-первых, — усмехнулся Гантимур, — а во-вторых, думаю, ни дней, ни месяцев им лежать в таком состоянии не придется. У того мира, в который мы войдем, другие законы времени. Думаю, обернемся по здешнему счету довольно быстро.

Ольга помолчала, понурившись. Странное она испытывала сейчас состояние! Безусловная нелепость происходящего (сон, ну сущий сон, морок, наваждение!) вступала в такое противоречие с тем, что она физически ощущала, что сжималось сердце и начинало стучать в висках. И Ольга одинаково остро ощущала это и тем телом, которое лежало на кровати в реанимационном зале, и тем, которое сейчас торопливо шагало по земле, иногда вздрагивая от боли в не привычных ходить босиком ступнях.

Ночь плыла над миром — благоуханная июньская ночь. На звездном небе слабо светила полная луна, чуть занавешенная облаком, сладко пахло поздней сиренью, упоенно стрекотали кузнечики... Век бы стоять и слушать эти мирные звуки, не боясь ничего, не думая ни о чем, не заботясь ни о чем, только радуясь жизни!

— Но ты говорил, что мы можем быть ранены, можем погибнуть в том мире, куда идем. Но если наши тела начнут умирать, нас ведь будут пытаться здесь, в реанимации, спасти! Может ли так быть, что нас спасут?

— Мы еще не в опасности, а ты уже думаешь о спасении, — сверкнул в ночи улыбкой Гантимур. — Честно скажу: не знаю! Может быть, им и удастся выдернуть нас оттуда, может быть, нет... Но возможно — кто знает! — нам и не захочется возвращаться.

Ольга растерянно уставилась на него и вдруг рассмеялась — сначала тихонько, потом все громче и громче. Хохотала — и не могла остановиться!

— Что? — спросил Гантимур сначала озабоченно, потом невольно улыбаясь ее заразительному смеху.

— Да так, вспомнила, — не без труда смогла наконец-то выговорить Ольга. — Когда я еще начинала фельдшером на «Скорой», у меня был доктор очень опытный, и он рассказывал, что однажды, году еще в девяностом, весной, когда, если помнишь, в магазинах вообще ничего не было, он вез в больницу пациента, которого приходилось несколько раз реанимировать. И когда, наконец, его привезли в больницу, доктор его спрашивает: «Вы ведь на том свете раза три побывали, что там видели?» А пациент отвечает: «Ничего особенного, я там стоял в очереди за свежими огурцами, а меня кто-то оттуда постоянно выдергивал, и очередь моя проходила, так и не достало мне свежих огурцов!» Смешно, правда?

— Правда, — пробормотал Гантимур и как-то особенно сильно, почти до боли, сжал ее руку.

— Что ты? — удивленно покосилась Ольга.

— Мы пришли, — сказал он, подходя к обрывистому берегу и всматриваясь в заросшую травой землю. — Спускайся осторожно и ничего не бойся.

Ольга тоже вгляделась и наконец поняла, куда смотрит и куда зовет ее Гантимур: это была яма, уже давно, очевидно, образованная выворотнем. Старый, поросший мхом ствол какого-то дерева лежал на земле, распялив могучие корни.

— Мы что, в эту могилу полезем?! — воскликнула Ольга.

Гантимур покосился на нее с легкой усмешкой:

— А разве ты не знаешь, что всякая пропасть, овраг, колодец, пещера могут быть выходом на тот свет?

— Это в том смысле, что мы сами себя заживо похороним? — безнадежно спросила Ольга. — Как это ты говорил — Буни — подземное обиталище мертвых? Нам туда?

— Сейчас увидишь, — сказал Гантимур и, отпустив ее руку, спрыгнул в яму.

Ольга тихо ахнула, испугавшись того, что он сейчас провалится в неизмеримую глубину, однако глаза ее уже привыкали к темноте, и она увидела, что Гантимур стоит не на дне ямы, а на земляном выступе, а еще ниже виднеются и другие выступы, которые спускаются ниже и ниже наподобие лестницы — и ведут в самом деле в неизмеримую, непроглядную глубину.

Мелькнула мысль броситься наутек — ведь Гантимур уже не тянул ее за собой, она может вернуться...

Куда?!

В неподвижное тело, лежащее на кровати в реанимационном зале?

Наверное...

Но это невозможно без помощи Гантимура. А он помогать точно не будет!

Но дело, вдруг почувствовала Ольга, даже не только в этом. Уже вообще не в этом! Что-то новое трепетало в душе — страхи и надежды, расцветали воспоминания — ее или не ее, Ольга не знала, но они приобретали над ней все большую власть, и просто так расстаться с ними, поддаться слабости, страху перед новым и неведомым будущим она уже не могла.

Может быть, она уже начала становиться стражем высоты, хотя и не вполне понимала, что это означает...

Так или иначе, назад дороги уже не было, и Ольга это понимала.

— Не медли, — нетерпеливо позвал Гантимур, и она, наконец решившись, села на край ямы, спустила туда ноги и снова протянула руку Гантимуру. Вдруг захотелось, неистово захотелось оглянуться, проститься со всем, что она оставляла — может быть, навсегда, с этой ночью, со звездами, с землей, но в эту самую минуту чей-то страстный голос прозвучал в голове: «Проклятье тому, кто посмотрит назад!» — и Ольга глубоко вздохнула, набираясь свежего ночного воздуха, словно храбрости, а потом спрыгнула, наконец, туда, где ее ждал Гантимур.

Подчинилась судьбе!

В давние времена

— ...Вот что на самом деле приключилось с теткой твоей, — закончил Демон.

Долго ли, коротко длился его страшный рассказ, но Ольгушке чудилось, будто во все это время она не вздохнула ни разу, а теперь смогла, наконец, дух перевести с облегчением. Несмотря на ужас этой истории, была Ольгушка почти счастлива. Нет, она ни на миг не усомнилась в том, что не может быть ее матушка повинна в ведьмовстве и злобном вымогательстве денег у страдалицы, а все же радостно было услышать об этом. Камень с души упал! Но тотчас она испугалась: а что, если рассказ Демона — такая же ложь, как и исповедь тетки Лукерьи? Может быть, он оболгал свою мать, чтобы усилить ненависть Ольгушки к ней?

С него станется!

Ольгушка упала на колени перед теткой, лежащей недвижимо с закрытыми глазами, и приподняла ее голову:

— Тетенька, скажи, кто правду говорил? Ты или сын твой?

Приоткрылись измученные глаза тетки Лукерьи, с трудом нашли лицо Ольгушки, остановились на нем. Слабо шевельнулись губы:

— Он... он правду говорит... сыночек родненький, Демьянушка...

Слеза выкатилась на ее щеку, судорога прошла от плеч до ног — и Ольгушка поняла, что грешная душа тетки Лукерьи покинула ее.

— Что?! — взвизгнул Демон, наклоняясь над матерью, и Ольгушка отпрянула, таким смрадом потянуло от его мохнатого тела. — Как она смела сдохнуть? Я хотел, чтобы ты ее задушила!

Он скрючил пальцы, и Ольгушка только сейчас заметила, что его ногти — вернее, когти, такими были они длинными и загнутыми, — окровавлены.

— Да я в жизни не убила никого и убивать не собираюсь!— закричала она. — Вдобавок мне уж делать нечего там, где ты постарался! Ведь это ты ее своими когтищами до смерти изодрал, а никакое не чудовище неведомое! На твоих руках кровь ее!

Но за что ты ее так?! Какой бы она ни была, а все же мать родимая твоя. Все, что натворила она, от любви к тебе сотворено! Ты, отродье лешего, был ей милее всех живых людей! Ради тебя она столько грехов на душу взяла! А ты не только ее жизни не пожалел, но и все до единой ее тайны, даже самой позорной, выложил той, в ком она врага видела!

— Да разве ты ей не была врагом? — ухмыльнулся Демон. — Ты ведь ненавидела ее от всего сердца. И сейчас ненавидишь, разве не так?

— Это она меня ненавидела от всего сердца, — печально сказала Ольгушка. — Всегда! Меня и мою матушку с отцом. А все почему? Потому что ты владел ее душой! Она была такой же, как ты! Тобой была в минуты ненависти, зависти и злобы!

— Угадала! — не без изумления уставились на нее зеленые глаза. — Ишь ты, а ведь не глупа девка оказалась! Демон злобы равно владеет и мужчинами, и женщинами, и все их в эти мгновения уравнивает, всех заставляет гореть одним огнем. Твоих умерших родителей не дали похоронить обрядно, а сожгли. Однако пламенник[1] не сам собой в окно залетел: его кто-то из жителей Курдушей в окно швырнул, а может, из берложцев, среди которых ты теперь живешь. И ни те, ни другие тушить пожар не бросились! И никто из них за тебя не вступился, так ведь? Все бы они с радостью глядели, как тебя огнем объяло, как ты орешь да корчишься в пламени! Все! И мужики да бабы, которые тебя теперь привечают, и дочери их, которые с тобой на вечорки бегают, и сыновья их, которые к тебе сватаются!

---

[1] Факел (*старин.*).

От этих последних слов будто бы в самом деле огнем в лицо Ольгушке полыхнуло! Она даже ладонями прикрылась, вспомнив, как добрая да ласковая Марфа Ивановна Березкина, которая ни словечком за обреченную девчонку, дочь своей подруги, не заступилась, как она и Филя Березкин с любопытством на горящую избу Васнецовых пялились!

— Правда глаза колет? — ехидно ухмыльнулся Демон. — Колет, вижу... Неужто ты никогда не думала о том, какой страшный, мучительный конец тебя ждал бы? Кабы не вступился поп этот, проклятый, сумасшедший поп, тебя уже на свете не было бы.

— Это почему же отец Каллистрат — проклятый сумасшедший?! — возмущенно вскричала Ольгушка.

— Да потому, что только безумец может простить невесту, его обманувшую, мало того, что гулявую, да еще и нерожалую! Только безумец может жить день изо дня с женой, каждое слово которой злобой пропитано! Ведь ни о ком и никогда она с добром не отозвалась! А проклятый сумасшедший он потому, что, хоть знал, что родители твои ведьмачат и колдуют, тебя сгубить не дал!

С этими словами изо рта его вырвалось рычание, изо рта его искры вылетели, изо рта его серой адской пахнуло...

Ольгушка вжалась в стену и наконец решилась спросить о том, что жгло ее сердце с той самой минуты, как услышала она о непременном условии возвращения сына тетки Лукерьи: ее, Ольгушки Васнецовой, смерти:

— Да чем же я перед тобой и прочей силой нечистой провинилась?!

— Сейчас не провинилась, так потом провинишься! — прорычал Демон. — Много вреда принесешь, если тебя не остановить! Но ты можешь еще выслужить себе прощение, если отомстишь всем своим врагам! Тем, кто тебя прикончить хотел, — отомстишь!

— Опять ты о врагах да о мести? — гневно воскликнула Ольгушка. — Что я должна сделать, чего ты от меня ждешь? Да я даже на тетку не подняла бы руку — неужто всему миру крещеному, на миг злой силой, такой, как ты, одурманенному, мстить должна? С тех пор одумались люди, с тех пор я от них только добро видела. Что, брать мне пламенники да идти деревню поджигать, злопамятство свое тешить? Ну нет у меня на них злобы, понимаешь?

— Ну что ж, нет так нет, — проговорил вдруг Демон смиренно и мирно. — В самом деле — сердце у тебя на диво доброе, не сладить мне с ним! И односельчан ты простила, и тетку свою. Коли так, пойду, с собой зло свое заберу, натешусь им на просторе... Позаботься о погребении матери моей, да смотри, отцу Каллистрату ничего обо мне не сказывай. Поведай ему, что повредилась твоя тетка умом, понесла ее нелегкая в лес, а там невесть какой зверь на нее напал да погубил, а потом она сама до дому добрела да померла.

— Да неужто тебе ничуть не жаль ее? — всплеснула руками Ольгушка. — Неужто ни слезы не уронишь на мертвое тело твоей матери?! Неужто не покаешься в грехе смертоубийства той, которая на белый свет тебя произвела?!

— Жалость мне неведома, — с кривой усмешкой бросил Демон. — Но душа моей матери еще здесь, поблизости... слышит она все, о чем мы говорим, и, наверное, кабы могла, обливалась бы слезами оттого, что держала тебя в черном теле, что мучила да шпыняла. Наверное, хотела бы она, чтобы ты хоть что-то на добрую память о ней получила... да хоть перстенек ее, который она в лесу нашла.

— Так ведь перстень в палец врос, — удивилась Ольгушка, — снять его невозможно, это сама тетушка говорила.

— Да вот он, — сказал Демон, проводя по мертвой руке и показывая Ольгушке перстень, лежащий на его ладони. — Возьми.

— Не могу, — пролепетала девушка, но глаз от красоты несказанной не отрывала. — Нет!

— Ты раньше говорила, будто простила свою тетушку, — вздохнул Демон. — Возьми в знак своего прощения! Да бери же!

Ах, как же красив был этот перстень! Ни у кого такого нет, а у Ольгушки он будет. И чем же плохо, в самом-то деле, принять его? А отцу Каллистрату она скажет, что тетка Лукерья сама ей колечко свое отдала в знак примирения перед смертью...

Ольгушка смущенно протянула было руку, но вдруг на память пришли слова тетки Лукерьи о том, как ненавистная Грунька Васнецова пыталась у нее этот перстенек выманить, говоря: «Ох, сестреница, зачем ты этот перстенек подобрала? Порча на нем! Сними да мне отдай — я попробую его отчитать». А когда Лукерья отказалась, она сказала: «Ну что ж, тогда терпи да не жалуйся. Только много зла ты с ним натерпишься, а еще больше другим этого зла принесешь!»

Нет, ошиблась тетка Лукерья: искренне хотела Груня ее предостеречь и спасти! Это Ольгушка сейчас чувствовала и понимала всем существом своим, не только умом, но и сердцем. Права оказалась ее матушка: порча была наложена на перстень. Именно он заставил Лушу сделаться такой безжалостной злодейкой, какой помнила ее Ольгушка. И она, Ольгушка, такой же станет, коли примет перстень от Демона, который собственную мать убил!

Наваждение вмиг прошло. Этот перстень так же красив, но и страшен, как сам Демон. Но не зря говорят в народе: и змея красива, только зла!

Отпрянула Ольгушка, руки убрала за спину:

— Не возьму! Отнеси туда, где моя бедная тетка его подобрала, да тому верни, кто его туда нарочно бросил, порчу на него наведя!

Демон дунул на ладонь — и перстень исчез, а в зеленых глазах выразилась лютая, чудовищная ненависть:

— Ох, как бы я хотел попробовать на тебе свои когтищи, да чтобы не просто кровью ты истекла, как моя мать, а на части тебя изорвать! Да жаль, не могу тебя пока коснуться... Не время еще! Ничего, подожду, пока ты сама руки на себя наложишь. Тогда я сразу завладею твоей душой и своему хозяину ее представлю.

— Да ты рехнулся, нечистый дух?! — всплеснула руками Ольгушка. — Да чтобы я самоубилась, чтобы такой грех на душу взяла?!

— Не хочешь? — пристально взглянул на нее Демон. — Ладно... Только знай, что и зло готово иногда добром обернуться. Прими мой совет: запри дверь да окна и не выходи этой ночью из дому. Носа не высовывай! А не то пеняй на себя! Станет эта ночь последней ночью твоей жизни!

И с этими словами Демон вылетел из двери, словно метлой его вымело, и такой сквозняк пронесся по избе, что погасли все свечи, одна только и осталась — у божницы.

Ольгушка, трясясь от пережитого ужаса, почти на ощупь бросилась вслед и заперла обе двери — и сенные, и те, что в избу вели, — на все замки и засовы. Кинулась окна затворять, то и дело крестясь, когда взгляд падал на тетку Лукерью.

Замерла на миг... как же она рядом с нею, с мертвой, ночь переночует?! Надо хотя бы глаза ей закрыть, да руки на груди сложить, да ряднинку поверх израненного тела набросить — все не так страшно будет!

Подошла Ольгушка к тетке, перекрестилась, опустила ей веки на закатившиеся глаза, сложила уже похолодевшие руки, да покачнулась и нечаянно на грудь ей надавила! И вдруг мертвые губы приоткрылись и вместе с воздухом, еще остававшимся в онемелых легких, из них вылетели слова, произнесенные голосом слабым, как стрекотанье сверчка:

— Прости мою душу грешную, Ольгушка, деточка моя! Перстень демонский мной владел, тебя мучить заставлял. Умница, что отринула его, не то и тебя он погубил бы. Но теперь на тебя вся надёжа! Спаси деревню! Беги на колокольню, бей в набат!

Легкий шепот утих, и никак было не понять Ольгушке, почудились ей эти слова или были произнесены на самом деле.

Вроде бы умерла тетка Лукерья. Как же она могла это сказать?!

Однако сегодня Ольгушка навидалась таких чудес, столько невероятных событий с ней произошло, что она не удивилась бы чему угодно!

Казалось бы, самых страшных страхов она нынче натерпелась, однако ужас, который объял ее сейчас, сравнить с ними было нельзя.

Кому верить? Чьим словам последовать? Демонову предостережению? Или тому, о чем молили мертвые уста тетки Лукерьи?

В испуге оглянулась она на окно, за которым ярко светила луна, и вдруг увидела гигантскую фигуру, кравшуюся по улице.

Сначала решила было, что это опять Демон появился, однако нет — фигура была женская...

Припала к окну, вглядываясь. В это мгновение фигура обернулась, и Ольгушка разглядела старуху огромного роста с разлохмаченными волосами и огромными зубищами, торчащими изо рта во все стороны.

— Боже милостивый! — прохрипела Ольгушка: в горле у нее пересохло от страха. — Да ведь это Коровья Смерть!

* * *

Ольга ничего не видела ни перед собой, ни вокруг, только чувствовала, как пальцы Гантимура сжимают ее ладонь, а под ногами проминается земля. Впрочем, это лишь сначала она была мягкой и податливой, потом стала суше, корявей, а затем и вовсе как бы свилась в тугие и твердые плети. Казалось, что ступеньки, по которым спускались Ольга и Гантимур, сплетены из толстых веток или грубых канатов. Но чем ниже вели эти ступеньки, тем отчетливей ощущала Ольга, что под ногами у них упругие и крепкие ветви какого-то огромного дерева.

Гантимур прыгал с одной на другую с ловкостью если не обезьяны, то человека, не раз этим странным путем проходившего, да и Ольга, которая сначала с трудом удерживала равновесие, постепенно привыкала к «лестнице», там более что она плавно и довольно удобно огибала широченный ствол.

Довольно долго двигались Гантимур и Ольга на ощупь, но вот наконец что-то забрезжило впереди, некий серый блеклый туман начал окутывать пространство — настолько похожий на те «облака», которые теперь заменили одежду Гантимуру и Ольге, что она испугалась, как бы не раствориться в этом тумане и не слиться с ним!

Стоило ей так подумать, как Гантимур канул в серую мглу, словно сорвался с очередной ветки-ступеньки. Ольга испуганно вскрикнула: ей было страшно с Гантимуром, однако без него она вообще чувствовала себя потерянной и совершенно не представляла, как быть. Ни вперед идти, ни вернуться...

И тут Ольга почувствовала, что ветка, на которой она стояла и которая только что казалась вполне надежной, начала разъезжаться под ногами. Теряя опору, она попыталась уцепиться за ствол, однако он рассыпался в прах под ее ладонями. Она падала, падала... но даже толком испугаться не успела, как оказалась рядом с Гантимуром, который вовремя подхватил ее. Серая облачная «одежда» оказалась не только проницаема для прикосновений, но даже как бы усиливала их, и Ольга с удивлением ощутила жар его рук.

«Значит, мы живые? — с радостью подумала она. — Если у него такие горячие ладони, значит, мы не в царстве мертвых?»

— Ты смотри на это проще, — усмехнулся Гантимур, как всегда, непостижимым образом угадывая ее мысли. — Представь, что мы со второго этажа спустились на первый. Ты же не будешь считать жителей первого этажа менее реальными, чем ты сама?

— Как только увижу этих самых «жителей первого этажа», так немедленно решу, кем их считать, — буркнула Ольга.

Серый туман, только что скрывавший окрестности, расползался, открывая такое же серое, мутное небо и мрачную картину погибшего леса. Огромные, веками росшие ели и сосны стояли без единой хвоинки, кора с их стволов была ободрана, а оставшаяся ссохлась и висела неровными клочьями. Сердце сжималось от жалости при виде этих великанов, напоминавших скелеты своими изуродованными стволами и голыми, трагически изломанными ветвями! Но еще более уныло выглядели нагромождения поваленных деревьев, через которые, казалось, невозможно будет перебраться. Ни шороха листьев и ветвей, хотя между деревьями носился прохладный ветерок, ни пения птиц, ни рыка звериного не было слышно, лишь порой доносился какой-то глухой шум, словно бы рушилось нечто тяжелое, и Ольга догадалась, что где-то неподалеку падают такие же мертвые, отжившие свой век деревья, как те, которые окружали их с Гантимуром.

Ольга испуганно вспомнила, по какому мощному стволу они только что спускались, и, оглянувшись на него, увидев, какими уродливыми клочьями повисает на нем кора, как поникли нижние ветви, со страхом спросила:

— А это дерево на нас не рухнет?

— Вполне может, если так и будем стоять под ним, — кивнул, впрочем совершенно спокойно, Гантимур. — Оно свою роль сыграло, мы по нему спустились в Буни...

— Значит, это все-таки царство мертвых! — Ольга не схватилась за сердце только потому, что от страха у нее пропали все силы, их не осталось даже на такой незначительный жест. — Мы что, навсегда здесь останемся?

— С чего ты взяла? — спросил Гантимур. — Мы уйдем в свой час.

— Но дерево гниет на глазах! — чуть не взвизгнула Ольга, почему-то не в силах отвести глаза от жуткой картины этого гниения и ежась от ветра, который становился все более злым и холодным. — Как мы сможем по нему подняться?

— Ветви этого дерева служат всего лишь ступеньками, которые ведут вниз. А подняться можно только по течению реки Энгдекит, соединяющей верхний и нижний миры. Каждый ее водоворот служит выходом в мир живых — так же, как всякая глубокая дыра в земле служит входом в мир мертвых.

— Река?! Но я не умею плавать, — с ужасом вспомнила Ольга.

— Да это не важно, — отмахнулся Гантимур. — Тебе не понадобится плыть.

— В каком смысле? — насторожилась она. — Я что, навсегда тут останусь?

Гантимур уставился недоуменно, потом слабо улыбнулся и медленно пояснил:

— Течение Энгдекит всегда направлено вверх, в мир живых. Она сама выносит шамана и того, кого он сопровождает, на поверхность: или к истокам, к верховьям, где живут шаманки, которые уходят туда после смерти, — или на берега, если человеку нужно попасть в мир обычных людей, чтобы пожить среди них. Понимаешь?

— Понимаю, — кивнула Ольга. — Ишь ты, значит, шаманки отдельно от шаманов живут? Это такие амазонки местные, да?

Лицо Гантимура словно тенью подернулось, и Ольга поняла, что этот вопрос ему неприятен.

Может быть, у него был роман с какой-то шаманкой, живущей у истоков реки Энгдекит, и девушка отвергла этого экзотического красавца? Поэтому ему воспоминания неприятны?

Неизвестно насчет воспоминаний Гантимура, однако Ольге мысль о романе Гантимура с кем бы то ни было тоже оказалась почему-то неприятна, и она поспешила сменить тему:

— А что, вода в этой вашей знаменитой реке такая же гнилая и вонючая, как этот лес?

В самом деле, со всех сторон несло если не мертвечиной, то явным смрадом разлагающейся древесины.

— Почему ты называешь великую реку гнилой и вонючей? — оскорбленно прищурился Гантимур.

— Да потому что она отделяет мир мертвых от мира живых, — попыталась объяснить Ольга. —

В греческой мифологии такая же река — Стикс. Согласно Данте, на ее берегах в болоте пребывают гневливые и угрюмые. Первые рвут друг друга на части, вторые вечно плачут. Берега в болоте, заметь себе! Благоуханных болот не бывает, это всегда изрядный вонизм. В славянской мифологии река Смородина — тот же Стикс. Она даже называется смрадно! Не путать, кстати, с ягодой смородиной, которая так именуется потому, что родилась сама, са-мо-ро-ди-на. Понятно?

Лицо Гантимура сделалось таким озадаченным, что Ольге стало смешно. Наконец-то она хоть чемто озадачила этого непробиваемого, высокомерного и всемогущего стража деревьев!

— Откуда ты это знаешь? — спросил Гантимур с почтительным придыханием.

— Прочитала где-то, не помню где, — пожала плечами Ольга, и это оказалось ошибкой.

— Прочитала где-то, подумаешь! — пренебрежительно фыркнул Гантимур, принимая прежний высокомерный вид. — А вот интересно, эти Стикс и Смородина могут показывать истинную сущность человека? Не знаешь? Не прочитала нигде? А вот Энгдекит может! И ты еще увидишь, на что эта река способна! Однако нам пора идти. Преодолеем эти завалы — дальше увидим тропу, которая нам нужна.

— Как же мы переберемся через такую свалку? — брезгливо спросила Ольга, с трудом перелезая через корявое бревно и стараясь не касаться его голыми ногами. — Мы же все перемажемся, как... как ассенизаторы!

— Я — ассенизатор и водовоз, революцией мобилизованный и призванный? — ухмыльнулся Гантимур, с явным удовольствием наблюдая за лицом Ольги, которой не удалось скрыть изумление, настолько не вписывался Маяковский в окружающую картину. — Я, однако, тоже читать умею.

— Однако! — фыркнула Ольга, пытаясь взять хоть какой-то реванш. — Так только в кино говорят разные тунгусы, нанайцы, якуты и эвенки!

— Однако я не в кино, однако тоже так говорю, — насмешливо повел бровями Гантимур.

— А вот что странно, — внимательно вглядываясь в его лицо, сказала Ольга. — Там, в больнице, когда ты сказал, что мугды говорит на языке твоих предков, я не поверила. У тебя было совершенно русское лицо, ну разве что немного скуластое. А теперь... мне кажется, что ли?! — глаза стали более узкими, кожа более смуглой, и скулы еще сильней выступили... Ты меняешься в какую-то непонятную сторону!

— Что ж тут непонятного? — спросил Гантимур, обходя Ольгу, чтобы идти первым и прокладывать дорогу. — В родных местах родная кровь свое берет. Я же говорил тебе, что один мой далекий предок был шаманом, эвенком.

— Говорил, да, — кивнула Ольга. — Но я не представляю, каким образом он мог встретиться с русской колдуньей. У них что, был международный слет колдунов-профессионалов?

Гантимур только головой покачал, но ответом не удостоил. Ну да, юмор получился несколько натужным: уж очень тяжело было пробираться через обломки стволов, ежеминутно стараясь не наткнуться на торчащие во все стороны сучья и чуть ли не вскрикивая от отвращения, когда все же натыкалась, но на голых ногах оставались не раны и царапины, а грязные полосы гнили.

— Ты говоришь, что впереди тропа, — наконец воскликнула Ольга в отчаянии, — но такое ощущение, что мы идем по бесконечному кладбищу, которое в самом деле находится на болоте!

— Видишь ли, в Буни все наоборот, — серьезно пояснил Гантимур. — Что для нас плохо, для обителей здешнего мира хорошо. Тьма здесь — свет, вот такой серый, тусклый, как сейчас, впрочем, и день не блещет яркостью красок, ночное небо трудно отличить от дневного! Гнилое болото в этих местах — твердая земля, и наоборот. Верх — это низ, сломанное — целое... ну и тому подобное. Именно поэтому в могилу эвенку кладут разбитую посуду и рваную одежду. Здесь, в Буни все станет целым. Так ведется с тех пор, как лягушка Баха подняла землю из морских глубин, а гигантский змей Дябдар изгибами своего тела проложил русла рек при сотворении мира.

— Ишь ты, — пробормотала Ольга. — Поэтичненько! Только зачем вообще душе одежда?

— Ну тебе ведь она нужна, — пожал широкими плечами Гантимур. — Думаю, нагота смущала бы тебя. Вот я о тебе и позаботился, создав этот покров.

— А тебя нагота не смущала бы, что ли? — огрызнулась Ольга, с досадой наблюдая, как легко одолевает поваленные стволы ее спутник, вернее проводник.

— Меня — нет, не смущала бы, — отозвался Гантимур, чуть покосившись через плечо. — Но без покрова мне было бы труднее скрывать свои желания.

— Какие еще желания? — удивилась было Ольга, но уже через мгновение до нее дошло, что вообще имеется в виду.

«Так вот почему у него были такие горячие руки!» — вспомнила она, и от этой мысли ей вдруг стало так же жарко, как от прикосновения рук Гантимура.

Ужаснувшись и устыдившись, Ольга закричала возмущенно:

— Да ты спятил, что ли?! У тебя дырка в голове, а ты о чем думаешь?!

— Дырка в голове не у меня, а у моей телесной оболочки, которая лежит в реанимационном зале, — напомнил Гантимур.

— Тем более! Как могут бесплотные души мечтать о каких-то там плотских желаниях?!

— Ты что, в самом деле ощущаешь свою бесплотность? — хохотнул Гантимур. — Но тебе же противно, когда гнилые ветки касаются твоих ног. Между прочим, обитатели Буни живут так же, как жители Буга.

— Сноску сделай, — угрюмо попросила Ольга. — Какая еще Буга?

— Не какая, а какой, — поправил Гантимур. — Буга — это верхний мир. Земля. Так вот, в Буни точно так же, как в Буга, строят дома, охотятся, ловят рыбу, одеваются, едят обычную пищу, ну и женятся, а значит, предаются плотской любви...

Ольга хотела бросить что-нибудь колкое, однако промолчала — не нашлась, что сказать, чем уколоть Гантимура. Вообще, эти слова о плотской любви ее вдруг самым странным образом взволновали...

очень взволновали! А между тем ничего *такого* у нее и в мыслях не было с тех самых пор, как вдребезги разбилась их жизнь с Игорем. Она отчетливо помнила, что перед тем, как наткнуться на проклятый пистолет, мечтала о его объятиях, помнила то волнение, которое всегда охватывало ее при мыслях об Игоре и о любви с ним. Это всегда было волшебство, это всегда было счастье, и Ольге даже в голову никогда не могло прийти того, чтобы возжелать другого мужчину, узнать, каким бывает секс с кем-то другим... конечно, это был бы именно секс, а не любовь, которая соединяла их с Игорем! Да, голова тут, разумеется, ни при чем: просто ни тело ее, ни сердце не желали никого, кроме Игоря. Но воспоминания о случившемся кошмаре научили ее гнать от себя тоску и томление. Ольга уверила себя, что не вправе мечтать о любви, потому что до сих пор не знала причину, по которой Игорь вдруг начал стрелять в нее. Но Гантимур сказал, что на Игоря была наведена порча... То есть он ни в чем не виноват! А после тех видений, которые явились Ольге во время клинической смерти, после того, как она смотрела в глаза Игоря, слышала его слова о любви, все подавленное, затаенное, тщательно скрываемое даже от себя самой снова всколыхнулось в ней, и в сердце, и в теле. И вспомнились слова Игоря, которые были исполнены такой печали, такой безысходности: «Я тебя отдаю, отдаю своими руками, отдаю ему... Лишь одно это вернет меня к жизни. Я не слишком дорожу ею, ведь теперь она станет только раскаянием за то, что я сделал, только раскаянием, горем и тоской, но если я умру, то уведу с собой и тебя. Заберу против своей воли! Понимаешь, Оля? Ты умрешь, если умру я, потому что любишь меня, потому что цепляешься за меня и не сможешь избавиться от желания видеть меня снова и снова. Только он, только другой сможет вернуть к жизни тебя и меня, только с его помощью ты поймешь, что произошло с нами, но это будет не прежняя наша общая жизнь. У каждого будет своя... наши тропы разойдутся... Но мы оба останемся живы, вот что самое главное, понимаешь, Оля?»

Это воспоминание заставило ее задрожать, слезы прихлынули к глазам. Откуда все это знал Игорь? По каким вещим тропам прошел он, чтобы предсказать то, что случится с его женой? Тот, кому он отдавал свою любимую ради ее и своего спасения, — это, конечно, Гантимур. «Только с его помощью ты поймешь, что произошло с нами», — сказал Игорь, и это истинная правда, она уже многое поняла с помощью Гантимура.

Значит, правдой будет и все остальное?

«Что, что остальное?! — чуть не вскрикнула Ольга. — Как можно меня отдать кому-то? Я что, вещь?! Как он может распоряжаться моей судьбой, моей любовью к нему?! Или он там — там, где его мысли и душа пребывают сейчас, — так намучился, так настрадался, что для него утратила всякое значение любовь, верность, теперь главное только жизнь, пусть даже это жизнь без любви и без меня?!»

Она уже почти ничего не видела от слез, все чаще и чаще натыкалась на сучья и ветви этого мертвенного, гнилого пути, и если бы они были настоящими, как у живых, не разлагающихся от малейшего прикосновения деревьев, она бы, конечно, изранила все ноги и пропорола их до крови.

И вдруг внезапная догадка заставила ее остановиться.

Они с Гантимуром пришли сюда, в мир мертвых, из мира живых. Но Игорь в своей долгой-предолгой коме находился где-то между этими двумя мирами! Он был воистину ни жив, ни мертв! Неужели Гантимур не поможет ей попасть в тот странный промежуточный мир, не поможет увидеть человека, ради которого она готова на все?!

Надо уговорить Гантимура! Наверное, наверное он знает пути и в тот мир, а не только в мертвый!

В порыве отчаянной надежды Ольга готова была поверить в самое невероятное, в то, что еще недавно сочла бы полной нелепостью и той пресловутой «этнографической лапшой», которой Гантимур так умело увешал ее уши! Но сейчас даже слабый проблеск надежды заставил ее совершенно перемениться.

Ольга смахнула слезы и ускорила шаги, но тотчас новая догадка заставила опять приостановиться.

Нет, от Гантимура надо скрывать свои страстные желания во что бы то ни стало увидеть Игоря! Он ведет такие странные разговоры... он обуреваем одной надеждой — уничтожить это дерево... как его там, ну, обиталище злобных душ... мугдыкен, вот как оно зовется! Нельзя вот так впрямую выпалить: помоги мне пройти в тот мир, где странствуют душа и мысли Игоря, и тогда я...

Да, что ты — тогда? На что ты готова ради того, чтобы вернуть любимого?

На все, ты сама знаешь, что на все! Однако как воспримет Игорь это твое «все»? Простит ли, если узнает, что ты готова отдаться Гантимуру и сделаешь это, если у тебя появится хоть малейшая надежда снова встретиться с Игорем?

Какое прощение, о чем ты?! Он же сказал, что у каждого будет своя жизнь, что ваши тропы разойдутся! Значит, он готов к вашему расставанию!

А ты — готова? Убедившись в том, что Игорь хочет тебя убить, ты предпочла кинуться из окна, только бы он не сделался твоим убийцей. И этот страшный, бесповоротный шаг кажется куда более простым, чем то решение, которое нужно принять теперь.

Да, вот именно: теперь-то что делать? Вернуть Игорю сознание и жизнь и потерять его навсегда — или жить робкой надеждой на то, что он когда-нибудь очнется с помощью нормальных медицинских ухищрений, очнется, вспомнит Ольгу и их любовь, снова будет принадлежать только ей — так же, как она будет принадлежать только ему, ему одному?..

В давние времена

Коровья Смерть!

Ужас на мгновение лишил Ольгушку разума, но тут же она задумалась: да как же так? Откуда взяться Коровьей Смерти в июле? Ведь это чудовище, несущее погибель всему крестьянскому стаду, является всегда только на день Агафьи-коровницы, 5 февраля[1]! Накануне зимы все женщины, что в Курдушах,

---

[1] 18 февраля по новому стилю.

что в Берложье, опахали свои деревни, ибо за пахотную черту Коровья Смерть заступить не может.

Ольгушка помнила, что еще в детстве далеком слышала от матушки, будто прикончить Коровью Смерть, так же как и другого злобного оборотня, можно, если выстрелить в нее из лука стрелой, кончик которой свечным воском обмазан, но промолчала об этом при бабке Матрене. Где взять лук да стрелу? А самое главное, чтобы в Коровью Смерть выстрелить, надо ее видеть, надо, чтобы она уже вошла в село! А вдруг промахнешься и сила нечистая свое возьмет? Но уж лучше ее близко не подпускать, лучше остеречься вспашкою!

Раньше в этом обряде всегда участвовала матушка-покойница, а минувшей осенью и сама Ольгушка до этого доросла.

Она хорошо помнила, как накануне намеченного дня обежала все дворы в Берложье старуха-повещалка, бабка Матрена, созывая баб. Не всякая решалась последовать старинному обряду, но та, которая решалась все-таки, должна была вымыть руки и вытереть их полотенцем, принесенным повещалкою.

Опахивание подгадали к тому дню, когда отец Каллистрат отъехал по каким-то своим церковным делам. Ведь православные священники не одобряют обрядов, которые восходят еще ко временам нецыев — суеверов-язычников. Именно этим отговорилась от участия в опахивании и тетка Лукерья: мол, негоже попадье в такое дело мешаться, а коров лучше всего защитить крестом и молитвою, а не какой-то там пахотой.

Бабка Матрена спорить не стала, только губы поджала, подумав, видимо, так же, как и Ольгушка, что одно другому совсем даже не мешает и чем больше заступы за кормилиц-коровушек, тем вероятней благополучный исход.

— Я пойду! — вызвалась тогда Ольгушка и поспешно сунула руки в лоханку с водой, а потом вытерлась повещалкиным полотенцем, причем проделала она это так проворно, что ни тетка Лукерья вызвериться не успела, ни бабка Матрена — возразить, мол, рановато еще девке в бабьи дела мешаться.

— Мне семнадцать годков, — предупреждая ее слова, строптиво заявила Ольгушка. — Чего ж годить? Самое время. За тетеньку пойду! («За матушку-покойницу!» — добавила она мысленно.) — Ведь чем больше народу встанет против Коровьей Смерти, тем лучше, так, бабушка Матренушка?

— Ишь как запела, лиса льстивая, — усмехнулась старуха и дала свое согласие.

Конечно, тетка Лукерья потом Ольгушку поедом есть начала, да поздно было: коли в обряде участвовать обещано, взять это обещание обратно было невозможно!

Последнее, что надлежало сделать вечером, это прибить к воротам скотного двора лапти, измазанные дегтем: дегтярного духа Коровья Смерть не выносит!

В полночь раздался звук би́ла: сковородки, в которую колотила у околицы бабка Матрена, следуя своим обязанностям повещалки. Была она одета в одну только рубаху, на которую накинут тулуп, и так же одевались все женщины, которые, заслышав би́ло, выходили к околице, держа в руках пучки зажженной лучины, а еще ухваты, кочерги, метлы, косы, серпы, а то и просто прихватив дубинки покрепче да поувесистей. Вышла в одной рубашонке да шубенке и Ольгушка.

Кроме женщин, на улице в такую пору не было ни души: скотина крепко-накрепко заперта по хлевам, собаки — на привязи. А все мужики от мала до велика знали: в эту ночь надо сидеть по избам и носа на улицу не казать — во избежание беды великой.

Когда Ольгушка прибежала к околице, женщины уже притащили туда соху, в которую и запрягли Матрену-повещалку. Конечно, старухе было тяжело соху волочь одной, но уж такая участь повещалки. Опахать деревню межевой бороздою предстояло трижды!

Остальные же бабы, чтобы устрашить чудовище, которое проглатывало коров целыми десятками зараз, шли следом и учиняли страшный шум: орали, бранились, читали заклинания, какие кто помнил, и некоторые из них относились ко временам столь древним, что православные священники за них и анафеме могли предать:

> Уж ты Смерть, Коровья Смерть,
> Пошла вон с нашего села,
> Пошла вон с нашей деревни!
> Вместе с нами Велес[1] встал
> Защитить коровушек.

---

[1] По верованиям древних славян Велес (Волос) — имя «скотьего бога», покровителя и защитника домашних животных.

Встал он с огнем святым,
Да с вилами вострыми,
Да с тяжелой кочергой,
Да с лохматою метлой.
Он тебя огнем пожжет,
Он тебя вилами приколет,
Он тебя кочергой прибьет,
Он тебя метлой выметет.
Так поди ты прочь от нас,
Смерть Коровья,
Именем Велеса тебя заклинаем,
Поди прочь и не ворочайся!
Аминь!

Если же этой ночью попадалось на глаза женщинам какое-нибудь животное, или, храни бог, человек, на них накидывались всей толпой и старались прогнать от деревни подальше, а лучше и вовсе убить, ибо облик того встречного существа принимала сама Коровья Смерть. Именно поэтому и держали всю скотину запертой в ту ночь, именно поэтому мужики носа из дверей да окон не казали, чтобы не увидеть чего не надо, а главное, не попасться на глаза бабам...

«Да нет, как же так? — смятенно думала Ольгушка, глядя сейчас в окошко. — Никогда не являлась Коровья Смерть в иное время года, не в феврале... насылать болезни на скотину, конечно, насылала, но чтобы в своем обличье явиться — не случалось такого! Что же делать? Как же быть? Куда же она держит путь, проклятущая?!»

Пригляделась Ольгушка пристальней — и сердце у нее так и замерло: у безобразной и злобной Коровьей Смерти должны быть руки с граблями, которыми она и гребет коровушек не по одной, а сразу десятками. Но у этой старухи, что идет сейчас по деревне, огромные человеческие руки с длиннющими звериными когтищами.. Да она ли это, Коровья ли Смерть?! Вдобавок сказывают сведущие люди, что само по себе это чудище в деревню-село дороги не найдет: непременно завезет или занесет ее прохожий-проезжий человек.

Но никаких прохожих-проезжих в Берложье в последние дни не было... А появись кто-то в соседских Курдушах, слух о том разлетелся бы незамедлительно.

Нет, вдруг сообразила Ольгушка, был один прохожий-проезжий. Был! Демон сюда явился, убийца своей тетки Лукерьи!

И вспомнились его слова, которые Ольгушка прежде пропустила мимо ушей: «Коли так, пойду, с собой зло свое заберу, натешусь им на просторе...» Сказал он это, когда Ольгушка наотрез отказалась мстить крестьянам.

Ах, теперь понятно, почему такими знакомыми кажутся Ольгушке эти когтищи звериные, окровавленные! Да ведь это когтищи Демона, это Демон принял обличье Коровьей Смерти, чтобы натешиться злодейством.

Ишь, мало ему, что убил родную мать, — еще бо́льшие злодейства потребны!

А покойная тетка Лукерья, значит, об этом прознала неведомым образом... как только сняли с нее перстень, так и зло с нее сошло, вот и явилась на миг ее душа, чтобы Ольгушку упредить о беде.

Но что делать?.. Как что? Говорила же тетка Лукерья: в набат бить!

Слышала, слышала Ольгушка когда-то от сведущих людей: чтобы избавить деревню от мора или какой-то другой опасности, девка должна подняться на колокольню и начать бить тревогу.

То, что добра от Демона ждать нечего, это понятно. Значит, надо сделать то, о чем просила тетка Лукерья: решиться выйти из избы, бежать к церкви, благо она рядом, взобраться на колокольню — и... Заслышав набат, люди должны снимать иконы со стен и выходить с ними из домов, чтобы отпугнуть беду ликами святых и крестным знамением. А этого Демон страшится, еще как страшится! Ольгушка помнила, что тетка Лукерья всего лишь воздела руку для крестного знамения, а Демон с ужасом отпрянул, а когда Ольгушка перекрестилась, так его и вовсе неведомой силой отбросило к стене, он даже упал, и адским смрадом от него разить стало. И это от одного лишь креста, на него наложенного. А если все жители Курдушей и Берложья выйдут с иконами да крестами, Демон и вовсе будет стерт с лица земли.

Конечно, надо бежать на колокольню, да скорей!

Однако... однако же Демон требовал, чтобы Ольгушка сидела дома, если хочет остаться жива!

Ох, как страшно, страшно как... но еще страшней станет ей, когда поутру пройдет она по безмолвным улочкам, заглянет в избы и в каждой увидит мертвые тела соседей, изодранные когтями так же, как было изодрано тело бедной тетки Лукерьи!

Ольгушка приникла к окну, разглядывая улицу. Страшной старухи, обличье которой принял Демон, видно не было. Неужели уже зашел он к кому-то?!

Поблизости как раз избенка бабки Матрены. Она одна живет, заступиться за нее некому, а она совсем ослабела: надорвалась, заболела с тех пор, как соху по осени вокруг Берложья таскала на себе, чтобы спасти село от Коровьей Смерти. Крикнет если — не услышит никто, не встревожится, на помощь не придет. А расправившись с ней, Демон пойдет дальше.

По соседству с бабкой Матреной Березкины живут. Сам Иван Петрович, как и многие другие мужики, в отхожем промысле. Филя тоже с отцом пошел — в первый раз. Тетка Марфа одна осталась. За нее тоже некому заступиться. И вот вернутся мужики в деревню, а там мертвые тела их жен и детей. Одна Ольгушка живая и здоровая...

Да разве сможет она жить после этого?! Вот тут-то и в самом деле наложишь на себя руки, как пророчил Демон. Совесть в петлю толкнет...

Ну, хватит попусту страхи нагонять. За дело пора браться!

Ольгушка оделась наскоро, ноги в чуни сунула.

Дверь на колокольню отец Каллистрат всегда запирает, уезжая. А ключ за божницу прячет.

Когда Ольгушка доставала ключ, пальцы ее наткнулись на свечечки, которые про запас были положены там же. Подумала, взяла одну из них, зажгла огонек от лампадки, что горела у божницы. Небось со свечкой надежней от силы нечистой обороняться!

Темное пламя любви

С трудом сдвинув заботливо задвинутые засовы, откинув заботливо накинутые крючки, отперла дверь и вышла на крыльцо.

Тишина в деревне, какая тишина! Но это не мирная сонная тишь. Словно бы разом онемел весь мир. Не зря говорят, что во время владычества злых сил даже петухи и собаки хрипнут, теряют голос.

Ох, как стеснилось у Ольгушки сердце! Показалось, и небо какое-то мутное, и луна потускнела, и воздух сгустился... душно, жутко! Но вдруг налетел откуда ни возьмись ветерок и погасил свечечку. Будто нарочно кто-то на нее дунул!

А что, возможно, так оно и есть. Мало ли где притаился Демон!

Разве что воротиться, сызнова свечку запалить? Нет, тогда пути не будет. Да и говорено умными людьми: «Проклятье тому, кто посмотрит назад!»

Ольгушка опустила огарочек в глубокий карман юбки, перекрестилась и, стараясь не глядеть по сторонам, чтобы не увидеть Демона, не перепугаться и не броситься обратно, перебежала дворик, приближаясь к колокольне.

Щелкнул ключ в замке, вход в башню открылся, и Ольгушка принялась взбираться по крутой лесенке на верхний ярус.

Наконец добралась, глянула через обнос[1] — и голова у нее закружилась. Когда снизу смотришь на колокольню, она вроде бы так себе, не больно высока, а отсюда глянешь — да как же далеко земля, оказывается!

[1] Обнос — оградка, перила (старин.).

Ольгушка отпрянула, покрепче вцепилась в веревку, привязанную к языку колокола, би́лу, — и дернула за нее что есть силы.

Первый удар получился слабоватым, но в ушах Ольгушкиных все равно загудело, заломило голову. Ничего, она потерпит!

Дернула за веревку снова, и опять, и еще раз...

Казалось, гудит и земля, и небо! И наконец увидела Ольгушка в ярком лунном свете, что начали выбегать из дверей люди с иконами в руках, озираясь и поднимая их, крестясь, готовые отразить всякую злую силу.

Ну, теперь можно и унять трезвон, передохнуть немного, разжать усталые руки.

Ольгушка бросила веревку — и ноги у нее подкосились, когда за спиной прозвучал тихий ехидный смешок.

Обернулась и увидела на противоположной стороне площадки скорчившуюся под обносом фигуру в белом колпаке.

Сердце замерло у бедняжки!

Неужто поджидал ее колокольный мертвец?!

Всем известно: колокольный мертвец — это дух самоубийцы, тела которого не принимает земля. Днем на колокольне его не разглядишь, а по ночам он тут как тут — сидит в углу на верхнем ярусе да в белом колпаке. Лишь только взберется после полуночи туда человек, нечисть начнет ему свой колпак навязывать: надень да надень! Иные колпак надевали и тут же бывали колокольным мертвецом удушены.

Говорят, находились «удачники», которые срывали с колокольного мертвеца его белый колпак и даже умудрялись дать деру, спрятаться у себя дома. Однако эта «удача» им потом поперек глотки вставала: колокольный мертвец еженощно шастал под их окнами, нудя и завывая, умоляя вынести ему колпак. Спать не даст, измучит всех! Ну а не вытерпишь да вынесешь — он тебя немедленно придушит. Возьмет свое!

— Говорил же я тебе, сиди дома! — послышался коварный смешок, белый колпак полетел на затоптанные доски пола, открыв черные кудри и бледное зеленоглазое лицо Демона, а затем и он сам поднялся во весь рост.

* * *

Ольга задумалась и не заметила, как догнала Гантимура и уткнулась в его спину. Тотчас отпрянула, испугавшись, что он сочтет это прикосновение намеком на то, о чем говорил, и еще решит, что и Ольга жаждет этого же, поэтому выпалила первое, что пришло в голову и что могло отвлечь его:

— А нас могут увидеть местные обитатели?

Гантимур ответил не сразу, настолько не сразу, что Ольга взглянула на него недоумевающе: о чем это он так задумался? О трудностях пути, которые им предстоят? Или, как уже не раз бывало, проникнул в ее мысли — на сей раз весьма сумбурные! — но однозначно не оставляющие его плотским желаниям никакой надежды.

Наверное, хороший удар по его самолюбию! Он-то, небось, с шаманками хороводился, не исключено, менял их как перчатки, а тут какой-то страж какой-то высоты ему дает отставку!

— Нет, они нас не увидят и не услышат, если мы сами этого не захотим, — ответил Гантимур каким-то странно вздрагивающим голосом. — Голос живого человека будет восприниматься обителями Буни как треск огня, шаги — как вой ветра...

Чего это у него голосок дрожит? Неужели его так проняло то, что он прочел в Ольгиных мыслях? Неужели это ему такие страдания причинило?

Тут вдруг Гантимур как-то странно хрюкнул, и Ольга наконец догадалась, что голос у него дрожал от смеха — с трудом сдерживаемого смеха.

Если его насмешило то, что он прочел в Ольгиных мыслях, то... то...

Ольга не вполне понимала, почему ее так раздосадовал этот смешок. Нет, надо отвлечь Гантимура, отвлечь серьезным разговором! Поэтому она спросила настойчиво:

— Что это значит — если мы не захотим?

— Не понимаю, что сложного в моих словах? — удивился Гантимур. — Все как раз очень просто. Если мы пожелаем с кем-то поговорить, то они нас услышат и увидят. Если нет — мы пройдем незамеченными куда хотим и где хотим, минуя любую опасность.

— А какие могут нас ждать опасности в этом мире? — снисходительно вскинула брови Ольга. — Если нас никто не видит и не слышит среди местных призраков, то чего бояться?

— Ты когда-нибудь слышала такое выражение: мысль материальна? — прищурился Гантимур. — Надеюсь, что да, ведь среди европейцев оно очень популярно. А у нас говорят: нэ лэтчэ-ми нэлэ, что означает — бойся страха! То есть остерегайся думать о том, чего боишься, ибо именно это непременно встанет на твоем пути. Поэтому лучше держи свои страхи и мысли об опасностях при себе.

— Ладно, я постараюсь, — пробормотала Ольга, оглядываясь и изо всех сил стараясь не думать о том, что за каждым деревом может таиться призрак какого-нибудь кровожадного медведя или волка, который только и ждет, чтобы о нем подумали и испугались его — хотя бы мысленно. И тут-то он и...

В это мгновение все волки и медведи, как кровожадные, так и не очень, вмиг вылетели из головы, потому что только сейчас Ольга заметила: за путаницей гнилых стволов, казавшейся бесконечной, забрезжило не серое, тусклое небо ни дня, ни ночи, ставшее уже привычным, а нечто напоминающее яркий закат.

— Там солнце, что ли, садится? — изумилась Ольга.

— Сам не пойму, — пробормотал Гантимур. — Кажется, костер горит... Но откуда бы ему здесь взяться, кто мог его зажечь? Здесь поблизости нет селений жителей Буни, а до того места, которое мы ищем, еще далеко.

— Ты имеешь в виду, что до мугдыкена далеко? То есть около этой сухой лиственницы зажжены костры? — недоверчиво нахмурилась Ольга. — Около них мертвые души греются, что ли? А как насчет лесных пожаров? Сухое дерево жарко горит!

— Мы пока еще идем не к мугдыкену, — качнул головой Гантимур. — Мы идем к тыксама дю, берестяному урасу[1] моего дальнего предка, великого шамана.

— Так он что, жив до сих пор?! — изумленно воскликнула Ольга, но тут же вспомнила, где находится.

Предок мертв, но душа его жива! Забавно звучит, конечно! Или не очень забавно?..

— Ах да, понятно, — продолжала она. — Мы идем к его духу. Но зачем нам твой предок или его дух? Ты просто решил навестить старика? Ну что ж, похвально, похвально! Или он нам в самом деле нужен? Как его зовут, кстати?

— Хедеу, — ответил Гантимур. — Его назвали именем нашего великого героя Хедеу, который некогда гнал по небу лосиху с лосенком. Малыш испугался стрелы, которая чуть не попала в него, оступился и провалился через отверстие в небе — Буга чуӈурэн, русские называют это место Полярной звездой, — на землю. Он стал прародителем земных лосей.

— Внушает уважение, — не без зависти пробормотала Ольга, которая всегда страдала оттого, что совершенно ничего не знала о своих предках — даже близких, не то что дальних!

— Мой предок Хедеу был могучим шаманом! — продолжал Гантимур. — На лыжах ходил по воде и не тонул! Ног не обжигал, встав на раскаленные угли! Он знает дорогу к мугдыкену и покажет ее нам.

— А почему он сам не мог уничтожить этот ужасный приют злобных мугды, если он такой могучий шаман? — непонимающе свела брови Ольга. — И он

---

[1]Урас — то же, что чум, жилище эвенков.

уже тут живет... В смысле, обитает. В смысле, находится. Ему как бы проще было это сделать, чем нам с тобой, как минимум не надо приходить сюда из верхнего мира... Пошел да поджег эту сухую лиственницу, чего проще, казалось бы!

— Ни один шаман не может уничтожить мугдыкен, — чуть ли не с ужасом взглянул на нее Гантимур. — Ведь это приют душ, а шаман — проводник их. Он может только помочь тому, кто готов это сделать. Указать путь. Наделить силой. А уничтожить мугдыкен в силах только стражи. Два стража! Один — из рода Хедеу, потому что только человек из нашего рода может найти путь к мугдыкену, пройти через Буни и провести с собой второго стража. И это должна быть женщина, которая пожертвовала собой ради людей.

— Но я не жертвовала собой ради людей, — растерянно возразила Ольга. — Я бросилась в окно только ради Игоря! Чтобы он не стал убийцей! И у меня такое ощущение, что ты меня с кем-то путаешь, видишь во мне кого-то другого, переоцениваешь меня. Страж высоты, страж высоты... А я просто женщина, которая безумно любила своего мужа. И сейчас я люблю его больше всего на свете, я на все готова, чтобы его спасти. Я ради него ввязалась в эту авантюру и потащилась с тобой невесть куда. Чтобы его воскресить, понимаешь? Чтобы именно его освободить из-под власти мугды, черта, дьявола, демона! Чтобы порчу снять с моего любимого! Но участвовать в спасении мира... Это для меня слишком сложно! Не знаю, можешь ты это понять или нет.

— Это ты кое-чего не можешь понять, — спокойно возразил Гантимур.

— Чего именно? — насторожилась Ольга.

— Своей сущности в качестве стража высоты. Посмотрим, как ты заговоришь, когда это произойдет!

— А когда это произойдет?

— Думаю, скоро.

— И я узнаю, кто меня в эти стражи записал? — быстро спросила Ольга.

— Бини, — пожал плечами Гантимур.

— Это еще что такое?!

— То, с чем невозможно бороться и чему невозможно противиться. Неизбежность. То, что тебе определила Майни.

От изобилия непонятных слов у Ольги заломило в висках.

— А это кто? — простонала она.

— Хозяйка Верхнего мира. Она держит в своих руках нити жизней всех существ в мире, от людей до мельчайших травинок. Если какая-то нить оборвется, существо заболевает и умирает.

— У древних славян были такие богини — наречницы, которые держали в руках нити судеб, — вспомнила Ольга читанный давным-давно «Словарь славянской мифологии». — У древних греков они назывались мойры, у римлян — парки, у северных народов — норны. Значит, бини — это фатум, рок, судьба? Но ведь считается, что каждый человек сам выбирает свою судьбу? Как с этим быть?

— Если бы ты сама выбирала свою судьбу, разве подняла бы ты тот пистолет, разве отдала бы его своему мужу? — взглянул на нее Гантимур.

Ольга прижала руки к сердцу, так невыносимо тяжело было вспоминать тот день...

— Но броситься в окно, чтобы не быть убитой Игорем, — этот выбор я сделала сама!

— Сама, — кивнул Гантимур, — потому что твоя судьба заключалась в том, чтобы не быть убитой, а остаться чудом в живых. И стать стражем высоты. Пойми, судьба — это то, чего человек не может избежать, как бы ни старался. Это стрела, которая летит в цель! Наша судьба, наша цель — борьба с мугды. Смирись с этим и перестань задавать ненужные вопросы. Рано или поздно ты получишь ответы на них.

— Погоди! — рассердилась Ольга. — А что будет, когда стрела нашей судьбы попадет в эту светлую и прекрасную цель? Я имею в виду уничтожение мугдыкен.

— Уничтожение — не такая уж светлая цель, скорее темная, даже если это уничтожение зла, — буркнул Гантимур, которого явно раздражал затянувшийся спор. — Свет и тьма, добро и зло должны быть уравновешены. Сейчас зло одолевает. Я надеюсь уравновесить эти две сущности.

— Забавно! — протянула Ольга. — А если бы одолевало добро, ты что, перешел бы на сторону зла, чтобы добиться этого своего равновесия?

— Наш народ верит в то, что землю сотворил добрый и мудрый Сэвэки. Но у него был брат Харги — злобный и завистливый. Когда Сэвэки закончил свое творение и, усталый, крепко заснул, обнимая Землю, Харги захотел похитить ее и разрушить, однако после долгих напрасных попыток только растянул Землю в разные стороны, сделав ее гораздо больше.

— А Земля, конечно, в ваших воззрениях плоская, — обреченно вздохнула Ольга.

— Конечно, — серьезно согласился Гантимур. — Но я тебе эту притчу рассказал не для того, чтобы познакомить с основами нашей астрономии, а чтобы привести пример, насколько легко зло может обернуться добром. А может случиться и наоборот!

— А ты в самом деле уверен, что мугдыкен должен быть уничтожен? — резко спросила Ольга. — Тебе не кажется, что, если следовать этой твоей мифологической логике, борьба против мугдыкена — это все равно усиление силы зла? Ты ведь тоже готов совершить губительный поступок... с твоей точки зрения, он усилит добро, а с моей — просто-напрасно произойдет некое замещение в стане зла. Мугдыкен будет уничтожен только на время, но зло, которое ты совершишь против зла, усилит его, сделает более мощным!

Несколько мгновений Гантимур смотрел на нее растерянно, потом пробормотал:

— По-моему, это софистика. Говоря по-русски, словоблудие. И ты предаешься ему только потому, что хочешь выведать мои планы.

— Да, хочу. Потому что я чувствую себя какой-то пешкой в твоей грандиозной шахматной партии!

Гантимур посмотрел на нее задумчиво, потом взгляд его скользнул поверх ее головы — и лицо его внезапно озарилось радостью:

— Я понял, я понял, что значит это зарево! Это сияют и светятся воды реки Энгдекит, которая вернет нам истинный облик наших душ! Мы уже совсем рядом с ней!

Ольга посмотрела на Гантимура с опаской.

Есть такой чудесный, очень трогательный фильм — «Куда приводят мечты». Души умерших людей, попадая в мир иной, живут там в тех образах, которые некогда поразили их воображение. Мальчик выглядит как негр, девочка — как очаровательная стюардесса-кореянка...

Вот интересно, что увидит сейчас Ольга? Какой бред, когда-нибудь приходивший в ее голову, может отразиться в водах этого знаменитого Энгдекита?!

Гантимур несся вперед с резвостью молодого лося — видимо, обрадовался, — а она еле брела следом.

Идти, правда, стало легче: гнилостная почва, там и сям заваленная мертвыми деревьями, сменилась желтыми, сухими иглами, опавшими, по-видимому, с обступивших поляну лиственниц. То есть это все еще было царство смерти, но в несколько смягченном виде.

Чем ярче становилось зарево в небесах, тем теплее становился воздух. Запахло настоящим лесом, ветви елей и сосен позеленели, послышались голоса птиц.

Какая-то завела бодро:

— Да-а-ак, да-а-ак! — И голосок ее звучал столь жизнерадостно, что Ольга не могла не улыбнуться.

«Может быть, это кедровка?» В жизни Ольга никаких кедровок не видела, но это слово звучало так же жизнерадостно, как и голосок птицы.

Странно, да? Жизнерадостность в царстве смерти... Ну что ж, оказывается, и мертвые жить хотят!

Так, с улыбкой, Ольга и подошла к берегу быстрой и бурной реки с тугими волнами удивительного цвета: они шли черными, серыми, зелеными, синими, желтыми полосами, словно бы это кипел какой-то неведомый металл.

Никакого смрада эти волны не источали, они сияли и сверкали, от них пахло свежей водой, и все-таки у Ольги пересохло во рту, когда она представила, что с ней станется, когда она окунется в воды Энгдекита, чтобы вернуться в реальный мир. Было в этой реке что-то яростное, неукротимое, даже свирепое, особенно когда в ней начинали вспучиваться водовороты. Неужели Гантимур серьезно говорил о том, что через них может лежать путь в мир живых?!

На миг у Ольги возникло вдруг неудержимое желание рискнуть, броситься в один из этих водоворотов, чтобы покончить со всей той невероятностью, в которую попала и из которой не может вырваться, однако она наткнулась на издевку во взгляде Гантимура — и только вздохнула: да, напрасное желание, ведь она окажется в мире живых в образе души неприкаянной. Без помощи этого своего странного и пугающего спутника в свое тело не вернуться, а главное, не избавиться от преследований мугды. Можно было сколько угодно прятаться за эфемерное «этого не может быть», но образ мертвого

Кирилла, который обшаривал палату реанимации своими жуткими серебристыми глазами, не шел из памяти! Поэтому Ольга в очередной раз смирилась с тем, что вынуждена подчиняться Гантимуру и требованиям того невероятного мира, в который он ее завел, — и решилась подойти ближе к воде, ухватилась за ветку вполне живого и даже приятно пахнущего тальника и попыталась увидеть свое отражение... если вообще можно отразиться в столь бурной реке!

Однако, к ее изумлению, волны, на которые она смотрела, немедленно улеглись, словно на них кто-то выплеснул оливковое масло, чем в дальние времена пользовались матросы парусников, пытаясь спастись от бурь. Перед глазами образовалось овальное гладкое пространство, напоминающее зеркало, и там Ольга увидела...

Нет, это было не зеркало, конечно. Оттуда, с поверхности воды, на Ольгу смотрела какая-то девушка лет семнадцати-восемнадцати, не больше. Одета она была в длинную сорочку, заправленную в юбку из какой-то пестрядинной ткани. Сверху на сорочку девушка накинула стеганую куртку не куртку, телогрейку не телогрейку — кацавейку, наверное, хотя уверенности, что эта одежонка называется именно так, у Ольги не было.

На грудь девушке свешивалась небрежно заплетенная коса. Длинная, толстая, роскошная коса! Точно такая же была у Ольги, да только отрезали косу этой зимой — отрезали в больнице перед тем, как обрили Ольгу наголо, чтобы накладывать швы на разбитую голову! Правда, косу потом вернули: завернутой в шелестящую компрессную бумагу, и Ольга, ни разу не развернув, сунула пакетик в какой-то чемодан, на самое дно. Она ведь до сих пор толком не обжилась в той квартире, которую сняла, выписавшись из больницы, и все почти вещи ее были по-прежнему засунуты в два чемодана. Одежду ее и Игоря вывозили из прежней квартиры, тщательно разделив, свекор со свекровью. «Отделив зерна от плевел», — мрачно подумала тогда Ольга. Дотронуться до того, что носила, будучи женой Игоря, она не могла: купила себе кое-какое самое необходимое барахлишко на первое время, а среди тех, принадлежащих прошлому, вещей была спрятана и принадлежащая прошлому коса.

Такая же, как у этой девушки...

— Кто это? — спросила Ольга, изумленно глядя на незнакомку, и губы той шевельнулись, словно повторили эти слова.

И тут до Ольги начало что-то доходить! Она ощупала себя, оглядела и обнаружила, что тоже одета в рубаху и юбку, на плечи тоже наброшена кацавейка, а на ногах у нее какие-то растоптанные башмаки: короткие, до щиколоток, что-то вроде коротко обрезанных сапожков. Может, это и есть чуни, о которых она раньше только в книжках читала?

Точно так же обута была и девушка, которая повторяла все движения Ольги.

Неужели это она, Ольга Васнецова, отражается в водах шаманской реки Энгдекит?! Но почему она так молода, вернее, так юна? Что это значит?!

— Помнишь, я говорил, что Энгдекит вернет нам истинный облик наших душ? — раздался голос Гантимура. — Такой была ты, когда стала стражем высоты.

Ольга обернулась к нему и отпрянула: перед ней стоял совершенно незнакомый человек!

Да, Гантимура можно было узнать только по голосу... Он оказался облачен в просторную черную рубаху с овальной замшевой узорчатой нашивкой на груди и штаны, заправленные в невысокие сапоги, сшитые, как показалось Ольге, из мягкого меха — причем этим мехом наружу. За спиной короткий лук и колчан со стрелами, на поясе ножны и еще какой-то мешочек. Черные волосы, откинутые назад и перехваченные на лбу полоской коричневой тщательно выделанной замши, стали длиннее и струились по плечам. И лицо тоже изменилось — стало чуть более скуластым и смуглым, более молодым.

«Значит, и я тоже выгляжу, как та молоденькая хорошенькая девушка? — сообразила Ольга. — Без единой морщинки, глаза сияют... И коса! Коса!»

— Женщины, как всегда, видят только свою красоту, — знакомо усмехнулся незнакомый Гантимур. — Повторяю: ты видишь облик стража высоты.

— Я по-прежнему ничего не понимаю, — простонала Ольга. — И я ее не знаю, не помню!

— Посмотри еще в воды Энгдекита — и ты все узнаешь, все вспомнишь, — негромко проговорил Гантимур, и Ольга снова склонилась к реке.

— Видишь? Теперь-то видишь? Теперь-то все знаешь? — спросил Гантимур, и в голосе его звучало торжество.

И Ольга увидела и узнала...

Елена Арсеньева

В давние времена

Демон снова принял свой прежний образ, и Ольгушка не могла оторвать насмерть перепуганного взгляда от его пылающих ненавистью зеленых глаз.

— Ловко я тебя поймал! — воскликнул Демон, скаля в улыбке зубы, которые казались Ольгушке длинными и страшными, словно у самой Коровьей Смерти. — И матушку мертвую говорить заставил. Поверила ей, да? Ну и напрасно поверила. А теперь конец тебе, глупая девка.

Ольгушка смотрела на него, остолбенев от такой гнусности, от такой подлости, от страха остолбенев... Однако слова о пощаде не шли с ее языка.

— Страшно? — вкрадчиво проговорил Демон. — Небось бога своего втихомолку о спасении молишь? А ведь я могу тебя пощадить. Отпустить тебя могу!

«Врешь поди!» — хотела сказать Ольгушка, однако не могла издать ни звука.

— Не веришь? — повел соболиной бровью Демон, и Ольгушка снова поразилась, как несуразно, как несусветно сочетаются в нем удивительная красота и лютая злоба. — А ведь я тебе не вру! Ты еще можешь спасти свою жизнь. Конечно, я не за просто так тебя отпущу. Ты с колокольни спустишься и скажешь всем эти глупым людишкам, что решилась над ними подшутить в отместку за то, что они твоих мертвых родителей пожгли и тебя чуть в огонь не бросили. Поняла? Скажешь это — и жива останешься! Да только не вздумай даже попытаться меня вокруг пальца обвести или правду людям открыть:

вмиг налечу на тебя, в клочья изорву, да и тех не помилую, кто рядом с тобой окажется.

Ольгушка смотрела на него, растерянно хлопая глазами. В первое мгновение счастливая надежда остаться в живых ослепила ее, она едва не бросилась к Демону с криком: «Я согласна! Не хочу умирать!» — однако тут же строптиво забилось сердце: да как ей дальше жить, если согласится на такое условие? Она ведь позором вечным себя покроет! От нее все отвернутся! А отец Каллистрат что скажет, узнав: его жена страшной смертью погибла, а племянница задумала над народом страшные и жестокие шутки шутить?.. Как бы не обвинили после этого Ольгушку в убийстве тетки Лукерьи! Кто ее оправданиям поверит, если она с жизнью и смертью односельчан играть осмелится без всякого зазрения совести?!

Что делать? Как быть?! Где выход найти?

Да никак. Нигде не найти. Потому что нет выхода.

Хотя... есть выход.

Есть.

И его, выход, с самого начала подсказывал ей Демон: самоубийство. Он говорил: «Я подожду, пока ты сама руки на себя наложишь. Тогда я сразу завладею твоей душой и своему хозяину ее представлю».

Если Ольгушка бросится с колокольни, она разобьется насмерть, и сомнения в этом никакого нет!

Но зачем Демону ее смерть греховная? Зачем ему это нужно — завладевать Ольгушкиной душой?

Внезапно вспомнился рассказ Демона о том, как леший давал тетке Лукерье навью косточку: «Надо со свету сжить не только Груньку и ее мужа, но и дочку их. В ней зла побольше, чем в отце с матерью, ибо судьба далеко ее заведет, если не остановить поганую девку».

Что это значит — судьба ее далеко заведет? Кем ей суждено сделаться? С какого пути ее хотят свести? Куда привел бы ее этот путь?

Если Ольгушка покончит с собой, путь этот оборвется, а душа достанется тому «безликому и многоликому, уродливому и обольстительному, отталкивающему и неотразимому», которого люди называют Дьяволом и который провидит Ольгушкину судьбу? Значит, в Ольгушке хоть малая опасность, да есть для владыки зла и его воплощения?

Этим гордиться можно... да только не удастся ей ни погордиться, ни порадоваться.

Эх, как жаль, что не дано ей узнать хоть что-то о своей судьбе! Какое горе, что не удастся встать поперек замыслов врага рода человеческого, а, наоборот, придется отдать душу во власть его, обречь на вечные мучения! Придется убить себя, потому что жить опозоренной перед людьми, жить обманщицей, носить клеймо убийцы тетки Лукерьи Ольгушка не сможет. Придется погибнуть... Одно утешение, что матушка ее и батюшка на том свете все видят и все знают, им-то вся правда известна, они свою дочку за смерть самовольную не попрекнут, а похвалят!

Ольгушка представила любимые лица — и почувствовала, что ей стало немного легче. Не так страшно умирать. Еще бы людям дать знать об опасности, от которой она их спасала... Но как это сделать?

И вдруг ее осенило!

— Хорошо, — пробормотала Ольгушка, склонив голову, стараясь, чтобы Демон не видел ее лица и не прочел в ее глазах ни обреченности, ни решимости. — Я согласна. Все сделаю, как ты велишь.

И медленно двинулась к лестнице, которая вела вниз.

Демон, похоже, не ждал от нее такой покорности, потому что замер на месте, словно бы растерявшись, а Ольгушка только того и ждала! Воспользовавшись этим мгновением, она рванулась вперед и вскочила на край оградки верхнего яруса колокольни.

— Берегитесь, люди добрые! Гоните силу нечистую! Господи, прости меня! — успела крикнуть она, прежде чем Демон бросился к ней и протянул когтистые руки, а потом шагнула с колокольни в пустоту.

Но люди внизу тоже увидели чудище, воздели иконы, закрестились, закричали...

И тут все смерклось в глазах у Ольгушки, а потом жестокий удар о землю на миг лишил ее сознания. Да, только на миг, как ей почудилось! Что-то словно повлекло ее в некую даль, потащило, и она даже испугалась, что Демон прыгнул вслед за ней с колокольни и перехватил в воздухе, а теперь влечет в свои адские бездны. Однако Ольгушка довольно быстро смекнула, что бездны, как-никак, находятся внизу, а ее тащат как бы вверх и в сторону... И хватки демонских когтей она не чувствовала!

Очень скоро Ольгушка ощутила себя сидящей на лавке, которая под ней так и подпрыгивала, словно норовистая лошадка, стараясь сбросить неумелую всадницу со своей спины. Правда, лошадка была довольно жесткая. Яркий свет резал глаза, и Ольгушка долго не решалась их открыть, потому что ей вдруг припало на ум, что это свет адского пламени, а увидеть себя в окружении нечистой силы ей было страшно, невыносимо страшно!

Потом она сообразила, что серой не пахнет, а ведь это непременный признак ада, и все-таки решилась разлепить крепко сжатые веки.

Глянула вокруг сначала украдкой, потом глаза широко распахнулись, и Ольгушка принялась с изумлением озираться.

Оказалось, сидит она в какой-то длинной горнице, уставленной деревянными лавками со спинками. В стенах горницы прорезаны окошки, и в них что-то со страшной быстротой мелькает: леса, поля, реки, множество каких-то удивительных, не виденных ранее Ольгушкой домов. То ли все эти картины мимо горенки бегут, то ли она мимо них!

Но как же это может быть?

И вдруг вспомнилось... вспомнился Филя Березкин, который рассказывал:

«Положили на землю железяки длинные-предлинные, аж до самого Петербурга они дотянулись, а по тем железякам избушки бегут. Сидишь внутри, в окошки смотришь: а в окошках все мелькает, мелькает со страшной быстротой: то поля, то леса, то реки, то дома невиданные. А избушки бегут себе да бегут в дальние дали!»

Ой, да неужели Ольгушка в одну из таких избушек угодила? Ведь правда, похоже, будто горенка в дальние дали бежит...

Но как же она сюда попала? И кто это... кто все эти люди, которые сидят вокруг, притулившись на таких же лавках?! Какие они странные, господи боже, никогда таких людей Ольгушка не видела! А одеты-то... Как их только из дому в таком виде выпустили?! Юбки, портки... нет, это просто курам на смех! А на головах у некоторых что?! У кого волосы вздыблены, у кого распущены, у кого закручены, а кто вовсе лысый. Картузы не картузы на иных, шапки не шапки... А вид у всех какой-то такой... ошарашенный, даже испуганный. И все так же озираются, как Ольгушка, рассматривают друг друга растерянно, нет, потерянно, вот как! Словно не понимают, куда попали, не ведают, как им быть...

А куда, в самом деле, попала Ольгушка? И зачем? И что ей делать теперь?..

И вдруг грянул голос незнакомый, словно с небес:

— Страж высоты!

Люди кругом Ольгушки начали оглядывать друг друга с вопросительным выражением, а голос зазвучал вновь:

— Страж высоты!

Внезапно Ольгушка почувствовала, что не в силах этому зову противиться. Она не понимала, почему решила, будто зовут именно ее, но должна была отозваться.

Вскочила и бросилась по проходу между лавок к двери, которая распахнулась перед ней. За дверью открылся зимний день, хмурый и неприветливый.

Вот так поезд! Он, оказывается, не только через поля и леса бежит, но и сквозь времена года!

— Страж высоты! — вновь послышался зов, в котором звучало нетерпение, и Ольгушка бросилась вперед.

Кто-то закричал... почему-то почудилось, будто она сама это кричит отчаянно: «Господи!» — и Ольгушка провалилась в снег с головой.

И снова все смерклось в сознании, и прошлое сгинуло — настало только новое и неизвестное настоящее.

* * *

— Так вот как это было... — ошеломленно проговорила Ольга. — Вот как это случилось! И все же я не вполне понимаю, почему она стала стражем высоты. Ведь многие кончают жизнь самоубийством. А избрали именно ее.

— Не только ее, — возразил Гантимур. — Ты видела рядом с ней многих. Это все — стражи. Они пожертвовали жизнью ради спасения других людей. Зло боится именно этой решимости, постоянного сопротивления, поэтому и решило Ольгушку уничтожить. Однако она возродилась в тебе.

— Во мне? — горько усмехнулась Ольга. — Чем я это заслужила?

— А дело, которым ты занята, — спасение людей — разве оно не дало тебе права стать их стражем? — ответил вопросом на вопрос Гантимур.

Ольга снова вспомнила свои прежние размышления о том, почему ей удавалось довезти до больницы живыми почти всех, кто падал или бросался с высоты. Это ее всегда немного удивляло. Но сейчас ответ был, кажется, найден: это не столько ее заслуга, сколько Ольгушки!

Ольгушка спасла ее, а она спасает других.

Как странно переплелись нити их судеб и как похожи эти судьбы! Они полные тезки, обе потеряли родителей еще в детстве. Неужто верны все эти разговоры о том, что человек проживает несколько жизней в разных реальностях?! Не Ольгушка ли, вернее, не та ли, другая, прошлая жизнь посылает порою в настоящее свои сигналы — странные мысли, странные фразы, которые вдруг вспыхивают в голове Ольги, будто невесть кем зажженные огоньки, и то пугают, то изумляют, то смешат, а то подсказывают выход из сложной ситуации?..

— А что это за поезд? — спросила Ольга.

— Это пристанище стражей, которое приняло в воображении Ольгушки образ поезда. Наверное, чей-то рассказ о поезде запал в ее память, поэтому она и увидела себя в нем. Я видел летящую в облаках лодку, в которой сидели стражи. Каждому представляется свое. Когда я стал стражем деревьев, о самолетах никто не слышал. Поэтому я видел летящую лодку.

— А ты как в стражи попал? Тоже покончил с собой ради других? И почему ты стал именно стражем деревьев? — сыпала вопросами Ольга. — Ты... Господи помилуй, ты повесился на дереве, что ли?!

— Я не... — начал Гантимур и вдруг замер, уставившись на ствол чернокорой березы, стоявшей сбоку тропы.

Таких берез с темными стволами здесь было очень много, а белые попадались нечасто. Сначала Ольга даже подумала, что черная кора на березе вместо привычной белой — это признак именно царства мертвых, но, во-первых, на других деревьях была кора как кора, обычного цвета, а во-вторых, Гантимур сказал, что в мире живых на Дальнем Востоке черная береза вовсе не редкость.

— Что там такое? — подошла ближе Ольга и вгляделась в какие-то зубцы, вырезанные на коре дерева. Один зубец был острый, другой тупой, а сверху стрелочка нарисована, указывающая в сторону, противоположную реке Энгдекит. — Это что, петроглифы?[1] Вернее, дендроглифы? Рисунки на дереве?

— Мы называем это мома турэн — речь дерева, — пояснил Гантимур. — И дерево говорит, что мы приблизились к поселению местных обитателей.

— Мертвецов?! — ужаснулась Ольга.

— Они не более мертвы, чем мы с тобой, — усмехнулся Гантимур. — Впрочем, я и сам догадывался, что селение близко. Ведь мы уже довольно давно идем по хорошо утоптанной тропе.

Он ткнул пальцем вниз, и Ольга в самом деле увидела удобную, хоть и узкую тропу, на которую раньше как-то не обращала внимания.

— А еще мома турэн подсказывает, что где-то здесь, неподалеку, останавливался охотник. Ушел он отсюда два дня назад. Видишь, нарисовано два зубца? Причем один день был солнечным, это обозначено острым зубцом, а другой ненастным — тупой

---

[1] Петроглифы — выбитые или нарисованные изображения или надписи на камне. Название это происходит от древнегреческих слов «петрос» — камень и «глифа» — резьба.

зубец. Ушел он в том направлении, куда указывает стрелочка.

— А кому он эти знаки оставил?

— Трудно сказать. Наверное, просто предупредил: я ушел, меня здесь не ждите, когда вернусь — не знаю.

— А если бы знал?

— Тогда начертил бы столько стрелочек, через сколько дней вернется.

— Погоди, — озадачилась Ольга, — значит, древние эвенки умеют считать?!

— Почему ты думаешь, что они такие уже древние?! — захохотал Гантимур. — В Буни довольно места для всех поколений умерших — и древних, и недавних. Люди просто живут как бы на разных этажах. Однако ты права — мы сошли в те дали, где обитают очень далекие мои предки. Однако и они умели считать! Слова «эси-тырга» — сегодня, «тэгэми» — завтра, «тэгэми-ча-гуду» — послезавтра помогали им сосчитать как минимум до трех. И начертить несколько раз по три тоже труда не составит. А вот если человек задерживается более тех дней, он поставит волнообразную линию после того количества дней, которое сумеет изобразить.

— Ишь ты, — пробормотала озадаченная Ольга.

Гантимур покосился на нее неодобрительно:

— Вообще ты, как мне кажется, недооцениваешь прошлое нашего народа!

— Как можно переоценивать или недооценивать то, чего совершенно не знаешь? — пожала плечами Ольга. — Честное слово, ты — мой первый знакомый эвенк. Единственное, что я знаю, это что вас раньше называли тунгусами. И что Улукиткан[1] был эвенком.

— Ты знаешь про Улукиткана?! — изумился Гантимур.

— Возможно, это тебя удивит, но я умею читать, — не без ехидства ответила Ольга. — И читала, вообрази себе, и Федосеева, и Арсеньева, так что Дерсу Узала[2] мне тоже известен! Правда, он был нанаец...

— Русские очень уважали эвенков, — сказал Гантимур. — Не только Федосеев! Например, Вильгельм Кюхельбеккер — друг Пушкина, между прочим! — писал, что тунгусы — аристократы Сибири. Они были храбрейшими союзниками русских, когда те пришли в эти края. Тайши, то есть князья, Гантимуры, к роду которых я принадлежу, не раз воевали на стороне русских, охраняли Нерчинск и русско-китайскую границу. Каждый из них мог выставить сотню всадников, вооруженных копьями и луками. Между собой эвенки тоже, конечно, сражались, ведь некоторые роды промышляли грабежом и разбоем. Когда нападали на такую шайку, мужчин убивали беспощадно, однако женщин и детей не трогали: делили между собой и заботились о них. Кстати, именно так к одному из Гантимуров некогда попала

---

[1] Улукиткан (С. Г. Трифонов, 1871—1963) — эвенк по национальности, охотник, следопыт, проводник картографических экспедиций по труднодоступным районам Дальнего Востока, герой нескольких произведений писателя-геодезиста Г. А. Федосеева.

[2] Дерсу Узала (Дэрчу Оджал, 1849—1908) — нанайский охотник, проводник и участник экспедиций исследователя Дальнего Востока В. К. Арсеньева, герой его книг «По Уссурийскому краю» и «Дерсу Узала».

русская женщина, похищенная каким-то разбойником, и стала его женой. Я говорил тебе о ней. С тех пор в нашем роду появилась русская кровь. У него, впрочем, было девять жен и тридцать детей.

— Круто, — буркнула Ольга, чувствуя, что краснеет.

Вот интересно, к чему это было сказано? Просто информации для? Но довольно внезапный поворот с вооруженных всадников на интим получился. Что, новый Гантимур строит насчет новой Ольги такие же похотливые планы, какие строил Гантимур прежний насчет Ольги прежней? Но ведь Ольгушка — невинная девица, она просто ничего не успела... Но, с другой стороны, Ольга унаследовала от Ольгушки только внешность и некоторые беспорядочные знания, а чувствует-то она себя прежней Ольгой, со всем накопленным именно ею жизненным опытом, со своими, прежними чувствами и привычками, с любовью к Игорю...

И со странным волнением, которое почему-то овладело ею при этих словах Гантимура, — конечно, конечно, только информативных и невинных. Точнее сказать, взволновало воспоминание о его прежних словах о желаниях, которые ему трудно подавлять!

Да какого черта?! Или плоть своего требует, на самом-то деле? Не требовала, не требовала, да вдруг приспичило?!

Не дай бог, Гантимур это почувствует! А еще хуже, если влезет в Ольгины мысли, как уже не раз бывало.

И... и что он тогда сделает? Начнет от Ольги «добиваться», как писали Ильф и Петров?

Она едва подавила смех. Ни с того ни с сего вдруг всплыл в памяти старый-престарый, основанный, кстати, на Ильфе и Петрове, анекдот про некоего начинающего автора, который принес в издательство своей роман, где была фраза: «Граф повалил графиню на диван и начал от нее добиваться». «Что это у вас, товарищ, осколки старого строя живописно изображены, а где же каторжный труд угнетенного пролетариата?» — вопросил редактор и вернул роман на доработку. Вскоре автор вернулся. Обруганная сцена была переписана следующим образом: «Граф повалил графиню на сундук и начал от нее добиваться. А в это время за стеной ковали чего-то железного».

«Ковать чего-то железного» — это тоже из Ильфа и Петрова...

— Ча! Осторожно! — раздался вдруг окрик Гантимура, и Ольга испуганно замерла.

Гантимур замер впереди на тропе, болезненно сморщившись и держась за голову.

— Что?! — воскликнула Ольга, испуганно озираясь, словно готовясь увидеть всадника, вооруженного копьем и луком. А то и сотню!

Говорил жè Гантимур, что местные жители появляются, когда о них подумаешь! Он неосторожно не только подумал, но и рассказал о них, вот они и явились, как черт, упомяни о котором — а он, как известно, тут как тут?!

— Ты наступила на мою тень! — простонал Гантимур, по-прежнему держась за голову.

— Какую еще тень? — растерянно спросила Ольга, вглядываясь в утоптанную траву, и, к своему изумлению, в самом деле увидела бледный очерк тени своего проводника.

Ольга одной ногой стояла на голове это тени.

Откуда же взялась тень, если солнца никакого только что и в помине не было?

Ольга закинула голову — и еще больше изумилась: да ведь небо стало другим! Оно прояснилось, поголубело, стало как бы глубже, в нем появился некий намек на солнце... и лес вокруг изменился. Даже странно, что она этого не замечала раньше: больше нет вокруг гибнущих деревьев и гниющих завалов, деревья вполне живые, листья зеленые, весело шелетят под легким ветерком.

— Что случилось? — воскликнула Ольга. — Мы что, уходим из Буни?

— Убери для начала ногу с моей головы, а потом я отвечу на все твои вопросы, — взмолился Гантимур.

— Извини!

Ольга попятилась, и страдальческое выражение с лица Гантимура исчезло.

— Мы не уходим из Буни, просто около шаманской реки Энгдекит оживает даже мертвая природа, — пояснил он. — Помнишь, какие у нее сверкающие волны? Они бросают отблески своего света на деревья, на траву — и даже на небо царства мертвых. И все вокруг как бы немного оживает.

— А если воды Энгдекита бросят эти отблески на местных мертвецов? — опасливо спросила Ольга. — Они тоже немного оживут?

— Нет, на людей это не действует, — буркнул Гантимур, обходя Ольгу по траве и вдруг останавливаясь, пристально глядя себе под ноги. — Погоди немного. Я хочу кое-что проверить... Странно!

Ольга оглянулась и увидела на траве свою бледную тень. Гантимур стоял на ноге этой тени и озадаченно хмурился:

— Тебе что, не больно?

— Нет, — удивленно вскинула она брови. — А с какого перепугу мне должно быть больно?! И почему больно тебе?

— Думаешь, хаян, душа человека, может отразиться только в водах Энгдекита? — буркнул Гантимур, все еще потирая голову то там, то там. — Она следует за человеком повсюду. Тень — это тоже ее изображение.

— А почему мне не больно, когда ты на мою тень наступаешь? — озадачилась Ольга.

— Наверное, потому, что ты еще не стала частью этого мира, — задумчиво проговорил Гантимур. — А вот когда сольешься с ним, все изменится.

— А как я стану этой частью?

— Когда пробудешь здесь подольше.

— А почему ты уже стал?

— Потому что я бывал здесь раньше. Этот мир ко мне уже привык.

— Слушай, ну стану я частью, а потом отделиться от этого мира смогу? — с опаской спросила Ольга. — Ну, когда придется возвращаться?

— Я же смог отделиться, — нетерпеливо бросил Гантимур. — И ты сможешь. Однако хватит болтать. Пошли дальше. Нам нужно до темноты пройти как можно больше.

И они двинулись вперед — очевидно, по-прежнему вдоль берегов Энгдекита, потому что окружающие краски становились все ярче. И не только краски! Прежняя гнилостная вонь давно уже сменились свежестью, и этого мало — откуда-то вдруг начало наносить какой-то чудесный, сладостный аромат.

Ольга озиралась, принюхивалась, восторгалась, и кончилось это тем, что она опять наступила на тень Гантимура.

— Еще раз — и ты пойдешь впереди! — пригрозил он, обернувшись.

— Да я дороги все равно не знаю, — пожала плечами Ольга. — Но скажи, откуда такой чудный запах доносится? Может быть, мы уже дошли до верховьев реки Энгдекит, где живут шаманки, и это пахнет их парфюм? Я бы тоже от такого не отказалась!

— Очень смешно, — буркнул Гантимур. — В те края, где живут шаманки, можно попасть только по реке — и то если удастся выгрести против течения. И только на лодке, а лодки у нас пока нет! Что же до чудного запаха, то это благоухает цветок, который русские называют багульником, китайцы — саган-дайля, а у нас он зовется чэнкирэ. Шаманы, да и шаманки тоже, используют его для изгнания враждебных духов и злых призраков. А еще с ним заваривают великолепный чай. И мед чэнкирэ редкостно вкусен!

Ольга невольно проглотила слюну.

— Чаю было бы неплохо выпить! Это очень странно, однако я хочу есть. Ужасно жалею, что отказалась от ужина в больнице. И у меня такое ощущение, что Ольгушка тоже не успела поесть перед тем, как бросилась с колокольни. Так что я голодна за двоих.

Гантимур кивнул:

— Я бы тоже с удовольствием поел чего-нибудь. Однако ни дичи, ни мелких зверей поблизости Энгдекита ты не найдешь. Они этой реки боятся, их даже Щинкен, покровитель охоты и охотников, в эти места загонять не будет. Сюда только медведи и волки захаживают, и то лишь изредка. Но охотиться на них я не буду. Медведь наш предок, я руку на него не подниму, а волка эвенки вообще не трогают. Кстати, чаю не будет, потому что у нас котелка нет, даже воды вскипятить не в чем. Поэтому предлагаю попить что-то вроде морса из чэнкирэ с его же медом и поесть коры.

— Чего поесть? — не веря своим ушам, воскликнула Ольга.

— Стой здесь и жди меня, — засмеялся Гантимур и, положив на траву лук и колчан, канул в заросли.

Вернулся он, впрочем, быстро: Ольга даже испугаться не успела.

В руках у него была охапка хвороста и сухого мха, а локтем он прижимал к себе плоский камень.

В сторонке от тропы Гантимур выкопал ножом ямку, сложил туда принесенное и вытащил из кожаного кошелька, который был прицеплен к поясу, полупрозрачный камень, какую-то шершавую даже на вид штуку и что-то вроде сухого пахучего гриба. Этим грибом он посыпал то, что лежало в ямке, и хитро взглянул на Ольгу:

— Догадалась, что это?

— Ну, гриб-трутовик даже я способна узнать по запаху, — ответила она снисходительно. — Камень —

явно кремень. Кремушек, как мы детстве говорили, их в песке можно было найти. Терка, логически мысля, — это кресало. Нам ведь нужно костер развести? А спичек у тебя, скорей всего, нет... Значит, это огниво.

— Умница! Некэ и бокото — огниво[1] и трут, ты правильно угадала, — сказал Гантимур, разжигая огонь. — Каждый эвенк всегда носил их при себе. Думаю, так же и твои предки поступали в незапамятные времена.

В быстро разгоревшийся костер были подброшены сухие ветки, сначала маленькие, потом побольше, а потом Гантимур положил сверху тот плоский камень, который принес вместе с растопкой.

— Жаль, что не имеется никакой железной посудины — чай заварить. Придется в холодной воде чэнкирэ настоять на меду. Но это тоже прекрасный напиток, можешь мне поверить! А теперь я пошел на промысел, а ты готовь еду, — велел Гантимур.

— Какую?! — воззрилась на него Ольга.

— А вот смотри.

Гантимур подошел к молодой черной березке, ствол которой снизу был опоясан нешироким полосами срезанной коры, и принялся срезать еще одну такую же полосу, повыше.

— Ты же дерево портишь! — возмутилась Ольга.

— Ты знаешь, охотники иногда даже убивают зверей и птиц, чтобы поесть, — спокойно ответил Гантимур. — И их голодные спутницы ничего не имеют

---

[1] Кремень и кресало — часть огнива, устройства, с помощью которого добывали огонь при отсутствии спичек.

против. По-моему, срезать немного коры с дерева — это гораздо безобидней.

Он аккуратно оттянул в сторону верхний, шершавый, черный слой коры и отбросил его в сторону. Затем принялся срезать белесый мягкий и в то же время упругий луб.

— Луб хорошо падает в теплую, сырую погоду с ветром; тогда луб ветром откачивает, дождем отмачивает, теплом отпаривает, — вдруг выпалила Ольга, и Гантимур даже нож уронил, изумленно воскликнув:

— Экун! Ого! Да ты бывалая таежница?

Ольга только руками развела.

«Откуда я знаю, как это называется и как это правильно добывать? То есть я помню сказку о том, что была у зайца избушка лубяная, а у лисы ледяная, но откуда мне известно о том, что именно это — луб? Или это Ольгушка, деревенская жительница, знает такие вещи, а ко мне перешли некоторые ее знания?»

Тем временем Гантимур отделил широкую полосу луба от нижнего слоя, проворно настрогал ее на узкие полосы, несколько положил на камень, подав одну Ольге:

— Пожуй пока. Это вкусно. Остальные мы подсушим на огне — получится что-то вроде чипсов.

— Что? — невольно расхохоталась Ольга. — Чипсы в царстве мертвых?!

— Ты что, чувствуешь себя мертвой? — хмыкнул Гантимур. — Я лично — нет. А то, что получится, и правда будет напоминать чипсы. Правда, довольно долго ждать придется, пока улдакса, то есть подкорье, до хруста высохнет. Поэтому перебей аппетит сырьем. Я схожу за чэнкирэ и медом, а ты следи за огнем, чтобы наша керамическая сковорода не остывала.

Он ловко, двумя ветками, перевернул камень, нижняя сторона которого уже нагрелась, и разложил на ней полосочки луба. Раздалось шипенье, поплыл довольно приятный и дразнящий запах.

— Дровишки подбрасывай постоянно, — предупредил Гантимур, — только не вздумай далеко отойти от тропы, не то тебя Калу украдет.

— Кто?! — Ольга чуть не выронила полоску луба, которую рассматривала.

— Хозяин наших гор, великан с остроконечной головой, который частенько спускается в леса, чтобы полакомиться человечиной... особенно красивой человечиной, — сообщил Гантимур, сунул в рот полоску луба и, с удовольствием жуя, скрылся в лесу.

— Красивая человечина — это как бы комплимент? — проворчала Ольга и тоже решилась откусить кусочек луба.

К ее изумлению, он оказался сладковатым на вкус, хотя и довольно тугим, даже несколько резиновым, однако жевать пришлось долго, да и потом проглотить изжеванный комок луба Ольга не осмелилась. Впрочем, выплюнуть его на землю она тоже не решилась. Осторожно вытолкнула комок изо рта и бросила в костер.

Огонь, до этого горевший довольно вяло, заполыхал так, словно в него подбросили сушняка.

— Это тебя Подя, наш бог огня, поблагодарил, вот и разгорелся костерок, — послышался голос, и из-за деревьев вышел Гантимур, неся в одной руке несколько веточек с мелкими листьями и темно-розовыми, неистово благоухающими цветами, а в другой — кусок коричневых медовых сот, обернутых листьями. Над ними вились пчелы, и Ольга снова подумала: «Этого не может быть! Пчелы в Буни! Дикий мед в Буни! Или это не царство мертвых, или это не я!»

— Это царство мертвых, — спокойно сказал Гантимур. — И это ты, хотя и в другом облике, более приспособленном к такой жизни, которую мы вынуждены вести. В облике человека, призванного к устойчивому сопротивлению злу! В облике стража высоты.

— Слушай, ты не можешь перестать беспрестанно лазить в мою голову, надо или не надо?! — возмущенно воскликнула Ольга. — Это просто хамство какое-то — вечно копаться в моих мыслях! Прекрати!

— Хорошо, постараюсь, — как ни в чем не бывало пожал плечами Гантимур. — Хотя для меня это очень удобно. Женщины вообще подобны сулаки, лисам, вернее, даже хэлмилэн, черногрудым лисам...

— Это еще почему?! — возмутилась Ольга. — Почему это мы — лисы, да еще черногрудые?!

— Потому что вы хитры и коварны по сути своей, но отлично умеете таить свое коварство, однако проницательный человек легко обнаружит его, как черное пятно на груди хэмилэн. Если твой напарник, соратник, так сказать, — женщина, то лучше себя обезопасить и все планы просекать и пресекать заранее.

Ольга задумчиво прищурилась.

Ишь ты! Просекать и пресекать, значит, коварные планы!..

Похоже, Гантимура когда-то очень хитро и коварно обманула какая-то женщина, вот он и стережется. Обжегся, видимо, сильно! Интересно, что с ней сделал этот непреклонный страж деревьев?

— Все правильно, — кивнул Гантимур, снимая будущие «чипсы», переворачивая камень раскалившейся стороной вверх и снова раскладывая подрумянившиеся и усохшие полоски луба. — Ты угадала. Была одна женщина. Она обманула меня. И я ушел от нее.

— Как ее зовут? — спросила Ольга, хотя от этого вопроса следовало бы, конечно, удержаться. Не хотелось бы, чтобы Гантимур возомнил, будто его личная жизнь так уж сильно волнует Ольгу.

Не волнует, конечно. С чего бы вдруг?! Это просто вежливый интерес.

— Хунту-аси, — ответил Гантимур. — Это значит «другая женщина». Ее родители надеялись, что их дочь будет не такой, как все остальные женщины. Умнее, красивее, счастливее... Поэтому ее так и назвали.

— Понятно, — кивнула Ольга. — Значит, Хунту-аси подстроила тебе какую-то пакость, поэтому ты никому не веришь.

С языка готовы были посыпаться новые вопросы: что она сделала? Изменила тебе? Ты ее очень любил? Что она делает теперь? Пыталась вернуть тебя?

Само собой, Ольга скорее откусила бы себе язык, чем начала спрашивать обо всем этом, но до чего же она разозлилась на себя за это дурацкое, недостойное любопытство!

— Можешь просто поверить в то, что я против тебя не злоумышляю и не собираюсь этого делать, что бы там ни подстроила тебе эта твоя Хунтуаси? — гневно спросила Ольга. — Хочешь, памятью родителей поклянусь? Пойми, когда ты проникаешь в мои мысли, я себя чувствую перед тобой... голой! Даже без того серого туманного фигового листка, которым была прикрыта, когда мы уходили из больницы! Мне стыдно, мне неловко, и ты, постоянно шаря по моим мыслям, как по моему голому телу, именно что восстанавливаешь меня против себя. Я чувствую себя... изнасилованной, понимаешь?

Гантимур хмуро смотрел на нее, прищурясь, словно что-то обдумывал. Потом отвернулся и, резкими взмахами ножа обрубив две толстые березовые ветви, отсек с них сучки, обобрал кору и зачем-то принялся ковырять внутри острием.

— Это что за отвлечение внимания? — раздраженно спросила Ольга. — Просто ответить можно: понял ты меня или нет?

— Понять-то я понял, — пробурчал наконец Гантимур. — Но, лишив себя этой возможности — проникать в твои мысли, я не смогу вовремя прийти на помощь. Представь, что я тебя на время оставлю, но вдруг что-то случится, а я не буду знать, что с тобой, что должен срочно возвращаться и быть готовым к бою.

— Выход один: не оставлять меня, — пожала плечами Ольга, против воли растроганная той тревогой, которая прозвучала в голосе Гантимура.

— Я постараюсь, — вздохнул он. — Но ведь никто не может знать, что нас ждет.

— А что нас ждет? — насторожилась Ольга. — Я думала, безусловная победа добра над злом. В смысле, над этим, как его там... местным демоном, мугды.

— Мугды — не местный демон, — перебил Гантимур, продолжая ковырять ножом деревяшку и лишь изредка поднимая на Ольгу свои черные глаза. — Это одно из воплощений общего зла, как тот Демон, который погубил Ольгушку. Один из образов, одна из рук того многорукого чудовища, которого обычно называют дьяволом. Руку можно отрубить, но она вырастет снова... хотя и не сразу. Знаешь, что такое гидра?

— Конечно, в школе проходили! — вспомнила Ольга.

— Если отрубить одно из щупалец гидры, оно отрастет снова.

— То есть мы боремся не за победу навсегда, а за краткое перемирие? — уточнила Ольга. — А я-то думала... Слушай, но если я правильно поняла, если победить зло вообще невозможно, тогда какой смысл дергаться, рисковать жизнью?

— А почему ты дергалась в своей «Скорой», спасая людей, если так и так они все когда-нибудь умрут? — зло спросил Гантимур.

— Люся, они все умерли... — тяжело вздохнула Ольга.

— Что?! — ошарашенно уставился на нее Гантимур.

— Ничего, анекдот старый вспомнила, — слабо улыбнулась Ольга. — Мужик, в хлам пьяный, возвращается домой. Жена его, конечно, встречает отнюдь не объятиями и поцелуями: «Так тебя и перетак, где ты шлялся?!» — «На кладбище был», — отвечает дядька заплетающимся языком. — «А что, кто-то умер?» — спрашивает жена, а он в слезы: «Люся, ты не поверишь — они все умерли!»

Гантимур молчал с каменным выражением лица.

— Ты хочешь спросить, когда начинать смеяться? — ехидно спросила Ольга. — Уже можно.

— Мне кажется, в обиталище смерти смеяться над смертью как-то...

— Неприлично? — подсказала Ольга, совершенно неожиданно разозлившись до такой степени, что у нее даже язык начал заплетаться. — Не комильфо? Тогда давай ляжем и ручки на груди сложим. Не будем дергаться! Жизнь отличается тем, что она движется, смеется, веселится, печалится, а не только слезы льет. И вообще, ты сам говорил, что здешние обитатели и охотятся, и женятся, и все такое... Что, ты хочешь сказать, они и трахаются медленно и печально, как в том анекдоте?

Гантимур внезапно так закатился хохотом, что чуть рукомесло свое не выронил.

— Не надо, — наконец с трудом выговорил он. — Не рассказывай. Я слышал этот анекдот. Медленно и печально, ну надо же! Ох-ха-ха! Ох-ха! Ой, не могу! Медленно и печально!

Ольга смотрела-смотрела на него, злилась-злилась, потом вдруг тоже начала смеяться, уж больно заразительно хохотал Гантимур.

— Короче, меняем стратегию и тактику, я правильно поняла? — спросила она, когда приступы смеха, наконец, стихли у обоих. — Ты больше в мою голову не суешься, мои мысли не читаешь, меня одну не оставляешь...

— А ты слушаешься меня беспрекословно, — прервал ее Гантимур. — Согласна?

— Смотря по ситуации, — осторожно сказала Ольга. — Может быть, от меня какой-нибудь непристойности потребуешь.

— Например? — прищурился Гантимур.

— Снять штаны и прыгать! — зло выкрикнула Ольга.

Да, злилась, до дрожи злилась она, впрочем, прежде всего на себя, за то, что при мысли о возможных непристойностях с Гантимуром не только не возмутилась, но и... ну да, ну да, возбудилась, возбудилась, чего греха таить! И если он это просек, если решит воспользоваться ситуацией, она... Нет, конечно, она даст ему отпор, и еще какой, но вот только будет ли при этом абсолютно искренна, это вопрос, большой вопрос! Плотский голод, оказывается, страшная штука! Причем никакого такого голода Ольга не испытывала до тех пор, пока Гантимур не ляпнул, что ему трудно будет подавлять свои желания, если Ольга останется раздетой. И в целях безопасности напялил на нее клочок серого тумана. А она от какого-то намека вспыхнула, как спичка, или, применяясь к местным реалиям, как трут, на который упала искра от огнива.

— Снять штаны и прыгать? — повторил Гантимур, презрительно усмехнувшись, и, отложив одну деревяшку, принялся за другую. — Неужели ты до сих пор не заметила, что никаких штанов на тебе нет? А также панталон, трусов или даже самых завалященьких стрингов. В те поры, когда Ольгушка стала стражем высоты, ничего такого не носили. В деревнях, во всяком случае.

— Слушай, если ты непременно хочешь, чтобы я тебя возненавидела, продолжай в том же духе, — выпалила Ольга, отвернувшись. Такого унижения, как сейчас, она не испытывала, кажется, никогда в жизни.

Гантимур придрался только к этой дурацкой фразе, но словно не заметил ее мыслей, в которых она фактически призналась, что хочет его! Хочет совершенно бесстыже!

А он? Он же не хочет? Потому и не обратил на это внимания? Просто мимо восприятия пропустил?

Кстати, а все-таки что бы ты делала, если бы обратил? А, Ольга-Ольгушка? Сопротивлялась бы или рухнула бы прямо на тропе, задрала юбку — и ноги врозь, играя бедрами от неистового желания? Ну а потом? А потом что было бы между вами? Как складывались бы ваши отношения? Это осталось бы эпизодом или вошло бы в привычку? А как быть тогда с Игорем, с надеждой на его спасение? Как быть с тем, кого ты никогда не забудешь, как не забудешь его черные глаза, любимые глаза?

Кстати, у Гантимура тоже черные глаза...

Ольга закрыла лицо руками.

Нет! Если бы он только посмел — она сопротивлялась бы, как врагу, с ненавистью, отчаянно! Никогда этого не будет, никогда!

И ведь вовсе не его она хочет... Она хочет Игоря. А Гантимур — это так, случайное помутнение мозгов и смятение чувств.

Даже не чувств, а так... желаний.

Ну, бывает. Нашло. Налетело!

Ну, как нашло, так и прошло. Как налетело, так и пролетело!

— Что с тобой? — с тревогой спросил Гантимур. — Я тебя так обидел этими дурацкими словами? Ну не обижайся, ну... извини. Да что ты?! О чем ты думаешь?!

Что?..

Ольга медленно отняла ладони от лица, уставилась на Гантимура недоумевающе.

«О чем ты думаешь?»

Он спросил, о чем Ольга думает! Это значит...

— А ты что, больше в моей голове не ковыряешься? — спросила недоверчиво. — Мысли мои не читаешь?

— Нет, — буркнул Гантимур сердито. — Отключил ковырялку. И читалку тоже.

— Как? — все еще настороженно спросила Ольга.

— Вот так, чик-чик! — он покрутил у виска ножом. — Легким движением руки. Еще несколько минут назад. Так что будь спокойна: твоя голова надежно защищена от моего проникновения.

— Врешь поди, — пробормотала Ольга.

— Не веришь, конечно, — покорно кивнул Гантимур. — Ну хочешь, подумай о чем-нибудь, а я попробую угадать, и ты поймешь, что я не читал твоих мыслей.

— Ты вообще меня дурой считаешь? — засмеялась Ольга. — Да ведь ты можешь сказать что угодно!

«А может быть, это правда? — с надеждой подумала она. — Может быть, он и в самом деле каким-то своим странным шаманским способом взял и выключил этот радар, этот приемник, этот перехватчик... не знаю, как назвать? И мысли мои о том, как я его хочу, не пропустил мимо восприятия, а просто их не услышал, не прочитал? А на самом деле он меня хочет так же, как я его?.. Нет, это не важно, я бы все равно ему сопротивлялась и ничего бы он не получил, но все равно... все равно!»

Внезапно так легко стало на душе, так легко, что Ольга не нашла в себе сил даже хоть чуть-чуть устыдиться этой легкости. Просто обрадовалась, вздохнула глубоко-глубоко, обвела глазами подступивший к тропе лес, костерок, камень, на котором подрумянивались «чипсы», ворох веток багульника с темно-розовыми цветами, источающими волшебный, тревожный аромат, и сказала:

— Знаешь, я, наверное, никогда не забуду этот запах, эти цветы багульника! Они похожи на темные огоньки, верно?

— Верно, — с улыбкой согласился Гантимур. — Только это не просто багульник — это чэнкирэ! Запомни это слово! — И вдруг спохватился: — Про обед-ужин-завтрак-то мы забыли! Переверни еще раз наши «чипсы», а я за водой сбегаю. Морс делать будем.

— В чем же ты воды принесешь? — удивилась Ольга, и Гантимур повертел перед ее носом те два куска дерева, которые он все это время старательно ковырял:

— Зря я возился, по-твоему? Думаю, Ольгушка не раз пивала водичку из деревянного стакана, пора и тебе экзотики отведать!

* * *

Бога огня Подю кормили этим вечером еще не раз. Кое-что перепало и Мусинам — духам-хозяевам всех вещей, которые оказались с собой у Гантимура в его новом обличье: хозяевам лука, колчана, стрел, хутакана — кисета, в котором хранились огниво и трут.

— Мусины заслуживают такой чести, — рассказывал Гантимур. — Они ведь не только вещам покровительствуют, но воздуху, которым мы дышим, звездам, небу над нами, закату и рассвету, волнам рек, перевалам, деревьям в тайге... У всего, что происходит в подлунном мире, есть свой хозяин.

— И в мире мертвых тоже?

— Конечно, — кивнул Гантимур. — Ну ты же сама уже поняла, наверное, что здесь все почти как наверху, в Буга. Те же ощущения! Ты хотела есть и пить, теперь сыта?

— Как ни странно, да, — кивнула Ольга. — Березовые «чипсы» очень вкусные получились, а этот холодный настой с диким медом и багульником вообще что-то невероятное!

— Чэнкирэ, это называется чэнкирэ, — снова напомнил Гантимур. — Есть больше не хочешь? Тогда давай все, что осталось, отдадим Майни.

— Это которая Хозяйка Вселенной? — вспомнила Ольга.

— Ча! — вдруг резко выставил руку Гантимур, вскакивая и всматриваясь в темноту.

Ольга уже понимала, что это короткое слово означает призыв к молчанию, к тишине, к осторожности, да и сама поза Гантимура была такой предостерегающей, что Ольга сразу притихла.

Гантимур стоял молча, напряженно вглядываясь в сгустившиеся сумерки. Ночь возле реки Энгдекит была совершенно не похожа на земную ночь. Небо казалось затянутым серой тканью, звезд не было видно вообще. Можно было только тосковать о том ощущении загадочной, таинственной и властной темноты, которым поражает земная ночь, лишая человека зрения. Ну ладно, рядом с Ольгой и Гантимуром горел костер, освещая ближнее пространство и сгущая темноту чуть поодаль, однако Ольге почему-то казалось, что, даже если она отойдет от костра и окажется в лесу, все равно сможет без труда разглядеть все, что там происходит.

Довольно скоро ей, впрочем, показалось, что она ошибается, потому что Гантимур явно что-то видел там, за деревьями, а она — нет, сколько ни всматривалась.

— Что там? — наконец решилась шепнуть Ольга.

— Кажется, амикан, — почти беззвучно произнес Гантимур. — Медведь, значит. Старый медведь. Стоит и не уходит.

«Вроде бы звери должны бояться огня? — удивилась Ольга. — А впрочем, Гантимур ведь говорил, что здесь все наоборот. Вполне возможно, что здешние медведи обожают греться у костра, на людей не нападают, а дружат с ними. Может быть, они даже не боятся огня, а с удовольствием около него посиживают. Надеюсь, Гантимур его не позовет к нашему костру погреться?! А вот странно: Гантимур говорил, что местные обитатели не появляются, если их не начнешь бояться. Я боюсь, это точно, однако я начала бояться уже после того, как о нем сказал Гантимур. Откуда же тогда взялся медведь? Или это Гантимур его боится? Ну надо же...»

— А его нельзя прогнать? — спросила Ольга, стараясь не показать, что ей как-то страшновато становится. Вернее, не как-то страшновато, а реально страшно.

— Медведя никогда не надо пугать или гнать, это наш прародитель, зачем его обижать? — И заговорил громче: — Послушай, дедушка, мы здесь случайно, мы тебя не трогаем, ты иди своей дорогой. Не знали, что это твоя тропа. Прости, мы тебя не тронем, и ты нас не трогай. Иди, пожалуйста, куда шел!

Произнеся эту речь, Гантимур опять замер в молчании.

— Ну что, он ушел? — шепнула Ольга.

— Нет, он меня зовет, — не поворачивая головы, ответил Гантимур. — Может быть, он хочет мне что-то показать? Или о чем-то предупредить? Здесь нельзя отказывать тем, кто к тебе пришел и явился в истинном обличье, даже если ты о нем не думал и не вспоминал. Такие знаки пропускать нельзя! Я должен идти.

— А я? — вскочила Ольга.

— Ты оставайся здесь и жди меня. Отзываться на зов чужого предка опасно.

— А если... а если он тебя съест?!

— Глупости. Он не обидит своего потомка. Очень может быть, что в его образе ко мне явился сам Хедеу, который хочет поговорить со мной. Я должен идти за ним.

— А ты вернешься? — пролепетала Ольга, с трудом удерживаясь, чтобы не вцепиться в Гантимура обеими руками и не заставить его остановиться.

— Разумеется, вернусь! — почти раздраженно бросил Гантимур. — Мне без тебя не справиться с тем, ради чего мы здесь. Только не отходи от огня. И не вздумай отправляться искать меня. Амикан, я иду!

И, поклонившись в сторону леса, где крылось то, чего не видела Ольга, но что открылось ему, Гантимур шагнул вперед. Какое-то время еще слышался хруст веток и шелест травы под его ногами, потом все стихло, и фигура его растаяла в сером сумраке.

Ольга подобралась поближе к огню и села к нему спиной. Так она хотя бы со спины защищена. Конечно, смотреть в чащу, казавшуюся от сполохов огня еще таинственней, было страшно: так и лезли в голову мысли о неведомых чудовищах, которые могли там притаиться. А больше смотреть было некуда. В небо, разыскивая созвездия неведомого мира? Так в этом небе не было ни созвездий, ни одиноких звезд, ни луны.

Хотя это странно, если подумать. Ведь солнце или хотя бы его некое подобие все же светило днем! Значит, и другие небесные тела должны подавать сигналы. Кстати! Что за несообразность? Неба из-под земли не должно быть видно... Но его почему-то видно! Путаница, совершенно непонятная, глухая путаница! Пытаться проникнуть в мифологическую

астрономию и постигнуть местные законы приро-
ды — пустая затея. Лучше уж все принимать на веру.
Принимать как факт.

Какая тишина! Какая тишина вокруг... так и хочется сказать о ней: гробовая, но лучше не надо,
потому что слишком точно, и от этой точности становится просто нечеловечески страшно.

С другой стороны, Ольга здесь не совсем человек, если честно признаться, значит, страшно ей
должно быть именно нечеловечески...

Вдруг кто-то шепнул в голове: «Луна — солнышко
оборотней». Так, кажется, знакомый голосок! Неужто Ольгушка решила помочь перегруженной голове
Ольги?

Фраза жуткая, но ведь смотря с какой стороны на
нее посмотреть! Если нет луны, значит, и оборотней не будет.

В самом деле, вот только оборотней Ольге сейчас не хватало!

А впрочем, что уж так сурово? Ведь, строго
говоря, она и сама только что признала себя не
человеком. Да, она оборотень. Обернулась юной
девушкой, погибшей почти двести лет тому назад.
Хотя нет, не двести. Тогда уже поезда появились:
Филя Березкин рассказывал Ольгушке про избушки, бегущие по рельсам. Когда в России начали
прокладывать железную дорогу? При Николае I,
кажется? Ну да, его сподвижник Петр Андреевич
Клейнмихель руководил прокладкой путей из Петербурга в Москву, за что его самым жутким образом заклеймил поэт Некрасов в стихотворении
«Железная дорога»...

Господи, какая ерундятина в голову лезет! А впрочем, Ольга ведь сама эту ерундятину себе в голову заталкивает, чтобы избавиться от совершенно отчетливого ощущения, будто кто-то невидимый стоит в этой серой полумгле и смотрит на нее.

Кто? Гантимур вернулся? Но с чего бы ему смотреть на Ольгу, затаившись в темноте? Любоваться ею украдкой? Ладно-ка...

Нет, это не Гантимур.

А кто? Зверь или человек?

Так, не думать ни о людях, ни о зверях, иначе они примут свой облик и придут пообщаться. Скажем, волк. Или какой-нибудь тутошний охотник, умерший несколько поколений назад...

Нет, нет, нет!

Ольга, будто стаю кусачих осенних мух, гнала от себя даже самые слабые намеки на конкретность. Она не хочет думать о том, что это за звери! Она не хочет представлять себе, как могут выглядеть местные жители, попавшие в Буни давным-давно! И о тех, кто здесь недавно, она тоже не хочет думать. Нет! Ничего хорошего в царстве мертвых не дождаться! Наверное, есть только один человек, которого она хотела бы видеть всегда, даже мертвым, но он, к счастью, пока жив, значит, появиться здесь не может. И вообще, он же русский, а тут места приуготовлены только для местного населения.

И в то же мгновение Ольга отчетливо увидела Игоря, который стоял неподалеку и смотрел прямо ей в глаза своими черными глазами.

— Игорь! — крикнула Ольга — нет, не крикнула, только пошевелила губами, хотя все существо ее кричало, надрывалось криком ужаса.

Зачем он здесь?! Он умер? Он прощается с Ольгой? Или... или в том своем непонятном состоянии, между жизнью и смертью, ни на том свете, ни на этом, он почувствовал, что она в опасности...

Или что настало то, о чем он предупреждал? Она во власти человека, который спасет Игорю жизнь, но платой станет их вечная разлука?..

— Нет! — вскочила Ольга и шагнула прочь от костра, забыв обо всем на свете. — Подожди, не уходи! Кто бы ты ни был, человек или призрак, не уходи! Не покидай меня! Я истомилась, истомилась по тебе! Люблю, люблю тебя! Жить без тебя не могу, понимаешь? Хочу тебя до смерти, и если надо умереть за то, чтобы снова обнимать, целовать тебя, чтобы быть с тобой, — я согласна! Ты слышишь? Я согласна! Ты веришь мне?

Игорь смотрел молча, настороженно, и вдруг дрогнули в улыбке его губы, и глаза исполнились тем жадным выражением неистового желания, которое всегда охватывало его в объятиях Ольги и передавалось ей, они обменивались страстью, изливали ее друг в друга и друг на друга! Перед этим взглядом она никогда не могла устоять. Неведомое волшебство крылось в его чудесных глазах, и Ольга понимала, что навеки околдована им, будет любить его вечно!

— Иди ко мне! — крикнула Ольга, бросаясь к мужу, чувствуя, что, если бы кто-то встал сейчас на ее пути, она убила бы этого человека. Было что-то неистовое, почти безумное в том желании, которое охватило ее! Только бы слиться с ним снова, хотя бы на миг утоления голода и жажды ее истомившейся плоти! Хотя бы на миг... и она издала даже не крик, а вой, отчаянный, тоскливый вой, когда взгляд Игоря вдруг померк, Игорь опустил глаза и шагнул в темноту леса.

— Подожди! Подожди! — закричала Ольга, захлебнувшись в рыданиях. Она пыталась догнать его, ничего не видя от слез.

Наконец остановилась, не представляя, куда бежать, где Игорь. Ушел или смотрит на нее из-за какого-то куста? Кажется или в самом деле вон там, за деревьями, маячит чья-то фигура?

— Игорь! — закричала Ольга снова. — Пожалуйста, покажись снова! Ну дай хоть посмотреть на тебя! Ну я не могу, не могу без тебя жить, не могу, понимаешь?!

Зашелестела трава, Ольга взвизгнула от радости, кинулась вперед — и вдруг ясно, как днем, увидела стоящего перед ней человека.

Нет, это был не Игорь, да и человеком его невозможно было бы назвать! Нечто человекоподобное — с плоским лицом, плоским телом, все серое, подрагивающее, колышущееся, как морок, привидевшийся в кошмаре.

Ольга отпрянула и на что-то натолкнулась спиной. Подумала — на дерево, отпрянула, обернулась — и онемела.

Существо с единственным глазом во лбу — почему-то голубым! Лицо его казалось покрытым ржавчиной. Ольга отпрянула прежде, чем существо успело схватить ее и прижать к себе: на левой руке не было кисти, а на правой наросли черные когти.

Ольга метнулась в сторону — и замерла, потому что перед ней появился новый обитатель этой тайги, этого мира ужасов.

Он весь был покрыт клочковатой шерстью, кроме плешивой головы. Из множества язв на жутком подобии лица сочились сукровица и гной, вместо верхней губы зияла рваная рана, из которой торчали кривые зубы. Стоял он полусогнувшись, упираясь в землю длинными, обросшими шерстью руками.

Ольга бросилась было в сторону, но не успела сделать и нескольких шагов, как серое существо обогнало ее и преградило путь. Лицо его подергивалось; лишенное носа, оно, казалось, принюхивается. Вдруг оно наклонилось, потянулось вперед. С ужасом Ольга поняла, что оно ловит запах, исходящий от ее бедер!

Отпрыгнув в сторону, она увидела, что два других воплощения ужаса тоже принюхиваются именно к ее бедрам! Вдруг чудище с волосатыми руками разогнулось, и Ольга увидела, как из шерсти восстает его возбужденный член.

«Всё. Смерть пришла», — вяло подумала она, чувствуя, как слабеют ноги и обморочная тьма заволакивает глаза и сознание.

В то же мгновение кто-то обхватил ее за талию сзади, крепко стиснул.

Ольга рванулась, закричала так, что горло свело от этого крика, но хватка не ослабела, и тут чьи-то губы шевельнулись около ее уха:

— Тихо! Бегом к костру!

Гантимур!

Она еще больше ослабела, теперь от облегчения, привалилась к нему, не в силах не то что бежать, но даже с места сдвинуться, и тогда Гантимур толкнул, нет, швырнул ее куда-то в сторону, да так сильно, что Ольга чуть не влетела в костер, оказавшийся совсем рядом.

Упала, сжалась в комок, подтянув колени к подбородку, пытаясь унять дрожь: да, ее так и колотило, несмотря на близость огня.

Послышался какой-то треск — словно гром грянул! Ольга повернулась — и зажала рот руками, чтобы снова не кричать.

Покрытое шерстью чудище одним рывком выдернуло из земли дерево с корнями и замахнулось им на Гантимура. Тот отскочил в сторону, и удар пришелся мимо.

Земля загудела.

Гантимур потянулся было за луком, но не успел достать его из-за спины — дубинища взлетела снова. Двое других воплощений ужаса тоже принялись выламывать деревья, но тут Гантимур оказался проворней: подскочил к костру, выхватил из него еще тлеющую головню и швырнул ее в оборотня, который снова воздел дубину.

Головня попала в косматую грудь.

Шерстяное туловище задымилось, по нему пролетели искры, клочья пламени. Гантимур подхватил выпавшую из его лап дубину и, словно кочергой, подтолкнул волкоголового к серому призраку. Тот вспыхнул от единой искры — вмиг рассыпался пеплом.

Однорукий пытался заслониться своей когтистой лапой, но Гантимур обрушил дубинку на его одноглазую голову, и та раскололась с омерзительным треском.

Гантимур отшвырнул дубинку и бросился к Ольге. Рывком поднял ее с земли, стремительным движением провел руками по лицу и телу, словно проверяя, все ли на месте, на миг прижал к себе, и она ощутила, как тяжело вздымается его грудь, и бросился бежать по тропе, таща Ольгу за собой. Но она поминутно спотыкалась, еле передвигала ноги, она словно ослепла от слез, которые так и лились из глаз, задыхалась и наконец выдернула руку из цепких пальцев Гантимура и упала на колени, закрыла голову руками.

— Больше не могу! Не могу больше! — кое-как вытолкнула из горла, перехваченного рыданиями.

Гантимур опустился рядом, обнял ее, шепнул:

— Все уже. Уже все кончилось. Успокойся.

Ольга несколько раз глубоко вздохнула, поразившись, как быстро возвращается к ней спокойствие в присутствии Гантимура, в его объятиях. Дрожь унялась, дыхание восстанавливалось. Слезы перестали слепить глаза.

— Они нас не догонят? — наконец смогла выговорить она.

— Их больше нет, я их прикончил, ты же видела.

— Я глазам не поверила, честно. Ты таким огромным деревом размахивал... Ну прямо Илья Муромец!

— Нас этому учат, — небрежно пожал плечами Гантимур. — Учат биться особыми дубинками. Они могут быть длиной в рост того человека, который будет ими драться. В каждой семье имелись и детские дубинки, потому что обучение начиналось с четырех лет. Ну и стрелять из лука, это само собой, и уклоняться от стрел... Ну и делать такие стрелы, чтобы они пели в полете.

— Пели? — отстранившись, изумленно глянула на него Ольга.

— Да, они были снабжены особыми костяными свистунками, которые завораживали зверя и пугали врага,— улыбнулся Гантимур. — Эвенки были духом воисты, как выразился о нас кто-то из русских путешественников! Так что у меня хорошая подготовка, тем более, чтобы разогнать этих... этих...

— Кто они? — повернулась к нему Ольга. — Кто это был? Это ведь не люди! Оборотни?

— Оборотни не идут в Буни, — качнул головой Гантимур. — Они принимают образ того существа, суть которого преобладает в оборотне. Если это человек — в Буни идет умерший человек. Если это зверь — сюда попадает сдохший зверь.

— А с кем ты в таком случае сражался, о храбрейший из эвенков? — Ольга изо всех сил пыталась добавить в голос хотя бы нотку насмешки, однако получалось как-то не очень. — Кто это были, если не оборотни?

— Помнишь, мы с тобой говорили о материальности мыслей? И я тебе пересказал одно наше выражение: «нэ лэтчэ-ми нэлэ», не бойся страха! Тебе было так страшно, что воображение твое вышло из-под контроля.

— Ты что? — резко отстранилась Ольга. — Хочешь сказать, что эти плоды свалились с ветки моего воображения?! То есть ты дрался с такими воздушными безобидненькими штучками?

— Тебе было страшно, — настойчиво повторил Гантимур. — Твои мысли, твое воображение вышло из-под контроля и отправило к тебе живые существа. Очень страшные! Я, когда их увидел, сам со страху чуть не умер, даже не сразу смог собраться и броситься к тебе. Ты прости меня...

— За что? Ты уже разбил их в пух и прах, хоть и немножко опоздал, — рассеянно улыбнулась Ольга, все еще не в силах осознать, что сказал Гантимур. То есть это были призраки? А Игорь?!

— Да нет. Не за то, что опоздал! — досадливо дернул плечом Гантимур. — Эти существа явились к тебе по моей вине. Понимаешь, чэнкирэ... То ли мед перезрел, то ли цветы уже подвяли... Словом, вместо того чтобы тебя успокоить, это питье, которое я приготовил... это питье тебя возбудило.

— Возбудило... мое воображение, ты имеешь в виду?

— Нет, тебя, твою суть, твои потайные ужасы. Все женщины полны страха перед насилием, вот твои страхи и вырвались наружу, совершенно раскованные и бесстыжие. И, повинуясь законам этого мира, мгновенно приняли материальный облик.

— А Игорь? — воскликнула Ольга. — А Игорь?! Его тоже выпустило на волю мое разнузданное воображение?

— Игорь? — повторил Гантимур. — Твой муж? Здесь был твой муж?! — Он помолчал, резко перевел дыхание. — И... что? Ты говорила с ним? Он отвечал?

— Нет, — с трудом проговорила Ольга, — он прошел мимо. Он посмотрел на меня так, что я чуть с ума не сошла от этого его взгляда! Так всегда бывало с нами раньше, он так смотрел... и я сразу была готова на все. Этот взгляд действовал на меня сильнее его прикосновений, его глаза... Ты не знаешь, какие были у него глаза, как я любила их, как я его любила!

Она прижала кулаки к глазам, хотя слез не было: ее душили сухие рыдания, а слезы, которые принесли бы облегчение, жгли глаза, но не проливались.

— Теперь понятно, — пробормотал Гантимур. — Теперь мне все понятно! Ты думала о своем муже, как всегда думаешь о нем, — его призрак появился и возбудил тебя, и на запах этого возбуждения собрались другие призраки: алчные, жаждущие самцы, которые рванулись на запах разъяренной самки. И этот запах до сих пор разносится по тайге... Я чувствую его! Так что лучше держи свое возбуждение в узде.

Ольга со стыдом отвернулась.

Да. Гантимур был прав! Ее лоно пылало от неутоленного желания!

«Что со мной? Что?!»

Слезы наконец хлынули, но легче не стало.

— Что мне делать?! — простонала Ольга.

— Унять свое возбуждение, — буркнул Гантимур.

— Как?! — рыдала Ольга. — Как, скажи?

Тяжелый вздох был ей ответом.

— Что, сама-сама? — всхлипнула Ольга. — Понимаю...

— Нет! — резко бросил Гантимур. — Ты не должна... так. Я... если позволишь, я помогу.

— Как ты мне поможешь? — безнадежно вздохнула Ольга — и вдруг до нее дошло! Вдруг она поняла смысл этих слов!

Собственно, понять было просто.

— Нет, нет! — протестующе выставила ладони. — Нет, ты с ума сошел! Я так не хочу!

Гантимур придвинулся к ней, и ладони уперлись в его грудь.

— Нет!

Руки Ольги согнулись в локтях, и Гантимур притянул ее к себе.

— Ты можешь называть меня его именем, — раздался чуть слышный шепот около самого ее уха, и дыхание у нее перехватило.

Пальцы Гантимура скользили по телу Ольги, он целовал ее, едва касаясь губ, и эти летучие, жгучие касания заставили ее застонать, вцепиться в его плечи, притянуть к себе, приоткрыть рот навстречу его рту, ставшему вдруг жадным и почти жестоким... распахнуть всю себя навстречу его телу, и уже через несколько мгновений, с дрожью и стонами почти мучительного освобождения, она закричала, не помня себя:

— Игорь! Игорь! Игорь...

* * *

С утра они не обменялись ни словом.

Гантимур поднялся раньше, сходил к месту прежней стоянки, к погасшему костру, принес оттуда остатки «чипсов». Этим и перекусили, отводя друг от друга глаза. Запили чистой водой из ручья.

Ни цветов чэнкирэ, ни меду Гантимур не принес, их не осталось: все отдали вчера огненному Подя и прочим покровителям, однако Ольга все равно не прикоснулась бы к этим опасным яствам.

Слишком опасным!

Наконец пустились в путь.

Шли довольно долго, все по той же тропе. Вскоре донесся шум реки, и Ольга поняла, что они опять подошли к Энгдекиту. Тропа петляла причудливо, то отдалялась от реки, то приближалась.

Гантимур шагал да шагал себе впереди, изредка останавливаясь, присматриваясь к зарослям и опять пускаясь вперед. На Ольгу он ни разу не оглянулся.

Она предусмотрительно держалась подальше от тени Гантимура. Не хотелось наступить на нее и дать какой-то повод к новым разговорам. Кто знает, о чем они будут, эти разговоры...

Ели на ходу — опять луб, на сей раз сырой. Ольга уже поняла, что чем моложе дерево, тем он вкуснее, сочнее и слаще. Она уже привыкла настолько, что даже глотала его. Пару раз Гантимур знаком предлагал поесть каких-то ягод, но Ольга отказывалась — тоже молча, только головой качала, — потому что не знала их. Знакомыми оказались только красный лимонник, оплетающий лианами деревья, и элеутерококк, чьи черные ягоды были словно на кисточках подвешены к высоким прямым стеблям. Ольга вспомнила их по картинкам в книге о тонизирующих и лечебных растениях Дальнего Востока. Это могло показаться странным, однако в июле (а Ольга отлично помнила, что в ее родном городе стоял на дворе июль, да и история Ольгушки разворачивалась в июле!) местные ягоды уже вполне поспели. Впрочем, кто знает, какой месяц шел здесь и делилось ли вообще в Буни время на месяцы!

Этих ягод Ольга поела с удовольствием.

Как ни странно, подножный корм неплохо утолял голод, а ягоды взбадривали. Воды было вволю: пили из каких-то ручейков, которые встречались там и сям, и от жажды тоже не страдали.

За исключением мутно-голубоватого неба, все было удивительно похоже на реальный мир, и Ольгу все чаще начинала подъедать мысль о том, что они уже вышли из Буни, просто Гантимур почему-то ей об этом не говорит.

А впрочем, это были глупости, конечно, потому что Гантимур, одержимый необходимостью уничтожить мугдыкен, не ушел бы из Буни, даже если бы Ольга его об этом умоляла!

Делать чего она, само собой, не собиралась. Во-первых, взялся за гуж — не говори, что не дюж, к тому же Гантимур вчера ясно сказал, что без нее не сможет справиться с мугдыкеном. Загадочно, впрочем, какая роль отводится Ольге в битве с этим вселенским злом? Сидеть в засаде, подносить оружие или встать с Гантимуром плечом к плечу в тутошнем Рагнареке?[1]

А вот интересно, Гантимур прет вперед без оглядки, потому что их время поджимает? Или просто не

---

[1] Рагнарек — в скандинавском эпосе гибель богов, которая должна последовать за последней битвой с темными силами, которая называется так же.

хочет ни встречаться с Ольгой глазами, ни обмениваться словами, пусть даже самыми общими и необходимыми спутникам и как бы соратникам? Что на него так подействовало? То, что произошло между ними ночью? Он стыдится того, что воспользовался удобным случаем? А может, ему не понравилось? В смысле, секс с Ольгой ему не по нраву пришелся? Ну да, ведь для него это был только секс. Удовлетворение похоти. Плотского желания. В то время как она чуть не сошла с ума от безумного восторга освобождения!

Но сама-то она знает, что в данной ситуации Гантимур просто сыграл роль весьма классного фаллоимитатора. Она была с Игорем, она целовала Игоря, она отдавалась Игорю, она дошла до полного умопомрачения с Игорем...

Гантимур не мог этого не понять. Скорее всего, он злится на Ольгу именно за то, что она последовала его совету и в самый острый миг выкрикнула имя того, кого любит.

Ну да, она должна была, конечно, Гантимура призывать!

Ага, ждите ответа, товарищ шаман!

Однако хотелось бы знать, собирается ли товарищ шаман устраивать привал? Не то чтобы Ольга устала, но просто любопытно: как поведет себя Гантимур, когда они остановятся?

Возможно, конечно, он намерен топать без остановки до глубокой ночи. И... что будет ночью?

Ольге вдруг стало страшно.

Что, если Гантимур захочет продолжения?

Что, если он этого не захочет?

Само собой, Ольга своим поведением не оставит ему ни единого шанса и продемонстрирует свою непреклонность, но все же — захочет он или не захочет?

Ольга вдруг поняла, что именно это волнует ее сейчас больше всего.

Да как смеет Гантимур заставлять ее думать о себе, волноваться из-за него?!

Кстати, странно... Ольга приняла образ Ольгушки, невинной девушки, судя по воспоминаниям, которые уже стали как бы ее собственными, слились с воспоминаниями врача «Скорой», замужней женщины. Однако ночью ее лоно было лоном опытной женщины, она принимала Гантимура отнюдь не как невинная девица, никакой дефлорации не произошло.

Хотя какая, к черту, дефлорация может быть у призрака?! Ведь Ольга и Гантимур — такие же призраки, как здешние обитатели, нежить бестелесная... а если они чувствуют и желают так же, как живые люди, то, значит, таковы законы их превращений в стражей, законы, которые слились с законами здешнего мира. И с ними надо просто смириться, пытаться понять их невозможно!

И все-таки хорошо, если бы Гантимур объяснил ей это. Но ему не до нее!

От злости Ольга подхватила с тропы какой-то зеленый круглый камушек, замахнулась и швырнула что было сил, чтобы попасть если не в спину этого чертова шамана, то хотя бы в его тень, однако промахнулась. Тут же увидела еще один такой же камушек на тропе, подхватила его для второй попытки — но поняла, что это не камень, а орех. Именно такими, твердыми, как камни, в зеленой кожуре, бывают недозрелые грецкие орехи. Конечно, на Дальнем Востоке они называются по-другому: маньчжурский орех. Вот это роскошное дерево, которое растет около тропы, этот самый орех. И оно просто усыпано плодами! Ольга таращилась на них с восторгом. Жаль, что высоко! И ей вряд ли удастся залезть. Если бы найти какую-нибудь длинную ветку, их можно сбить. Видимо, орехи еще не дозрели, если не падают. Надо, впрочем, проверить. Вот этот, который на тропинке валяется, разбить и попробовать, съедобно или нет. А чем разбить?

Она огляделась, пожала плечами, потом снова бросила орех на тропинку и с силой топнула по нему.

А не вышло. Орех всего-навсего вдавился в землю, но не разбился. Ольга потопала еще несколько раз, поняла, что ничего не выйдет, подняла орех и в сердцах зашвырнула его себе за плечо. И вскрикнула от боли: что-то сильно ударило ее в лоб.

Ничего себе! Откуда это прилетело?! Орех с дерева свалиться не мог, в смысле, орехом бы влепило в макушку, а не в лоб.

Она растерянно оглянулась, хотя оглядываться было, наверное, глупо: если бы кидали сзади, то прилетело бы по затылку, а тут в лоб.

Ну да, сзади не было никого, вернее, ничего, кроме Ольгиной тени, которая смирно лежала на дорожке, выжидая, когда ее хозяйка пойдет дальше. И посредине головы этой серой тени лежал зеленый орех. Как раз в том месте, где должен находиться лоб.

Так...

Ольга обошла тропинку по траве, подняла орех, повернулась лицом к тени и осторожно бросила орех на ногу тени.

Ого! Больно!

А ведь вчера, когда Гантимур нарочно наступил на ногу ее тени, Ольга ничего не почувствовала. И тогда он сказал: «Ты еще не стала частью этого мира!»

И что? Значит, теперь стала? Слилась с ним?

С каких это пор?

Не с минувшей ли ночи, когда она совершенно бесстыдно отдалась Гантимуру? Пусть мысли и чувства ее были с Игорем, тело-то принадлежало Гантимуру. Чувства чувствами, но неистовое наслаждение доставил Ольге именно он!

Ладно, надо это пережить. Было, да, но прошло. Забыть, забыть эту серую кошмарную ночь и сделать все для того, чтобы ничего не только не повторилось, но чтобы у Гантимура даже и мысли такой не возникло — повторить!

Хотя, судя по тому, как он ведет себя сегодня, вполне можно подумать, будто он больше всего обеспокоен тем, что Ольга захочет повторения!

Можно подумать, теперь Гантимур боится, что графиня повалит графа на диван и станет от него добиваться.

А за стеной в это время будут ковать чего-то железного.

Вернее, за деревьями...

Черт, черт! Да чтоб он пропал, этот Гантимур, почему Ольга все время о нем думает?..

А кстати, где он?

Ольга растерянно огляделась, всмотрелась в заросли, между которыми тянулась тропа.

Ее проводника в самом деле нигде не было.

Ольга ускорила шаги, потом побежала по тропе.

Да где Гантимур? Не могла же она так сильно отстать от него?

Конечно, Ольга его догонит, но не стоит так уж спешить, вылетать на него потной, растрепанной, перепуганной, с таким видом, будто ты потеряла невесть какое сокровище и уже отчаялась его найти.

Вообще можно не спешить. Гантимур должен, в конце концов, спохватиться, что столь необходимый ему для уничтожения мугдыкена страж высоты куда-то запропал, и отправиться на поиски. Наверняка он уже пустился в обратный путь и сейчас появится.

Вообще пора бы ему и в самом деле появиться, потому что смеркается. Еще вчера Ольга обратила внимание, что в этих краях день очень быстро сменяется так называемой ночью: только что было светло, и вот уже голубоватое небо стало серым, безликим, неживым, вокруг видно, но уже не так, как днем. Сумерки не сумерки, полупрозрачный сероватый кисель какой-то!

Ну где там Гантимур?

А если с ним что-то случилось? Вдруг на него напало какое-то неведомое чудовище? Или опять его позвал какой-нибудь амикан-медведь, оставаясь незримым для Ольги, как это было вчера?

Кстати, Гантимур так и не рассказал, чем окончилась его встреча с этим амиканом...

Ольга уже с беспокойством смотрела по сторонам. Тропа была видна, но куда заведет ее эта тропа без Гантимура? Что Ольга будет делать, оставшись в лесу совсем одна?

«Чтобы сбить человека с пути, леший превращается в сосну или ель, да еще нарочно путает стороны света: с севера у сосны сучья частые и короткие, с юга — длинные, а леший сделает наоборот! У елки с северной стороны мох, а леший представит иначе — вот человек и собьется с пути».

Так, опять звучит знакомый голос: кажется, Ольгушка пытается помочь советом... Но близ тропы нет хвойных деревьев: только осины, да черные березы, да аралия. Кстати, вообще неведомо, существует ли здесь понятие юга и севера. И пожалуйста, Ольгушка, не надо про лешего и его происки, и так страшно! Лучше подскажи, как дорогу найти!

«Чтобы не заблудиться в метель, надо переодеть башмаки с правой ноги на левую и с левой на правую, а потом нитку с завязанным на конце узлом положить на снег. Куда повернется ветром узел, там и спасительная дорога!» — провещал в голове наставительный голос.

Хороший совет, хороший! Практически выполнимый! Переобуться — дело нехитрое. Нитку можно выдернуть из неподшитого подола сорочки. Узел завязать — никакая не проблема. Одна незадача: нет ни метели, ни сугроба. Как бы лето на дворе!

Может быть, нитку надо положить просто на тропу? Все равно легкий ветерок повернет ее куда надо...

А куда надо Ольге? К мугдыкену?

Самой туда идти? Одной?!

Да где же Гантимур?!

Она продолжала растерянно озираться, как вдруг замерла. Показалось или в самом деле вдали, в стороне от тропы, видны сполохи огня?

Нет, не показалось! Там горит костер!

Понятно, значит, Гантимур все еще злится или что он там делает, гордыня не позволяет ему вернуться за отставшей Ольгой, поэтому он развел костер, чтобы показать ей, куда идти, в каком направлении.

Ольга прошла еще немного по тропе, но через несколько шагов с удивлением поняла, что эта утоптанная дорожка уводит ее от костра.

Странно. Вчера Гантимур зажег огонь буквально в двух шагах от тропы, а сегодня почему-то в чаще...

Кажется или костер как бы на небольшом холме разведен? А она-то думала, что рельеф Буни ровен и скучен, как это псевдоночное небо!

А может быть, это чужой костер горит? Не Гантимура?

Но чей тогда?

«Гантимур!» — хотела окликнуть Ольга, но, спохватившись, зажала рот рукой.

Нет. События минувшего дня научили ее осторожности. В ночи, пусть и не темной и не непроглядной, здесь все равно оживают призраки. Неизвестно, кто может отозваться на ее зов!

Ужас от воспоминаний о минувшей ночи заставил ноги заплестись, Ольга чуть не упала. Наконец уговорила себя все же свернуть с тропы в ту сторону, где весело метались языки пламени.

Ольга старалась идти как можно тише — просто на всякий случай, — однако трава шелестела под ее ногами, как нанятая, а самый маленький сучок трещал, будто давал сигнал тревоги всем лесным обитателям: зверям, людям, призракам...

А что это за странные звуки доносятся от костра? Настолько громкие, что заглушают даже ее неосторожные шаги?

Да ведь это рыдания! Честное слово! Кто-то плачет, громко, просто заливается, захлебывается рыданиями, голосит в отчаянии... И это не женщины — это мужчины плачут. Вернее, юноши — голоса молодые, ломкие.

Что же там такое происходит?

Теперь уже только несколько деревьев отделяли Ольгу от костра. Она раздвинула ветки — и замерла.

У огня сидели двое — примерно в такой одежде, какую носил Гантимур, только за плечи у них были закинуты ружья.

Охотники, значит...

Да, плечи-то у них были, и руки были, и ноги, вот только голов не было. На их месте зияли кровавые раны, словно головы эти были кем-то оторваны или откушены.

«Чем же они плачут, если у них нет ни голов, ни глаз, ни ртов?» — подумала Ольга, прежде чем ноги у нее подкосились и она почти в обмороке повалилась наземь.

Впрочем, сознания она не потеряла и смутно видела, как безголовые, заслышав (чем, ради всего святого, они могли слышать?!) шум ее падения, подскочили, завертелись тревожно из стороны в сторону (оглядывались, что ли?!) и наконец кинулись бежать в чащу. Чем дальше они удалялись от костра, тем менее отчетливы становились очертания их тел, и вот уже они не просто скрылись в сером сумраке, а словно бы истаяли в нем, как тает дым.

Прошло немало времени, прежде чем Ольга собралась с силами и поднялась на ноги. И еще какое-то время прошло, прежде чем она решилась приблизиться к костру.

Кто его развел? Эти безголовые или все же Гантимур? Как узнать?

И тут она увидела лежащие на земле колчан и лук Гантимура.

Значит, костер развел именно он! А эти безголовые притащились на огонек? Прилетели, как ночные бабочки на свет? И вчерашние кошмары появились именно около костра...

Может быть, их тоже приманил свет, а уж потом они почуяли «запах возбужденной самки», как нагло выразиться Гантимур?

Ольга фыркнула от неутихающей злости.

Как он смел так говорить с ней? Как он смел сделать то, что сделал потом? Как он смел разжечь здесь огонь и уйти, зная, что невесть какая нечисть может к этому огню притащиться?!

Но он оставил лук и стрелы — наверное, чтобы дать Ольге знать: это его костер. Может быть, он пошел искать ее?

Странно, почему не кричал, не звал? Или опасался, что на зов откликнутся еще более ужасные твари, чем эти безголовые, которые так отчаянно, так горько, так жалобно рыдали?

И вдруг Ольга ощутила чей-то взгляд. Кто-то смотрел на нее. Смотрел пристально, не сводя глаз.

Кто-то прятался за деревьями....

Совершенно так же было вчера! Она сначала ощутила чужие взгляды, а потом появились эти...

Кто появится сейчас?

Ольга уже привыкла, что ее глаза способны видеть довольно далеко в том мутном сумраке, который заменял здешним обитателям ночь, стоит только стать спиной к костру, чтобы не слепил огонь, — однако на сей раз никого не увидела, сколько ни всматривалась.

— Кто здесь? — спросила, настороженно оглядываясь. — Кто это? Опять вы, безголовые? А ну пошли отсюда!

— Не бойся дылэ-ачин, безголовых, — прошелестел совсем близко женский голос. — Они безобидны! Все зло, которое они могли совершить, они уже совершили, и за это страшно наказаны. Еще недавно это были просто тэлэн — охотники. Однако были они молоды и глупы. Не на промысел ходили в тайгу — безобразничать. Стреляли в кого попало. То соболя подстрелят, который не перебрался еще, то белку голую[1]. Бранили их, даже колотили взрослые, но эман, эман — без толку все! А однажды повстречалась им энекан — медведица с медвежатами.

---

[1] То есть зверей, у которых еще не кончилась линька, с плохим качеством шерсти, бесполезных для промысла. Отстрел таких зверей считается у охотников бессмысленным убийством.

Она-то убежала, а медвежата на дерево залезли. Эти два глупые тэлэн их убили, а шкуры домой притащили. Гордились, хвастали. А потом пошли снова в лес да пропали. Долго не возвращались, уже искать их начали. Наконец кое-как отыскали два тела без голов. Наверное, энекан их подстерегла, сразу их обоих подмяла, головы им оторвала да и зарыла где-нибудь. Отомстила!

Ольга слушала этот монолог, сжавшись от страха, обхватив себя руками, словно пыталась удержаться на месте и не броситься в бегство. Почему-то этот бестелесный голос напугал ее больше, чем появление безголовых, чем даже вчерашнее явление сексуально озабоченных уродов! Их она хотя бы видела, а эта женщина, которая с ней говорит, — незрима. Кто она? Откуда взялась?

И вообще, еще не факт, что это женщина...

— Позволь мне подойти к твоему костру и вдохнуть дыма, — снова зазвучал бестелесный голос. — Тогда призрак обретет облик, тогда ты сможешь увидеть меня. Ведь мне есть о чем тебе сказать!

Ольга ошеломленно молчала.

Вот, значит, в чем дело! Если местные обитатели вдыхают дым костра, разожженного человеком, они становятся ему видимы, даже если он о них и думать не думал. Именно поэтому Ольга увидела этих горемычных безголовых, рыдавших у огня. Значит, вполне может быть, что вчерашние маньяки возникли, именно вдохнув дым костра, а не на этот самый запах, о котором так мерзко выразился Гантимур.

— Хорошо, — прошелестел между тем голос. — Если ты не позволяешь мне появиться, я уйду. Но тогда ты не узнаешь того, что обязательно должна узнать!

— А зачем тебе мое разрешение? — наконец решилась заговорить Ольга. — Прочие местные чудища обходились без церемоний!

— Я не чудовище! — В голосе зазвенела обида. — Я была красавицей, пока меня не убил мой муж. Но теперь на моей груди зияет кровоточащая рана. Я говорю об этом, потому что не хочу, чтобы ты испугалась меня.

Ой, нет, не хотела Ольга эту незнакомку видеть, не хотела! Тем более — с кровавой раной в груди. Работая на «Скорой», насмотрелась она ранений! И колотых, и резаных, и рубленых, и уже засохших — на трупах, и кровоточащих — на телах еще живых людей. Но Ольга чувствовала, что незнакомка так просто не отвяжется, а слушать ее бестелесный голос было страшно, очень страшно.

Даже страшней, чем видеть трупы...

Разрешить, что ли, неизвестной женщине-призраку вдохнуть этого дурацкого дыма? Хотя слово «вдохнуть» по отношению к призраку звучит, мягко говоря, странновато и парадоксально.

А не странновато ли и не парадоксально ли звучат по отношению к призракам слова «сексуальное неистовство»?..

Нет, лучше об этом не вспоминать.

Хоть бы Гантимур скорей вернулся! Пусть злится, пусть отводит глаза, пусть строит из себя невесть что, пусть тащит Ольгу во все мировые битвы со всем мировым злом в мире — только бы вернулся, наконец!

— Ая, ладно! Если ты не хочешь меня видеть, тогда слушай только голос мой! — снова заговорила женщина. — Я должна успеть сказать тебе это до прихода Гантимура.

Сердце стукнуло так, что Ольга схватилась за грудь.

Почему незнакомка так спешит? Чем опасен для нее Гантимур? Откуда она его знает?

Неужели?..

Да нет, не может быть!

— Как тебя зовут? — спросила Ольга, уже предвидя, впрочем, каким будет ответ.

— Хунту-аси.

Ольге почудилось, будто незримая и незваная гостья шарахнула ее по голове чем-то очень тяжелым. Даже в ушах зазвенело.

И сразу вспомнилось...

«— Была одна женщина. Она подло обманула меня. Но я ей ничего плохого не сделал. Не стал мстить. Ушел от нее, вот и все.

— Как ее зовут?

— Хунту-аси...»

— Хунту-аси! — бессмысленно повторила Ольга. — Хунту-аси!

— Ты слышала это имя? — В бестелесном голосе появилась настороженность.

— Ты была женой Гантимура, Хунту-аси?

— Да.

— Он сказал, что ты обманула его и он просто ушел от тебя!

— Это ложь, ложь, ложь! Он убил меня!

Чудилось, даже воздух зазвенел от горя и ярости, которые зазвучали в этом крике!

— Почему?! За что?! — Ольга тоже не удержалась от крика.

— За то, что я не соглашалась стать сэксэчи ваптын, — прозвучало в ответ.

— Это еще что такое?! — прохрипела Ольга. — Я не понимаю! Я не знаю вашего языка!

— Это значит... — начала было Хунту-аси, но осеклась: — Тише! Слышишь? Он возвращается! Я должна уйти! Не выдавай меня, и я вернусь.

— Ольга! — раздался неподалеку голос Гантимура. — Где ты? Отзовись!

— Будь осторожна! — донесся едва слышный шепот, и Ольга ощутила, что снова осталась одна у костра.

Сэксэчи ваптын? Она не хотела быть сэксэчи ваптын? Что это значит?

Сэксэчи... это слово как-то связано с сексом? Хунту-аси отказывалась исполнять какие-то извращенные сексуальные желания Гантимура и была за это убита?

Ольга зажмурилась.

Минувшей ночью исполняла ли она извращенные сексуальные желания Гантимура? Стала ли для него сэксэчи ваптын?

— Ольга! — снова послышался голос Гантимура, и через минуту он проломился к костру сквозь заросли, как разъяренный медведь.

Амикан, выражаясь по-тутошнему.

* * *

— Куда ты пропала, будто Агды тебя поразил? — заорал Гантимур, не успев и дух перевести. — Я же ясно сказал: не отставай от меня!

Ах, он же ясно сказал!!!

Ольга так и вспыхнула.

— Я не способна нестись по тайге с такой скоростью, как ты! — заорала она в ответ. — Я бежала, кричала, звала тебя, но ты мчался, как наскипидаренный! И в конце концов исчез!

Гантимур растерянно моргнул.

— Что это значит — мчался как наскипидаренный? — спросил растерянно, значительно сбавив тон.

— Скипидар — это особое масло, добываемое из живицы сосны, применяется в медицине для снятия болей в спине, например от ревматизма, от болей в суставах, — оттарабанила Ольга. — Масло жгучее, натертую им кожу жжет будто огнем. Человек места себе не находит. Если какому-нибудь бедолаге приходится натереть скипидаром ноги, он приплясывает от боли, а когда скипидар попадает на пятки, человеку кажется, что он наступил на раскаленные угли. Он подпрыгивает, подскакивает, бежит со страшной скоростью — как наскипидаренный, словом.

— Ну надо же, не знал! — удивился Гантимур. — Смешно... Но я не собирался от тебя убегать, как наскипидаренный, не собирался тебя бросать, клянусь. Просто я был... зол. И не хотел ни о чем разговаривать. Ты тоже, да?

Ольга пожала плечами, отвела глаза.

Темное пламя любви

Неужели он сейчас начнет выяснять отношения? Обсуждать то, что между ними произошло? Намекать, что хочет опять того же, но чтобы теперь Ольга была с ним, а не с кем-то другим? Дескать, не намерен быть просто фаллоимитатором, желаю подлинных чувств! Или, наоборот, вдруг как ляпнет: «Не обращай внимания, это ничего не значит для меня, да и для тебя тоже, я все прекрасно понимаю. Мы по-прежнему боевые товарищи, соратники в борьбе! Давай пожмем друг другу руки и забудем это недоразумение!»

Чего ты больше всего боишься, Ольга-Ольгушка? Вернее, сама ты чего больше всего хочешь от Гантимура?..

— А что такое Агды? — быстро спросила она, чтобы отвлечь внимание.

— Не что, а кто, — буркнул Гантимур. — Бог грома и молнии. О чем я говорил? Ты меня сбила!

«Чего я и добивалась!» — подумала Ольга и вежливо напомнила:

— Ты говорил, что спешил, а я от тебя отстала.

Он фыркнул и продолжал:

— Я поднялся на холм, чтобы оглядеть окрестности, и вдруг увидел лодку на берегу Энгдекита. Я был потрясен. Никто из здешних обитателей не поплывет по этой реке. Не отважится! Рыбу ловят в других местах. На этой лодке мог приплыть только шаман.

Ольга замерла.

«— ...Как ее зовут?

— Хунту-аси. Это значит «другая женщина». Ее родители были шаманами, и они знали, что у них родится дочь, которая будет не такой, как все остальные женщины. Поэтому ее так и назвали...»

Раньше Гантимур говорил, что в верховьях Энгдекита живут шаманки, которые уходят туда после смерти.

Может быть, на этой лодке приплыла оттуда Хунту-аси, чтобы предупредить Ольгу об опасности?

Хотя странно, что призраку для перемещения нужна вполне материальная лодка. Облик человеческий Хунту-аси принять не может, не вдохнув дыма от костра, а лодка ей нужна!

Но, возможно, лодка не ее? Или даже призраки не умеют просто так плавать по шаманской реке Энгдекит?

Это ужас какой-то... Ольга все никак не постигнет законов этого мира, частью которого уже стала! Вынуждена с ними смиряться, но не понимает ничего, ничегошеньки! То, что происходит здесь, идет вразрез со всем тем, как она раньше представляла себе и загробное царство, и правила, по которым оно существует!

Да бес с ними, с этими правилами, век бы их не постигать, не знать их, вообще о них не думать!

— Мне надо было эту лодку немедленно осмотреть: цела ли, можно ли на ней пересечь реку, — донесся до нее голос Гантимура. — И если бы она оказалась исправна, ее нужно было поскорей перепрятать, чтобы не явился ее владелец и не уплыл на ней туда, откуда явился. Ждать или искать тебя у меня не было времени. Поэтому я и развел костер рядом с этим холмом, надеясь, что ты его увидишь и подойдешь к нему. Так и случилось. А теперь нам надо уходить отсюда.

Гантимур подхватил с земли лук и колчан.

— Почему? — удивилась Ольга. — Почему мы должны уходить?

— Потому что я не смог перепрятать лодку! Пока я шел к ней, ее отнесло волнами на другой берег. Мне придется плыть за ней.

— Как? — удивилась Ольга.

— Ну как плавают? — пожал плечами Гантимур. — Загребают руками, бьют по воде ногами... Не приходилось видеть?

— Очень остроумно! — фыркнула Ольга. — А тебя течение не унесет к шаманкам или на берега обычных людей?

— Меня — нет, — бросил Гантимур. — Я знаю особые заклинания для усмирения воды. Но хватит болтать, пошли. Только не отставай, очень тебя прошу! У нас нет времени на то, чтобы бегать друг за другом по тайге.

Он повернулся и пошел, лавируя между деревьями. Ольга строптиво помедлила было, но когда Гантимур бросил на нее через плечо короткий сердитый взгляд, сорвалась с места и поспешила следом.

Гантимур держится так, будто между ними ничего не произошло. Вот и отлично. Лучше избегать ненужных нюансов в общении. Деловое или боевое содружество, и точка!

Если уж Ольге не избежать участия в операции по спасению мира, надо провести это время без скандалов со своим соратником... от которого, не вредно себе об этом периодически напоминать, зависит и спасение Игоря, и собственное возвращение в мир живых. Что же касается мира мертвых, а точнее того, что сказала Хунту-аси... Интересно, почему это Ольгу так уж напрягло? Муж убил жену, да. А разве ее саму не хотел убить муж? И почти убил! Причем совершенно ни за что. Правда, с помощью Гантимура выяснилось, что Игорь не так уж виноват: он был просто одурманен порчей. А Гантимур? Возможно, он тоже был чем-то одурманен? Или пресловутое сэксэчи ваптын так же далеко от сексуального извращения, как мир живых от мира мертвых? Откуда Ольге знать, что это такое? Может быть, нежелание стать сэксэчи ваптын — и вправду какое-то страшное злодеяние? Хотя звучит все-таки похоже на секс!

Спросить разве Гантимура? Просто спросить, как бы между прочим?

А если он, в свою очередь, спросит, откуда Ольге известно это выражение? Тут уж не отоврешься: мол, где-то прочитала! Сказать, будто от кого-то слышала? Но от кого она могла слышать что-то по-эвенкийски, кроме как от Гантимура? От кого-то другого? Последует вполне закономерный вопрос — от кого, и Гантимур не отцепится, пока не выпытает, кто именно просветил Ольгу. Не исключено, кстати, что эти два слова имели значение только для Гантимура и Хунту-аси, так что он сразу поймет, откуда Ольга набралась новых знаний! И если это в самом деле имеет отношение к сексу, то в такие тонкости лучше не вламываться с лошадиной деликатностью, а то нарвешься-таки на нежелательное выяснение отношений. Так что лучше на время успокоиться, унять свое любопытство и перевести дух.

Ольга именно это и сделала — и невольно сморщилась. К ставшим уже привычными ароматам тайги примешивался отчетливый дух гниения...

Нет, даже не гниения, а разложения! Запах мертвечины, попросту говоря.

Строго говоря, запах мертвечины в царстве мертвых не должен был бы так уж сильно удивлять, однако Ольга все-таки удивилась. Ведь раньше этого не чувствовалось — только в самом начале их с Гантимуром пути, около дерева-лестницы. А здесь неподалеку бежит река Энгдекит, бросающая отблеск жизни на весь окружающий мир...

Да вот не на весь, как выясняется!

Пахло, точнее сказать, воняло все сильнее. Похоже было, что где-то совсем рядом разлагается чей-то труп.

Неужели Гантимур ничего не чувствует? Или так и должно быть? Но почему эта вонь вызывает у Ольги не только отвращение, но и страх?

Она приостановилась, огляделась.

Неподалеку стояла лиственница с длинными ветвями, опушенными мягкими зелеными иголочками, — стройная, красивая, как бывают красивы все лиственницы летом. Жаль, что они так невзрачны и даже уродливы зимой... Кажется или в самом деле зловоние исходит именно с той стороны?

Ольга осторожно подошла к дереву, осмотрелась, наклонилась, но ни за деревом, ни у корней не обнаружила никакой падали. Подняла голову, взглянула на ствол, на котором было что-то вырезано ножом, — и обмерла.

* * *

...Дверь распахнулась. На пороге стоял какой-то человек, и был он самым красивым из всех, которых Ольгушка видела в жизни.

Ах, какими же яркими были его зеленые глаза, как они сияли! Черные брови сходились на переносице, оттеняя бледность лица, лишенного румянца. Зато губы были яркими, алыми, что у девицы. Черные волосы волнами спускались на широкие плечи. Одет он был во что-то зеленое, шубу, что ли, да в черные сапоги, но ни одежду, ни обувь его разглядывать Ольгушке было некогда, потому что глаза ее как приковались к лицу красавца, так и не могли от него оторваться...

* * *

— Что с тобой? — раздался рядом встревоженный голос. — Что с тобой?!

Кто-то схватил ее за плечи и с силой тряхнул.

Ольга с трудом отвела глаза от изображения, вырезанного на стволе лиственницы, и покосилась на человека, который стоял рядом и кричал на нее.

Ага, это Гантимур...

— Что с тобой? — заорал он снова. — Ты что, оглохла? Что с тобой?!

— Ты что, не видишь ничего? — с ужасом спросила Ольга.

— Чего я не вижу?! — взревел он. — Где?!

Ольга ткнула пальцем в ствол.

Гантимур всмотрелся в рисунок:

— Ну да, рожа какая-то изображена. Наверное, здесь неподалеку был убит амикан — медведь. Каждый, кто на это решается, спешит отвести от себя вину. Боится, что дух медведя будет мстить. Поэтому изображает на коре ближайшего дерева какую-нибудь рожу и говорит, тыча в нее пальцем: «Амикан, дедушка, это не я тебя убил — этот вон тот человек!» А когда медвежатину потом ест, приговаривает: «Оли — кук!» Мол, это ворон — оли — твое мясо ест и кричит при этом: «Кук!»

— Значит, ты видишь просто какую-то рожу? — зло спросила Ольга. — А я вижу демона!

— Какого еще демона? — насторожился Гантимур.

— Того, который погубил Ольгушку!

— Успокойся, — попросил Гантимур. — Тебе мерещится.

— Да ты что, ослеп?! — вскричала Ольга, которую била дрожь.

— Или я ослеп, или тебе мерещится, — пожал плечами Гантимур. — Одно из двух. Я точно не ослеп. Я вижу тебя, вижу лиственницу, вижу рисунок. Это просто рожица. Довольно уродливая, конечно, но на древесной коре острием ножа рисовать нелегко.

Он не договорил — Ольга вцепилась в его руку.

— Что? — спросил Гантимур, настороженно оглядываясь.

— Вон там... — пробормотала она. — Там — волк!

— Ну, это не страшно, — усмехнулся Гантимур. — Ни эвенк не трогает своего брата иргичи, волка, ни волк не трогает своего брата эвенка.

— Да это не волк, а оборотень! — вскричала Ольга.

— Чепуха! — отмахнулся Гантимур. — Какой оборотень? Иргичи не может быть оборотнем!

— Волк не может быть оборотнем?! — невольно расхохоталась Ольга. — Да это первейший зверь, в которого колдун оборачивается! Через нож перекинулся, тирлич-травой, зельем оборотней, натерся — и сделался волком. А то и просто оземь удариться можно. Вообще же оборотень способен стать кошкой, собакой, совой, петухом, ежом, клубком ниток, кучей пакли, овчиной, камнем, копной сена... да чем угодно! Даже в глубине проточных вод, а особенно часто — в омутах можно увидеть оборотней, принявших образ рыб: они обыкновенно хвостом против течения стоят, а не по течению, как настоящая рыба.

Ольгушка говорила голосом Ольги, Ольгушка подсказывала Ольге эти слова, а Ольгу трясло от страха, который чувствовала и она сама, и Ольгушка.

Похоже, это произвело впечатление на Гантимура.

— И где этот волк? — растерянно огляделся он. — Что он делает сейчас?

— Он приближается к нам! — следя глазами за каждым движением зверя, говорила Ольга. — Он пользуется тем, что твои соплеменники не трогают волков! Он готов броситься на нас!

Гантимур выхватил из колчана стрелу, натянул тетиву лука, поворачивался, держа стрелу наготове.

— Ну? — спросил наконец. — Где он? Покажи, куда стрелять?

Ольга недоверчиво взглянула на стрелу.

Темное пламя любви

«Прикончить Коровью Смерть, так же как и другого злобного оборотня, можно, если выстрелить в нее из лука стрелой, кончик которой свечным воском обмазан», — прозвучал в памяти знакомый голос.

— Обычной стрелой оборотня не поразишь, — быстро сказала она. — Ее конец должен быть воском покрыт. Воском от той свечи, что пред иконами зажигают.

— Где же мне такую свечу взять? — раздраженно огрызнулся Гантимур.

Ольга прикрыла глаза, вспоминая.

* * *

...Вот Ольгушка решилась идти на колокольню и ищет ключ от нее. А ключ от двери отец Каллистрат всегда за божницу прятал.

Она сунулась туда, но, когда доставала ключ, пальцы ее наткнулись на свечечки, которые про запас были положены там же. Ольгушка подумала, взяла одну из них, зажгла огонек от лампадки, что горела у божницы. Небось со свечкой надежней от силы нечистой обороняться!

С трудом сдвинув заботливо задвинутые засовы, откинув заботливо накинутые крючки, отперла дверь и вышла на крыльцо.

Тишина в деревне, какая тишина! Но это не мирная сонная тишь. Словно бы разом онемел весь мир. Не зря говорят, что во время владычества злых сил даже петухи и собаки хрипнут, теряют голос.

Ох, как стеснилось у Ольгушки сердце! Показалось, и небо какое-то мутное, и луна потускнела, и воздух сгустился... душно, жутко! Но вдруг налетел откуда ни возьмись ветерок и погасил свечечку. Будто нарочно кто-то на нее дунул!

А что, возможно, так оно и есть. Мало ли где притаился Демон!

Разве что воротиться, сызнова свечку запалить? Нет, тогда пути не будет. Да и говорено умными людьми: «Проклятье тому, кто посмотрит назад!»

Ольгушка опустила огарочек в глубокий карман юбки, перекрестилась и, стараясь не глядеть по сторонам, чтобы не увидеть Демона, не перепугаться и не броситься обратно, перебежала дворик, приближаясь к колокольне...

* * *

Ольга сунула руку в карман юбки. Огарочек на месте! Вот и пригодился!

Вытащила его, подала Гантимуру:

— Держи. Вот тебе воск от церковной свечи!

Тот недоверчиво повел бровями, но спорить все же не стал: разломил свечечку сильными пальцами, один кусочек сунул в карман, другой размял как следует, налепил воск на конец стрелы, вновь натянул тетиву лука.

Повел оружием вокруг:

— Ну? Где теперь волк? Ты его видишь?

Ольга вгляделась в заросли и с облегчением воскликнула:

— Он исчез! Он испугался стрелы, воском обмазанной!

— Серьезно? — хмыкнул Гантимур. — Любой зверь испугается, когда увидит направленную в него стрелу, даже не обмазанную воском! Для этого необязательно быть оборотнем. Так что успокойся. Это был самый обычный волк! Теперь он затаил на меня обиду за то, что я целился в него, в своего брата!

Ольга едва слышала его слова. Запах падали становился все сильнее, сердце заходилось от страха, дыхание перехватывало.

— Посмотри на траву! — вскрикнула она. — Видишь? Видишь? Видишь, она выдрана?

Гантимур неохотно наклонился, всмотрелся, пожал плечами:

— Ну да, наверное, какая-то птица с большими когтями оказалась здесь и выдрала клочья травы.

— Ты что, ополоумел?! — взвизгнула Ольга. — Если у птицы такие когтищи, у нее и крылья должны быть двухметровые, никак не меньше! Как может такая птица залететь в середину тайги, не переломав ни веточки на деревьях? Посмотри вокруг! Ты только посмотри! Как это возможно?!

Ольга не без злорадства увидела несказанное изумление на лице Гантимура.

— Правда, — промямлил он, озираясь и явно не веря своим глазам. — Что же это такое? Ты раньше видела такие следы?

Видела ли она?..

* * *

Их Ольгушка видела, когда однажды вышла чуть свет скотину покормить и, возвращаясь, заметила под окошками какие-то странные следы на земле. Напоминали они куриные, но кур на ночь всегда запирали, к тому же были эти следы гораздо больше куриных. Смотрела на них Ольгушка, смотрела, гадала, какая же огромная птица могла их оставить, не порушив своими крыльями все вокруг, как вдруг вспомнила, что говорят люди о следах, которые появляются в Великий четверг на Страстной неделе перед Пасхой. В этот день с утра православные жгут солому и окликают при этом по именам своих родных покойников, поминают их едой и питьем, топят баню, сыплют золу на пол и призывают: «Мойтесь!» А наутро можно увидеть на золе следы, похожие на птичьи: следы навий. Навьи — это духи мертвых: они обитают в мире своем недвижимыми, но откликаются на мысли о них, а поминки — это ведь воспоминание о мертвых, поэтому неудивительно, что следы навий возникают именно после поминок...

А потом, когда Демон явился к своей несчастной матери, Ольгушка от страха перед ним перекрестилась, и его словно какой-то неведомой силой отбросило к стене! Он не удержался на ногах, упал... ноги его мелькнули в воздухе, и Ольгушка глазам не поверила, увидев, что вместо ног у него птичьи лапы троепалые размером в человечью стопу. Птичьими лапами ноги его заканчивались!

Так вот кто оставил следы под окном, догадалась тогда Ольгушка...

Задыхаясь от волнения, испуганно поглядывая по сторонам, Ольга пересказала эти старые воспоминания Гантимуру, и из его глаз исчезло наконец выражение недоверия, он встревожился всерьез.

Всмотрелся в ствол лиственницы, на который был нанесен неуклюжий рисунок, — и покачал головой:

— Я по-прежнему не вижу того, что видишь ты, но меня настораживает, что рисунок сделан именно на коре лиственницы. Она твердая, ее трудно взять ножом. Рядом осина стоит, на которой что угодно начертить куда легче...

Ольга ничего не могла сказать — с трудом сдерживала рвотные спазмы, потому что зловоние становилось все сильнее, все нестерпимее. Но Гантимур на это не реагирует. Неужели он не чувствует ничего?! А ведь со стороны лиственницы так и разит! Она с отвращением покосилась туда — и обмерла.

С древесного ствола на нее снова смотрели зеленые глаза Демона, но теперь они были лишены век, а лицо казалось обугленным. Нет, оно было не обугленным, а сгнившим! Черная кожа отслаивалась от мяса, висела клочьями. Вдруг шевельнулся провалившийся рот, обнажив кривые звериные клыки, распялился в ухмылке...

— Стреляй! — крикнула Ольга, ткнув в сторону лиственницы, и в то же мгновение из ствола выступил череп — желто-зеленый, с клочьями черных волос. Потом показалась шея, плечо, начала высовываться рука, потянулась к Ольге...

В тот же миг пронзительно свистнула стрела, вонзилась в зеленый глаз, глубоко уйдя в середину черепа, — и сразу все исчезло: и жуткое видение, и омерзительный запах, и пугающие следы на траве, — остался только голый, потрескавшийся древесный ствол с ободранной корой и пучком сухих веток на макушке. Из него торчала до половины вонзившаяся в древесину стрела.

Но мгновение назад здесь стояло красивое стройное дерево, покрытое зеленой хвоей!

У Ольги подкосились ноги — она так и села, где стояла. Рядом замер Гантимур, не сводя глаз со все еще подрагивающего кончика своей стрелы.

Оба молчали.

— Это мугды подавал знак, — пробормотал наконец Гантимур, рывком подняв Ольгу на ноги. — Он знает о наших намерениях. Не случайно он выбрал именно лиственницу для того, чтобы появиться. Ведь мугдыкен — это и есть сухая лиственница, а не какое-то другое дерево. Мугды убил бы нас уже здесь, если бы не ты, страж высоты!

— Если бы не Ольгушка, — покачала головой Ольга. — Это ее память! Если бы не она, я бы ничего не почувствовала, ничего не увидела...

«Как ничего не увидел ты», — чуть не добавила она, однако милосердно удержала эти слова на самом кончике языка.

Покосилась на Гантимура.

Тот выглядел как прежде — сосредоточенным и самоуверенным. Быстро же он восстановился после такого щелчка — нет, пинка, вот именно, увесистого пинка по самолюбию, который только что получил!

А вообще это странно... очень странно! Но не стремительная реабилитация Гантимура удивляла Ольгу — это-то как раз было вполне в его характере! — а то, что первой заметила оборотня именно она, а не этот профессиональный борец с мугды.

Конечно, сообразила она, что это именно Демон, благодаря Ольгушке, а все же именно Ольга учуяла запах мертвечины, который и заставил ее насторожиться.

Почему? Что это значит? Или она до такой степени слилась с этим миром, что стала даже зорче Гантимура?

Она подняла голову и наткнулась на его насторо-женный взгляд.

Неужели Ольга ошиблась и в броне его самоуверенности все же пробита брешь? Уж очень странное у него выражение лица!

— Тебе лучше? — спросил Гантимур. — Мы должны идти, понимаешь? Ты сможешь?

Ах вот оно что! Мугдыборец всего-навсего опасается, не обезножела ли от страха его боевая подруга!

— У меня был приятель, который на такие вопросы отвечал одно и то же: «Разве хочешь? Надо!» — вздохнула Ольга.

— Тогда пошли, — скомандовал Гантимур. — Но не отставай. И приготовься к тому, что тебе придется меня подождать в одиночестве. Я поплыву за лодкой, а ты останешься на берегу.

— Слушаюсь, товарищ командир, — пробормотала Ольга.

* * *

Однако она все же переоценила свои силы! Когда дошли до высокого берега Энгдекита, Ольга уже еле плелась, почти не чувствуя ног. Поспать бы...

Гантимур, однако, оказался внимательней, чем можно было ожидать. Развел огонь, нарубил ножом мелких веток, нарезал травы и устроил для Ольги вполне мягкое ложе.

— Отдохни, — сказал, осторожно коснувшись ее плеча. — Я вернусь.

Ольга нахмурилась:

— А что, возможны варианты?

— Какие могут быть варианты, кроме победы? — ухмыльнулся Гантимур. — А для этого мне обязательно надо вернуться!

И подошел к краю обрыва.

Ольга встала рядом. Посмотрела вниз.

Быстрый поток то тут, то там кружил водовороты.

— А где лодка? — напряженно вгляделась она в даль.

— Ее отнесло течением, я же говорил, — ответил Гантимур, кладя на землю лук и колчан, расстегивая пояс и опуская его рядом. — Думаю, прибило к тому берегу.

Ольга вгляделась. Небо над Энгдекитом было более темным, чем над лесом, и противоположный берег реки, который днем был виден довольно ясно, терялся во мгле.

— А если не прибило, тогда что? — заикнулась Ольга.

— Тогда я выберусь туда, немного передохну и поплыву дальше. Где-нибудь лодка да окажется! — беззаботно сказал Гантимур.

— А если на ней уплыл ее хозяин? Сначала приплыл сюда, оставил лодку, потом вернулся — и уплыл? Тогда что?

— Он не возвращался, — буркнул Гантимур. — Когда я наткнулся на лодку, от нее шли следы. И вели они в лес. Обратно они не возвращались. Значит, не возвращался и тот, кто их оставил. Он по-прежнему здесь.

Ольга взглянула на него с ужасом:

— И ты так спокойно мне об этом сообщаешь?! А ты знаешь, что это за хозяин такой? Ты говорил, что по Энгдекиту могут плавать только шаманы. Может быть, это злой шаман? Или оборотень?! Какой-нибудь сторонник мугды — разве это невозможно? А вдруг он на меня нападет? И вообще, мало ли какой зверь захочет на меня наброситься? Из лука я стрелять не умею...

— Вспомни Ольгушку, — спокойно ответил Гантимур. — Она вышла против Демона совершенно безоружная. У тебя же остается мой нож. Однако не бойся, ничего с тобой не случится!

И Гантимур, бросив на Ольгу короткий прощальный взгляд, прыгнул с обрыва. Тело его вонзилось в воду, слегка изогнувшись, взлетели брызги, по волнам пошли пузыри, закружились и исчезли в водовороте.

Ольга смотрела вниз. Гантимур не появлялся.

— Ну, ну... — бессмысленно шептала она, ломая переплетенные пальцы. — Ну?! Где ты?!

Что же случилось? Почему его не видно? Или он поплывет под водой? Но он же говорил, мол, будет загребать руками, работать ногами...

Да где он там?! А если спину сломал?! Его нож пригодится Ольге только для того, чтобы перерезать себе горло, чтобы не мучиться в этих жутких краях!

Ольга машинально вынула нож из чехла, попробовала лезвие ногтем — и вскрикнула, но не от боли, а от изумления: лезвие оказалось не металлическим, а костяным! Острым, крепким, но не стальным.

Очень мило! Какое-то первобытно-общинное оружие! Здешняя экзотика!

А впрочем, металлу тут не место. Ведь его боятся все призраки и оборотни, а в Буни обитают сплошные призраки и оборотни. Даже они с Гантимуром невесть кто, только не живые люди...

Но Гантимур-то где?!

Бросив испуганный взгляд на реку, Ольга вздохнула с облегчением: Гантимур вынырнул, слава те господи, и плывет вразмашку туда, где кроется во мгле противоположный берег. Скоро и пловец скрылся в сумраке.

Ольга рассеянно помахала вслед, спрятала нож и побрела к костру.

Вот теперь силы иссякли полностью и окончательно. Их не осталось даже на то, чтобы сидеть.

Она прилегла на охапке травы, свернулась калачиком, закрыла глаза, слушая, как потрескивают ветки в костре, а внизу, под обрывом, плещут волны Энгдекита.

Интересно, скоро ли вернется Гантимур? Нашел ли он лодку?

Ольга думала, что заснет мгновенно, лишь только закроет глаза, но усталость оказалась слишком велика, чтобы можно было сразу провалиться в сон. Он подступал, отступал, вновь возвращался, навевал легкую дрему, и вот сквозь туман проступило чье-то бледное лицо и раздался шелестящий шепот:

— Не бойся меня, его берегись! Не верь ему!

Ольга вскинулась, резко села, тряхнула головой, не вполне понимая, во сне это происходит или наяву, — и тут же вскочила, ошалело уставившись на необыкновенно красивую молодую женщину: правда, слишком бледную, но с яркими алыми губами, поистине соболиными бровями и удлиненными черными глазами. Одета она была в длинное свободное черное платье и в безрукавку, отороченную серебристым мехом. На лоб низко надвинута голубая шапочка, с краев которой во множестве свешивались тоненькие косички из светло-коричневой, красной, черной кожи. Они сплетались с двумя длинными, толстыми черными косами, перекинутыми на грудь красавицы, но даже эти косы не могли прикрыть страшную кровавую рану под левой грудью. Из этой раны торчала рукоять какого-то странного ножа.

Теперь Ольга узнала незваную гостью!

— Хунту-аси! — вскричала она. — Это ты?!

— Да, ты угадала, — кивнула красавица. — Прости за то, что осмелилась вдохнуть дым твоего костра без позволения. Я боялась, что ты не захочешь слушать голос бестелесного призрака, и решила показаться тебе. Теперь ты видишь, что со мной сделал Гантимур за то, что я не хотела стать сэксэчи ваптын.

— Пожалуйста, не вмешивай меня в ваши личные отношения, — огрызнулась Ольга, решив ни за что не показывать бывшей жене Гантимура, что вообще не понимает, о чем речь. — Не захотела, так не захотела, при чем тут я? Чего тебе от меня надо?

— Я могу уйти, если ты не хочешь слушать, — слабо улыбнулась красавица. — Но неужели тебя не пугает, что Гантимур ведет тебя на гибель?

Сердце больно стукнуло.

— С чего ты взяла? — с вызовом спросила Ольга. — Мы должны уничтожить мугдыкен. Конечно, это опасно, но что делать?!

— О да, я знаю, — вздохнула Хунту-аси. — И даже знаю, что нужно для того, чтобы вам с Гантимуром удалось это сделать.

— Ну? — хмуро спросил Ольга, уже зная, какой будет ответ.

Угадала!

— Сэксэчи ваптын, — ответила прекрасная гостья. — Без этого у вас ничего не получится. И кому-кому, а Гантимуру это хорошо известно!

— Значит, придется пойти стать этой самой сэксэчи ваптын, — пожала плечами Ольга. — Не пойму только, твоя забота какая? Тебе это почему спать в могиле спокойно не дает?

Ольга сама удивилась своей грубости. Но эта назойливая красотуля вызывала у нее совершенно неистовое отторжение!

«Может, я просто ревную?» — подумала она и так возмутилась этой догадкой, что даже головой замотала: нет, мол, нет!

В самом деле, какой толк ревновать к призраку, к женщине, которую Гантимур убил за... ну, ясно за что, в смысле, неясно, да и ладно, пусть это останется между Гантимуром и его бывшей женой.

И тут Ольга спохватилась: о чем это она? С чего ей вообще ревновать Гантимура к кому бы то ни было?! У нее нет на это ни прав, ни желания, ни поводов.

Да хоть бы эти поводы были, она не может, не должна его ревновать!

— Ты не в ладах сама с собой, — слабо усмехнулась Хунту-аси, не сводя с Ольги внимательных черных глаз. — Но напрасно спорить со своим сердцем. Ты уже принадлежишь Гантимуру. Ты уже готова для него на все! О, я знаю, как ловок он в деле обольщения... Если женщина не бросается в его объятия из любви, он заставляет ее сделать это из страха. Как заставил тебя.

«Он меня не заставлял! Я сама на это решилась!» — чуть не крикнула Ольга, но вовремя спохватилась, что чуть не проболталась... чуть не проболталась о том неистовом желании, которое не просто бросило, а буквально швырнуло ее в объятия Гантимура. Даже жарко стало, когда представила, на какой смех подняла бы ее Хунту-аси, если бы язык сболтнул то, о чем следовало помалкивать.

Ольга воинственно взглянула на пришелицу, как вдруг заметила в ее глазах вовсе не насмешку, а жалость. И жалость звучала в ее голосе, когда Хунту-аси повторила, тяжело вздохнув:

— Заставил, он тебя заставил... И ты этого даже не поняла! Я же говорю, что он очень ловок. И он прекрасно знает, что мед чэнкирэ надо долго нагревать на огне, прежде чем есть его или готовить питье с ним. Иначе того, кто отведает сырой мед, одолеет неистовое плотское желание. А еще к нему подступят страшные видения, ужасные призраки, чудовища, которые, повинуясь законам Буни, воплотятся в действительность и станут видимы не только отведавшему сырой мед чэнкирэ, но и другим людям. Более того! Если этим чудовищам попадется беззащитная женщина, источающая запах растревоженной плоти, они смогут изнасиловать ее! Они даже способны убить того, кто попытается за нее вступиться. И надо быть искусным в сражениях бойцом, чтобы справиться с ними. Таким, как Гантимур, который отогнал от тебя похотливых чудовищ... после того, как сам же напустил их на тебя!

— Откуда ты знаешь? — против воли прохрипела Ольга. Она выдала себя, она выдала свое изумление, боль, но сейчас ей было все равно. — Откуда тебе это известно?!

— Оттуда, что со мной Гантимур проделал то же самое, — угрюмо призналась Хунту-аси. — Совершенно то же самое! И с теми, кто был у него до меня. Они тоже не соглашались стать сэксэчи ваптын, но разве слабая женщина сможет сопротивляться сильному мужчине, который стремится только к одной цели?

Мелькнула какая-то мысль... что-то не то почудилось в словах Хунту-аси, однако мысль тотчас растаяла в пылком возмущении, которым так и вспыхнула Ольга.

«Он и сам пил то, чем напоил меня!» — чуть не выкрикнула она, пытаясь защитить Гантимура, однако в памяти вдруг возникла картина: Гантимур вырезает два деревянных стакана. В тот, который он поднес Ольге, был подмешан сырой мед чэнкирэ.

Но откуда ей знать, положил ли он этот мед в свое питье?..

Кстати, а визит амикана не выдумал ли Гантимур? Чтобы Ольга осталась одна и призраки, которых создаст ее взбудораженное воображение, успели ее как следует напугать?

Да, он сделал это, сделал, но зачем?

«Затем, что хотел меня, вот и все! — тут же нашло ответ ее сердце. — Он хотел переспать со мной. Он настолько желал меня, что пустил в ход варварское и жестокое, прямо скажем, средство, однако разве его не оправдывает само это желание? Он гордец, он чувствовал, что я тоже горда, что не сдамся без борьбы, вот и пустил в ход крайнее средство! Я должна гордиться, а не злиться!»

Намерение было просто отличное, вот только последовать ему мешала самая малость: слова Хунту-аси, что с ней Гантимур проделал то же самое. И с теми, кто был у него до нее...

С теми! С теми! Сколько их было, этих «тех»? И с каждой в ход шла та же самая схема? Отработанная схема?

— О, Гантимур знает свою мужскую силу, — печально продолжала Хунту-аси. — Он знает, что женщина, которая проведет с ним хотя бы некоторое время, не может не исполниться желания принадлежать ему. Он всегда ведет себя одинаково. Сначала он лишь намекнет на то, что женщина тревожит его плоть, — и готово, она больше ни о чем не может думать, лишь о том, как сама его хочет. Пусть ее удерживает гордость или попытка сохранить верность тому, кого она любила раньше, — можно считать, что ее сопротивление сломлено. И все же иногда гордость еще заставляет ее сопротивляться. Однако Гантимур не способен терпеть и ждать! Ему нужна полная власть над ней. Полная власть, чтобы несчастная готова была в нужную минуту сделаться сэксэчи ваптын и обеспечить Гантимуру победу над мугды!

Что?!

Ольга вытаращила глаза.

А мугды тут вообще при чем?! Борьба с ним — это одно, а обманом овладеть женщиной — совсем другое... Или сэксэчи ваптын (на местном наречии — сексуальное неистовство или что-то в этом роде) наполняет Гантимура особой силой, необходимой для победы над мугды?

Ну, это многое объясняет и многое оправдывает, конечно... Если Гантимуру, стражу деревьев, не единожды приходилось вступать в борьбу с мугды (он же не скрывает, что всякая победа над злом — явление временное!), он, конечно, должен был подпитывать свои силы. Очевидно, секс — лучше средство для этого. И единоборство с женщиной не ослабляет его накануне единоборства с мугды, а совсем даже наоборот!

Но что имела в виду прекрасная Хунту-аси, когда сказала, что Гантимур ведет Ольгу на гибель? Может быть, она имеет в виду, что Ольга настолько влюбится в этого местного альфа-самца, что, когда они расстанутся, ее сердце будет разбито и она от этого умрет?

Ну да, конечно, еще не хватало! Насколько Ольга поняла, уничтожение мугдыкена означает выздоровление Игоря. Вот ради этого Ольга действительно готова на все, даже переспать с Гантимуром!

Что, собственно, и было сделано... И, видимо, это предстоит испытать еще раз, а то и не раз, если Гантимуру потребуется очередная подпитка энергии перед вступлением в свой последний и решительный бой... Ужас какой!

Ужас какой, что Ольга думает об этом без всякого ужаса...

Стоп. Вернулась та мысль, которая ужалила ее, словно злая муха, несколько мгновений назад, когда что-то не то почудилось в словах Хунту-аси...

И еще какое «не то»!

Ничего, Ольга сейчас выведет на чистую воду эту доброжелательницу, эту с неба свалившуюся «подругу по несчастью», которая почему-то считает Ольгу такой идиоткой, что преподносит ей ложь, сшитую самыми белыми на свете нитками!

Самыми белыми и на этом свете, и на том!

— А ведь ты мне врешь, Хунту-аси! —воскликнула Ольга. — Ты мне врешь!

Та даже отпрянула, и ее призрачно-прозрачное лицо побледнело, чудилось, еще больше.

— Ни единого слова! — воскликнула Хунту-аси. — Ни единого слова неправды не сказала я тебе!

— Да бро-ось! — протянула Ольга презрительно. — Вот смотри, что получается. Ты знаешь о том, как обольщает женщин Гантимур, по собственному опыту, ты была его женой. Так?

— Да, — кивнула Хунту-аси, озадаченно наморщив беломраморный лоб. — Я этого не скрывала.

— Конечно! — торжествующе кивнула Ольга. — Но тогда скажи, как ты могла, побывав женой Гантимура, отказаться стать его сэксэчи ваптын? Это удивительно!

— Удивительно другое, — с горечью проговорила Хунту-аси. — Как у него хватило жестокости принуждать свою жену, которая любила его беззаветно, без памяти, которая исполняла все его желания, которая дышала только им одним, — как у него хватило бессердечности принуждать меня сделаться сэксэчи ваптын?! О, тогда я поняла, что он не любил меня ни одного мгновения, что моя любовь не значила для него ровно ничего, что мое сердце — всего лишь опавший осенний листок, на который человек наступает бездумно, безжалостно, стирая его подошвой в пыль! Так Гантимур наступил на мое сердце. И с тобой будет то же самое! Ты почувствуешь то же самое, когда он силой сделает тебя сэксэчи ваптын — кровавой жертвой, необходимой, чтобы уничтожить мугдыкен!

* * *

...О чем это они с Гантимуром говорили, когда шли от дерева-лестницы, приближаясь к сияющей реке Энгдекит? Гантимур тогда упрекнул Ольгу в том, что она хочет выведать его планы. А она ответила: «Да, хочу. Потому что я чувствую себя какой-то пешкой в твоей грандиозной шахматной партии!»

Она и была пешкой... Самой незначительной, самой расходной и самой глупой пешкой.

— Кровавую жертву должна принести женщина, которая ради любви готова на все, — донесся до нее голос Хунту-аси, о которой Ольга на какие-то мгновения совершенно забыла. — Берегись Гантимура! Он будет звать тебя к своему предку Хедеу, чтобы тот указал вам дорогу к мугдыкену, но не верь его словам. Этот старик — ваптын-саман, то есть шаман, который приносит жертвы. Он будет камлать, одурманит тебя заклинаниями и дымом чэнкирэ, а Гантимур убьет тебя, вонзив тебе в сердце сухой сук, отломанный от ствола мугдыкена. Твоя умирающая душа обожжет мугдыкен как огнем, и он загорится, исчезнет. Ты тоже исчезнешь из этого мира, и даже призрака твоего не останется, который мог бы вдохнуть дым чужого костра и стать видимым. Но еще хуже то, что ты перестанешь существовать и в мире живых. Ты умрешь. Там, где ты оставила свое тело, будет лежать труп.

Ольга почувствовала, что силы у нее иссякли. Казалось, речи Хунту-аси не только изранили ее душу и сердце, но и нанесли по всему телу такие же кровоточащие раны, как та, которая зияла на груди страшной гостьи. Ольга даже сидеть не могла — снова упала на подстилку из веток и травы, скорчилась, сцепила зубы, удерживая стон, прикрыла глаза, удерживая слезы...

В голове, чудилось, пылает, клубится кровавое пламя. Может быть, таким же пламенем будет гореть мугдыкен, обагренный ее кровью. Потом огонь сменится черным дымом — таким же черным, как горе, которое терзало сейчас Ольгу.

Хунту-аси молчала. Наверное, понимала, какое потрясение испытала Ольга.

Еще бы!

— Зачем ты мне все это рассказала? — наконец смогла заговорить Ольга.

— Я хотела предостеречь тебя, чтобы ты могла спастись, неужели не понятно? — удивилась Хунту-аси.

— Как? — хрипло, горестно усмехнулась Ольга. — Ну как я могу спастись? Что я могу сделать? Куда мне податься? Ты уйдешь, а я останусь. Я бы хотела вернуться туда, откуда пришла, но без Гантимура мне этого не сделать. Если я открою ему, что знаю про кровавую жертву и не хочу ею становиться, он же все равно убьет меня, как убил тебя. И как убивал всех твоих предшественниц... И будет убивать снова и снова.

— Ты что же, думаешь, что я рассказала тебе обо всем этом, просто чтобы насладиться твоими страданиями? — возмущенно воскликнула Хунту-аси. — Нет! Я понимаю, что Гантимур убьет тебя, согласишься ли ты стать сэксэчи ваптын, не согласишься ли. Жертва должна быть принесена в любом случае! Спасение одно: бежать от него, пока не поздно. Ты должна уйти со мной. Мы бросимся в воды Энгдекита, и она вынесет тебя туда, откуда ты пришла.

— Погоди, — растерянно пробормотала Ольга, — но Гантимур говорил мне, что Энгдекит не вернет меня в мой мир, пока мугдыкен не будет уничтожен...

— Конечно, он должен был тебе сказать именно это! — презрительно воскликнула Хунту-аси. — Иначе ты сбежала бы от него и ему пришлось бы искать новую кровавую жертву для мугдыкена! Он никогда не остановится, как не может остановиться выпущенная из лука стрела, пока не достигнет цели. Но Гантимур не хочет понять, что все эти убийства бесцельны. Ведь самое грустное в том, что твоя жертва дарует людям только временную передышку от власти зла. В Буни много сухих лиственниц, и мугды скоро найдут себе новое пристанище, снова начнут мучить живых и мертвых, подчиняя их своей неодолимой власти, и тогда Гантимур приведет к стволу нового мугдыкена новую жертву, слепо поверившую ему и полюбившую его...

Ольга повернулась, легла ничком, уткнулась лицом в свою подстилку. Какой чудесный аромат источает подсыхающая трава...

Знакомый аромат! Оказывается, Гантимур подложил сюда несколько веточек чэнкирэ.

Случайно? Или чтобы еще сильней одурманить Ольгу? Или чтобы напомнить ей, как это было — желать его, кричать от счастья в его объятиях?

Но ведь она желала Игоря!.. Или уже нет? Или стоит заглянуть в глубину своего сердца и признать, что новая страсть вытеснила все, что было прежде?

Страсть к убийце...

Опять?!

Ольга издала горестный, болезненный, обжигающий гортань смешок.

Да что ж это за судьба у нее такая?! Пыталась покончить с собой, чтобы Игорь не стал убийцей. А теперь убийцей должен стать Гантимур. Но его можно спасти от этой участи, сбежав вместе с Хунту-аси.

Нет, тогда он все равно убьет кого-то еще, чтобы...

Чтобы уничтожить зло. Чтобы уничтожить мугдыкен! Такова судьба стража деревьев.

Ольга вспомнила, что в том, другом, живом мире, откуда они спустились в Буни, Гантимур не только рубил сухие лиственницы, но и сжигал их. Он оберегал другие деревья от паутины, которая могла их сгубить. Вот почему его судьба называлась «страж деревьев»!

Его судьба, изменить которую он не в силах. Он обречен бороться с вечно возрождающимся злом, тоже творя зло. Творя зло во имя краткой победы добра. Убивая женщин, которые любили его.

Как же можно любить окровавленный кинжал? Как можно любить смертоносную стрелу?

А ведь именно таков Гантимур!

Но даже жертвенный нож может затупиться, да и стрела может сломаться. Что, если Гантимур уже устал от судьбы палача? Тяготится ею? Что, если руки его устали убивать, но он обречен, как будто им тоже владеет мугды?

Мугды владел Игорем, который хотел убить Ольгу. Мугды владеет Гантимуром?..

Нет, тут было что-то еще — в этих ее тягостных раздумьях все было далеко не так просто, не зря же перед ней вдруг возникло видение: колокольня, на ее верхнем ярусе перепуганная девчонка с усилием раскачивает тяжелый колокол, а из угла на нее насмешливо поглядывает колокольный мертвец в белом колпаке — Демон, уверенный, что победит...

Ольга не могла понять, почему так ранит ее это воспоминание, почему так теснит сердце, какой ответ пытается найти встревоженный разум. Какой ответ на какой вопрос?..

— Хунту-аси! — раздался вдруг яростный крик, и Ольга подскочила, растерянно озираясь.

Хунту-аси замерла, прижав руки к груди, словно хотела скрыть свою страшную рану от... от глаз Гантимура, который стоял на высоком берегу.

Он вернулся!

И что теперь будет?..

Хунту-аси метнулась к костру, струи дыма поплыли прочь от ее тела, очертания ее стройной фигуры заколебались, стали нечеткими, а потом начали расплываться вместе с дымом. Таяли и черты лица.

Гантимур нагнулся, схватил с земли лук и стрелы, прицелился.

— Нет! — закричала Ольга. — Ты уже убил ее однажды, не делай этого больше!

Казалось, Гантимур послушался. Он опустил лук, словно задумался, потом перехватил его одной рукой, а другой достал что-то из кармана и принялся разминать пальцами.

Да ведь это остатки свечечки, которую прихватила с собой Ольгушка, идя на колокольню, а потом Ольга отдала Гантимуру, чтобы он поразил Демона!

Хунту-аси взвизгнула, тело ее стало почти прозрачным, словно вот-вот исчезло бы, а лицо исказилось, прекрасные черты изменились... и Ольга вдруг увидела на месте ее головы череп. Темно-серая кожа обтягивала его, клочья волос болтались на макушке, губы прилипли к желтым длинным зубам, а вместо прекрасных черных глаз на Ольгу смотрели зеленые глаза Демона!

Свистнула стрела, пропела угрожающую песнь смертоносного полета и вонзилась в зеленый глаз.

Видение исчезло. Только слабый дымок реял над почти погасшим костром.

Гантимур отшвырнул лук, бросился к Ольге, схватил, начал трясти:

— Очнись! Очнись! Что она говорила тебе? Что она говорила?

— Она говорила о кровавой жертве, — с трудом выговорила Ольга. — О том, как ты убил ее, когда она отказалась стать этой жертвой.

Ночь иссякала, рассвет уже завладевал небесами, и Ольга увидела, как побледнело чеканное лицо Гантимура. Впрочем, может быть, то была бледность от бессонной ночи и усталости?

Он разжал руки, и Ольга не удержалась, снова упала на травяную подстилку.

Приподнялась, пристально вглядываясь в его лицо, ловя взгляд, но Гантимур отвернулся.

Почему он не хотел встречаться с ней глазами? Не хотел, чтобы она прочла в них правду? Или просто разозлился?

Ольга стиснула руки на груди.

Гантимур наконец взглянул на нее, но невозможно было понять выражения его глаз, а голос звучал холодно, почти с ненавистью:

— Ты веришь мугды, который принял облик Хунту-аси? Я не убивал ее!

— То есть она жива? — недоверчиво пробормотала Ольга.

— Нет. Но она умерла от болезни! Я хотел спасти ее, но не смог. Ей не за что меня проклинать. Это мугды принял ее образ, чтобы ты послушалась и убежала от меня, чтобы мы не смогли уничтожить мугдыкен и спасти жертв мугды!

— А Игорь тоже будет спасен? — тихо спросила Ольга, и Гантимур вздрогнул.

— Да, — проговорил глухо. — Твой муж будет спасен.

— Это правда? Ты клянешься?

— Клянусь!

Они помолчали, дыша так тяжело, словно только что схватывались в борьбе и теперь разошлись, пытаясь набраться сил. Изредка взглядывали друг на друга и тотчас отводили глаза.

— А что будет потом? — вдруг спросил Гантимур, и Ольга уставилась на него недоумевающе — не только потому, что не поняла вопроса, но и потому, что никогда еще голос его не звучал настолько робко и нерешительно.

— С кем? — спросила она.

— С нами, — тихо сказал Гантимур. — Что будет с нами, с тобой и со мной?

Ольга растерянно смотрела в его напряженно сузившиеся глаза.

— Не знаю, — пожала плечами. — Наверное, мы будем жить каждый своей жизнью.

— Каждый своей?! — воскликнул Гантимур. — Ты вернешься к нему, а я... Наши тропы разойдутся?!

Ольга зажмурилась.

То же самое сказал ей Игорь! «У каждого будет своя жизнь, наши тропы разойдутся. Я отдаю тебя ему...»

Что ей делать? Как поступить?

Она открыла глаза.

Гантимур стоял отвернувшись, глядя на тихое зарево рассвета.

— Нам пора в путь, — проговорил он глухо. — Лодка внизу, под обрывом. Идем.

Ольга молча поднялась, подошла к нему сзади и прижалась к его спине.

Дрожь прошла по его телу, но он не повернулся к ней, не обнял. Стоял, угрюмо свесив руки, и Ольге пришлось обойти его, поднять эти напряженные руки и самой положить себе на плечи.

Губы Гантимура чуть дрогнули, но он по-прежнему стоял недвижимо.

Ольга неотрывно всматривалась в это смугло-бледное лицо, в темные глаза, словно искала в них ответ, но сама не знала, на какой вопрос.

Прижала ладонь к его высокому лбу, потом к сердцу. Лоб Гантимура под ее ладонью стал горяч, а сердце забилось часто-часто.

Она подняла его руки и соединила со своими: палец к пальцу, ладонь к ладони... вдруг показалось, это было самое волнующее прикосновение, которое она когда-либо испытала! Дрожь прошла по всему ее телу и передалась Гантимуру, потому что и он, и он тоже содрогнулся... содрогнулся — и снова замер, ни взглядом, ни словом, ни знаком не отвечал ей, пока она прижималась, целовала, ласкала его — тоже молча, по-прежнему не закрывая глаз, чтобы другое лицо не заслонило эти чеканные черты, а когда тела их наконец-то слились, она выкрикнула его имя, словно утверждая эту новую власть над собой и своим сердцем.

И своей судьбой...

* * *

...Из всего плавания по Энгдекиту Ольга запомнила только переход через порог. До этого мгновения река была неожиданно спокойна, и даже водовороты переставали закручивать свои губительные воронки, когда Гантимур, стоящий на корме, подводил к ним лодку-долбленку, умело работая длинным веслом.

Ольга сидела спиной к Гантимуру, иногда ощущая на себе его взгляд и слабо улыбаясь при этом.

Иногда от ряби самоцветных волн начинала кружиться голова, и тогда немедленно наплывала, заволакивала сознание дремота. Ночью-то поспать не удалось, да и потом — потом! — когда они провалились в сон, даже не разъединив спаянные любовным порывом тела, Ольга вскоре проснулась, оттого, что Гантимур что-то бормотал, стонал, а потом вдруг вскрикнул, и из крепко зажмуренных глаз его выкатились две слезинки.

Ольга больше так и не уснула — думала, думала, думала о прошлом и о будущем. Она переплела косу — и вдруг почудилось, будто Ольгушка встала рядом, заглянула в глаза и прошептала:

«...Упыри встают ночами из могил, обуреваемые желанием сосать кровь спящих людей. Если подозревают кого в таких злодействах, надобно труп его вырыть из земли и, увидев, что он румян и свеж, словно живой человек, следует вонзить в сердце его осиновый кол, а потом сжечь труп на осиновом костре. При этом следует остерегаться струи черной крови, которая хлынет из злобного сердца, не то, если хоть капля на кого-то попадет, останутся на теле неизлечимые язвы...»

«Что ты хочешь от меня, страж высоты? — подумала Ольга. — О чем предупреждаешь? Я и сама чувствую, что слова Хунту-аси, вернее Демона, оставили неизлечимые язвы в моей памяти! И я не знаю, кому сейчас верить и верить ли вообще!»

Однако стрела-Гантимур был по-прежнему направлен к цели, летел к ней, и Ольге оставалось только подчиниться, когда он вскочил сам и вздернул на ноги ее.

Но теперь дремота одолевала все чаще, и в конце концов она вообще села на дно лодки, словно упала в сон, не чувствуя ледяных брызг, иногда вздымавшихся вокруг лодки, однако громкий крик Гантимура: «Впереди порог! Держись крепче!» — заставил ее вскинуться и суматошно оглядеться.

Течение Энгдекиту входило словно бы в створ между двумя скалистыми берегами, и в этом месте лежал огромный камень, очевидно, обломок скалы, отполированный волнами. Вода кипела, ярилась на нем, но потом река, словно утолив мгновенный приступ злобы, тихо текла дальше.

Но порог ревел, а течение казалось настолько стремительным, что Ольга испугалась.

Гантимур еще до отправления предупредил ее, что лодка может не послушаться его. Вернее, Энгдекит может не пропустить ее через порог. Тогда придется править к берегу и добираться до жилища Хедеу пешком. Это гораздо дольше, трудней, однако воля судьбы будет именно такова.

Придется подчиниться...

— Держись! — снова крикнул Гантимур, и нос лодки вдруг захлестнуло волной.

Ольга вцепилась в борта. Казалось, лодку, покорную всевластному течению, сейчас развернет поперек порога и выбросит на скалы!

Ольга испуганно глянула через плечо и увидела, как Гантимур сильно налегает на шест, удерживает направление и заставляет лодку двигаться медленно, не подчиняясь свирепой власти волн.

«Если он не одолеет порог, если мы поплывем к берегу — тогда...» — вдруг загадала Ольга, не в силах оформить свою мысль словами, однако четко осознавая, как ей придется поступить, если случится именно это.

Впрочем, Гантимур не собирался сдаваться.

Вот долбленка взлетела на омытую струями воды ступень порога, на миг замерла, словно зацепилась за камень круглым днищем, но тотчас соскользнула и мягко-мягко, спокойно-спокойно пошла по волнам.

Ольга вздохнула.

Это был тот знак, которого она ждала. Как бы ни был тяжел путь, как бы ни было мучительно принять решение, Ольга его приняла. Вихри сомнений улеглись. Течение судьбы влекло ее так же властно, как Энгдекит влек лодку, и она повиновалась судьбе так же, как лодка повиновалась реке.

И воле Гантимура...

Прошло еще немного времени, и чуть ли не на половину Энгдекита выступил утес, густо поросший лесом.

— Эду! Здесь! — радостно воскликнул Гантимур, поворачивая к берегу, на котором стоял лысый старик с клочком седых волос на подбородке, одетый в плащ из звериных шкур.

Ольга с интересом писмотрелась к нему.

— Хедеу, — сказал Гантимур. — Великий предок...

В руке у предка был длинный шест, которым он зацепил лодку за нос и потащил ее к берегу, выказывая совсем не стариковскую силу, хотя лицо его было изборождено морщинами, на черепе не было ни волоска, а руки казались сухими ветками.

Хедеу не произнес ни слова, только смерил Ольгу беглым взглядом, потом посмотрел в глаза Гантимуру и кивнул, приглашая следовать за собой.

Они поднялись на склон, и долго, долго шли вслед за Хедеу по тропам, проложенным не ногами людей, а копытами и лапами здешнего зверья. Шум Энгдекита то приближался, то удалялся. Если к реке подходили близко, там и сям начинали пылать темные костры чэнкирэ, множество таежных цветов рассыпалось по траве, выглядывало из-под кустов и деревьев, но стоило углубиться в тайгу, как путников окружали приземистые кедры, на стволах которых мотались под легким ветерком длинные пряди седых лишайников, часто приходилось натыкаться на поваленные стволы, затянутые, словно могилы, плотным покровом мха.

Наконец вышли на поляну, где стоял урас шамана Хедеу. Это оказалось сооружение из десятка тонких жердей, покрытых кусками березовой коры.

Вокруг стояли большие и маленькие деревянные, потемневшие от времени и растрескавшиеся фигурки сэвэнов — духов-помощников шамана: и человекообразные, и напоминавшие каких-то зверей. Там и сям торчали корнями вверх срубленные сухие деревья, которые заставили Ольгу покоситься на них подозрительно, однако Гантимур успокоил ее, шепнув, что ни одной лиственницы между ними нет, а вверх корнями они стоят потому, что символизируют вход в Верхний мир.

— Так вершины же вниз направлены, — недоумевающе заикнулась Ольга, однако Гантимур сурово свел брови:

— Шаману лучше знать!

Горел костер; над ним на рогульках был подвешен до густой черноты закопченный котелок. В нем булькала вода, и Ольга вздохнула, когда старик бросил в нее пригоршню какой-то сухой травы.

Однако это был явно не чэнкирэ.

— Чай будем варить, — вдруг сказал Хедеу. — Это илдехэ — цветы липы, как ее называют русские. Но сначала надо поесть мясо. Борьба с мугдыкеном заберет много сил.

Итак, старый шаман знал русский язык. Однако когда настал вечер, закончился ужин и Хедеу приступил к обряду, он, конечно, говорил на своем языке:

> — Аглаи-буга ададедгин,
> Нянгня-буга долдытчагин,
> Харгингилви енгилделим,
> Бэлэичилви орилдегим!

Ольга то и дело задремывала под монотонное бормотание, изредка встряхивая головой, когда старик вдруг начинал колотить в свой бубен или начинал кричал:

— Хэгэй, хэгэй, хэгэй, хэгэй!

Ему вторил Гантимур:

— Хэгэй-эй, хэгэй-эй, эй-эй-хэгэй!

Наконец Хедеу изнемог и рухнул на землю у костра, сразу погрузившись в сон. А Гантимур взял Ольгу за руку и ввел внутрь ураса. Там он плотно задвинул шкуру, прикрывавшую вход, потом они легли на устилавшие пол оленьи шкуры, полысевшие от времени, и предались любви. Сначала Ольга стеснялась спавшего неподалеку старика, но Гантимур, раньше сдержанный и молчаливый, даже в самые острые мгновения позволявший себе только глухие стоны, теперь яростно выкрикивал какие-то непонятные слова:

— Харгингилви-амикарви, мотынгилви, багдаклви, иргичилви, дянтакилви! Луннэлвэ мурукэденэл, сикагилва илтэнденэл, химат миндуло! Хумат миндуло!

А потом набрасывался на Ольгу с удвоенной, утроенной, дикой энергией, так, что она кричала, забыв всякий стыд, кричала до хрипов, до жалобных стонов, почти теряя сознание от новых и новых приступов наслаждения.

Наконец, обессилев, Гантимур простерся рядом и перевел ей эти заклинания:

— «Духи-медведи, духи-лоси, духи — дикие олени, духи-волки, духи-росомахи! Землю всю обежав, скорей ко мне! Скорей ко мне!» — И пояснил: — Я хотел, чтобы эти звери передали мне свои силы, чтобы тобой владел не только я, но и вся тайга. Ты чувствовала это? Я знаю, ты чувствовала это!

Ольга, обессиленная, истерзанная, измученная, могла только слабо шевельнуть опухшими от его поцелуев губами — и уснула, чувствуя только, как его пальцы свились с ее пальцами.

Однако вскоре она проснулась от того, что озябла.

Гантимура рядом не было. За неплотно задвинутой шкурой-дверцей видна была игра огня.

Ольга еще полежала, пытаясь эхом телесного блаженства утихомирить боль, которая привычно сжала сердце, вернуть спокойствие принятого решения.

Ах, как это было мучительно! Лучше бы не было этой счастливой ночи. Трудно будет проститься...

Ольга кое-как поправила одежду, переплела спутанную косу и выбралась из ураса.

Гантимура не было и здесь. Хедеу сидел у костра на ошкуренном бревне, глядя в огонь. Он покосился на Ольгу и чуть подвинулся, словно пригласил ее сесть рядом.

Ольга опустилась на бревно, набираясь храбрости заговорить.

— Спрашивай, — вдруг сказал Хедеу.

— Вы знаете о стражах? — нерешительно начала Ольга.

— Гантимур говорил, да, — кивнул старик.

— Как Гантимур стал стражем?

— Почему ты не спросила его самого? — покосился на нее шаман.

— Я спросила, он не ответил.

— Зачем тогда хочешь знать? Если он не ответил, как могу я выдать тайну?

— Я должна знать, — упрямо сказала Ольга. — Я должна знать. Если хотите, я расскажу вам, как я стала стражем.

— Гантимур уже рассказал, — буркнул старик.

— Когда? — изумилась Ольга.

— Недавно. Когда пошел к мугдыкену.

«Гантимур убьет тебя, вонзив тебе в сердце сухой сук, отломанный от ствола мугдыкена...» — вспомнилось предупреждение Хунту-аси... Демона.

Сердце сжалось так, что Ольга вскочила.

— Сядь, — приказал Хедеу. — Сядь и жди. Твое время еще не пришло.

Голос его звучал равнодушно, равнодушен и проницателен был устремленный на нее взгляд.

«Берегись Гантимура! Он будет звать тебя к своему предку Хедеу, чтобы тот указал вам дорогу к мугдыкену, но не верь его словам. Этот старик — ваптын-саман, то есть шаман, который приносит жертвы. Он будет камлать, одурманит тебя заклинаниями и дымом чэнкирэ, а Гантимур убьет тебя, вонзив тебе в сердце сухой сук, отломанный от ствола мугдыкена. Твоя умирающая душа обожжет мугдыкен как огнем, и он загорится, исчезнет...»

— Да, — проговорил Хедеу, — я ваптын-саман, и я знаю, почему мугды так старался остановить тебя. Он боялся! Он провидел, что ты сама согласишься стать кровавой жертвой. По доброй воле! Именно это нужно для того, чтобы мугдыкен сгорел — и больше не появился. Вместе с ним сгорят и злые мугды. Люди будут удивлены: почему они стали крепче здоровьем? Почему страшные болезни не уносят жизни целых племен? Почему над землей не веют злые вихри, разрушая наши дома, не пылают леса и не выходят реки из берегов? Никто не будет знать, что это произошло потому, что мугдыкен, пристанище зла, получило добровольную жертву и сгорело.

— Я не понимаю, — пробормотала Ольга. — Ведь пожертвовать собой ради людей — это так просто! Это сущность стража. Почему же Гантимур сам не сделал этого? Почему убивал других женщин?

— Гантимур никогда никого не убивал, — гневно прошипел старик. — Это тебе мугды наговорил! А ведь Гантимур клялся, что никого не убивал. Почему ты не поверила ему?! Почему поверила мугды? Разве человек, который сам отдал душу во власть мугды, чтобы спасти беззащитных, может убивать женщин?!

— Как он стал стражем?! — воскликнула Ольга. — Расскажите мне!

Хедеу покорно вздохнул.

— Ладно. Слушай! Это было очень давно. На маленькое стойбище налетела стая страшных птиц, в которых воплотились мугды. Это были давлэн энимук, заразные болезни, которые губят людей, собак, оленей... Шаман камлал, спрашивал духов, спрашивал Майни, Хозяйку мира, зачем обрывает столько нитей подряд? Ведь скоро ни одной не останется! Майни ответила, что надо найти одного человека, который принесет себя в жертву около мугдыкена. Вызвался Гантимур — мой потомок. Его жена — Хунту-аси — лежала больная. Ей было страшно, больно, за ней некому было ухаживать. Она умоляла Гантимура никуда не ходить, остаться с ней. Она говорила, что должен пойти какой-нибудь никому не нужный старик, чья смерть никого не огорчит, который и сам молит о ней. Но Гантимур знал, что мугдыкен не хочет остывшей крови, его не успокоит сердце, которое устало от жизни и жаждет смерти. Мугдыкену нужно сердце, исполненное любви, воспламенить его может только пылающая кровь. Гантимур пошел к мугдыкену и там бросился грудью на сухой сук.

Злые птицы давлэн энимук слетелись к нему всей стаей, но в это мгновение кровь Гантимура зажгла мугдыкен, пристанище мугды сгорело, вместе с ним сгорели страшные птицы. Наверное, умирая, Гантимур надеялся, что спасет не только весь свой род, но и Хунту-аси, однако она умерла, когда он еще только шел к мугдыкену. Зато другие выжили. Матери и дочери, мужчины и сыновья. Деды и внуки. Люди, и олени, и собаки. Так он стал стражем.

— Мугдыкену нужно сердце, исполненное любви, воспламенить его может только пылающая кровь... — повторила Ольга и поднялась. — Это хорошо, что вы мне все рассказали. Надо ли мне ждать Гантимура здесь или лучше пойти прямо к мугдыкену?

Хедеу тоже встал. Он был ниже Ольги ростом, и ему пришлось закинуть голову, чтобы заглянуть ей в глаза.

— Все ли ты поняла, что я сказал? — спросил напряженно. — Ты поняла, что стать стражем — это не значит жить вечно?

— Что это значит? — непонимающе нахмурилась Ольга.

— Это значит, что страж, вновь пожертвовавший собой, умрет.

— Кровавая жертва — это и есть смерть, — улыбнулась Ольга. — Я готова к ней.

«Однажды я пожертвовала собой ради того, кого любила, — подумала она. — Теперь придется сделать то же самое. Судьба такая! А судьба Ольгушки — спасать от власти Демона не одного человека, а множество. Наконец наши сущности сольются воедино не просто отраженными в Энгдеките, а в нашей общей судьбе! Правда, не надолго...»

— Только... я не хочу, чтобы меня убил Гантимур, — сказала она старику. — Вы понимаете? Не хочу! Подскажите, как мне это сделать самой. Укажите мне дорогу.

— Иди туда, — махнул рукой Хедеу. — Поднимись на сопку, пройдешь мимо зарослей чэнкирэ, потом через мертвый пихтач — и выйдешь к мугдыкену. Дерево стоит на обрыве. Но над ним нависает плоский камень. Ты должна взобраться на него и спрыгнуть. Тогда ты угодишь грудью на острый сук мундыкена и погибнешь. А оно получит свою жертву и сгорит.

— Прощайте, — сказала Ольга, слабо улыбнувшись: «Хорошо, что пройду мимо чэнкирэ, сорву веточку на память!»

Старик кивнул, вернулся к костру, сел, уставился в костер...

И вдруг вскочил, поводя головой на тощей шее, принюхиваясь, словно диковинная лысая птица.

«Птица гриф, — вспомнила Ольга картинку, попавшуюся однажды на глаза. — Птица гриф, которая клюет мертвечину. Старый гриф чует мою смерть. Принюхивается к ней!»

Внезапно до нее донесся запах дыма.

Так вот к чему принюхивался Хедеу!

Он взглянул на Ольгу, словно не веря глазам, и что-то пробормотал. Глаза его были полны ужаса!

И тогда стало страшно ей, страшно так, как не было никогда в жизни! Даже под дулом пистолета в руках Игоря. Даже в окружении призраков. Даже под взглядом зеленых глаз Демона!

— Что случилось? — крикнула она и закашлялась, так сильно запахло дымом. Вдали над лесом встало зарево. Подул ветер.

Хедеу стоял, вытянув шею, протягивая руки в ту сторону, откуда наносило серые полосы дыма.

— Гантимур! — простонал он. — Гантимур!

Догадка была так кошмарна, болезненна, невероятна, что Ольга забыла о старике, забыла обо всем на свете и бросилась было бежать к сопке, однако не могла сделать и шагу, такой порыв ветра вдруг обрушился на нее, сбил с ног, смял, словно листок бумаги, потащил по земле, по траве...

Ольга пыталась уцепиться хоть за что-то, но вихрь поднял ее над кустами, над деревьями — и внезапно разжал свои тугие объятия. Ольга полетела вниз... волны Энгдекита расступились перед ней, она начала погружаться, угодила в водоворот, потом неведомая сила, такая же неодолимая, как ураган, который сверзил ее в реку, вытолкнула ее на поверхность воды и куда-то потащила со стремительностью, лишившей возможности думать, дышать, чувствовать. Ольга никак не могла понять, теряет ли она сознание, умирает ли — и это все было не важно, не важно... Последнее, что она видела, была серая полоса дыма, тянувшаяся над сверкающими водами Энгдекита. Ветер трепал эту полосу, и Ольге показалось, будто вдали кто-то машет, машет, прощально машет ей вслед.

* * *

— ...Это ужас, — испуганно бормотала какая-то женщина рядом. — Ужас! Сейчас мы его уберем. Кто бы мог подумать... Ничего не понимаю!

— Не надо его увозить, — раздался рядом голос, от которого у Ольги дрогнуло сердце. — Приедет полиция, во всем разберется. Просто отгородите его ширмой. И позвоните в отделение.

Прозвучали удаляющиеся торопливые шаги. Потом что-то проехало по полу, поскрипывая колесиками, и остановилось рядом с Ольгой. Шаги, какая-то возня...

— Вот так нормально, — послышался тот же голос.

Она боялась открыть глаза и вслушивалась всем существом своим. Она не слышала этот голос так давно, но узнала сразу. Однако в это было невозможно поверить!

— Погодите-ка! — воскликнула какая-то женщина. — Вы только посмотрите на монитор! Она, кажется, приходит в себя!

— Оля? Оля! Открой глаза!

Она подчинилась, но сразу зажмурилась от белизны, которая царила вокруг, от слишком яркого света, от сияющих глаз Игоря, которые были совсем рядом.

Его руки схватили ее, приподняли, прижали к себе, его губы скользили по ее лицу, по шее, задыхающийся шепот казался оглушительным.

— Отпустите ее! — сердито требовала еще какая-то женщина. — Вы ее задушите!

Но губы Игоря, глаза Игоря по-прежнему были рядом, руки тормошили ее:

— Оля, очнись! Очнись!

— Это ты?! — пробормотала она недоверчиво — и слезы так и хлынули из глаз. — Ты жив?! — прорыдала Ольга. — Ты очнулся?! Боже мой...

— Да, да, еще три дня назад, — быстро рассказывал Игорь, делая какие-то странные движения то одним локтем, то другим, и Ольга не сразу поняла, что ее муж просто пытается оттолкнуть медсестру, которая держала в руках шприц и пыталась подойти к Ольге то с одной стороны, то с другой, а Игорь не пропускал ее. — Меня просто не выписывали, и я пообещал, что убегу. Тогда только выписали, и я сразу сюда. Сюда только сейчас вошел — и ты сразу очнулась, хотя три дня была без сознания. Слава богу, слава богу! Я уж думал, что зря вернулся с того света! Думал, лучше мне так и лежать в коме, лучше умереть, если не будет тебя... Прости меня! Что я наделал, прости!

— Ничего, ничего, я здесь, — бормотала Ольга, слабо соображая, что вообще говорит. — Я с тобой!

— Отойдите, сколько вам говорить! — рявкнул кто-то рядом, и Ольга сквозь слезы разглядела Борцова — заведующего отделением оксигенобаротерапии областной больницы.

Он оттащил Игоря от кровати, и Ольга увидела, что находится в том же отделении реанимации, откуда они с Гантимуром ушли... нет, не ушли... когда? Куда? Было это? Не было?

Медсестра, которая мигом подскочила и всадила Ольге в вену укол, была та самая Виктория Сергеевна, которая называла себя тезкой Борцова. Судя по тому, что за окнами темно, сейчас ночь; сестра, наверное, дежурит в реанимации, но что здесь делает Борцов в такое время?

Похоже, Ольга задала этот вопрос вслух, потому что Борцов уставился на нее недоумевающе, потом скупо улыбнулся:

— Я тоже дежурю. Тут у вас по соседству находился мой пациент. Да его ведь при вас из барокамеры доставили! Помните, с отеком мозга? Я за ним присматривал, да недосмотрел вот. Меня вызвали, когда ему стало хуже, а потом...

Ольга слегка повернула голову и взглянула на кровать Гантимура. Кровать была загорожена ширмой.

Понятно, это ее колесики поскрипывали по полу...

— Что с ним? — с трудом шевеля губами, прошелестела Ольга.

— Ему... плохо, — сказал Борцов.

— Что с ним?!

— Не надо волноваться, Олечка, — испуганно склонился к ней Игорь.

— Он умер? Он умер, да?! Скажите мне, ведь я же врач, это моя «Скорая» доставила его сюда с отеком мозга, я должна знать! — выкрикнула Ольга, резко садясь.

Голова так закружилась, что она чуть не свалилась с кровати, но Игорь успел подхватить.

Ольгу уложили.

Борцов, зло оскалившись, читал то, что было написано на пластиковом планшете, прикрепленном к спинке кровати Ольги.

Она вспомнила, что планшет был заполнен Кириллом Поликановым, — и схватилась за сердце.

Было это? Не было? Но главное, что с Гантимуром?!

— Вы успокоились? — осторожно спросил Борцов. — Неполезно в вашем состоянии, после двух реанимационных мероприятий, после дефибрилляции, после трехдневной комы так дергаться. Ладно, поскольку вы коллега, я скажу: сосед ваш скончался, однако отек мозга тут ни при чем. У него рана в груди, нанесенная неизвестным предметом. Самое поразительное в этой ситуации, что рана появилась, когда в палате было несколько человек: две медсестры, реаниматолог, ваш покорный слуга — ну и вы пятая. Каким образом этот человек был убит на глазах у всех нас, я не понимаю.

Дым реял перед глазами — серая пелена, которую трепал ветер, отчего казалось, что кто-то издалека прощально машет Ольге.

Она видела сухое, покрытое паутиной дерево, обагренное живой кровью из сердца Гантимура, охваченное огнем... огнем его страсти к Ольге, страсти такой же загадочной, неодолимой, темной, как пламень чэнкирэ!

— Его не убили, — пробормотала Ольга, опуская веки, ставшие вдруг тяжелыми. — Он сам...

— Что? — воскликнул Игорь.

— Не обращайте внимания, — буркнул Борцов. — Это успокоительное действует, она не понимает, что говорит. Сейчас заснет, а через пару часов проснется уже совершенно нормальным человеком.

— Вызвал я полицию, — проговорил еще один мужчина, быстро входя. — Едут. Ох, что сейчас начнется!

— Я баночку принесла, — всхлипнула какая-то женщина. — Цветочки поставила ваши. Красивые какие... А пахнут как!

Слабый сладостный аромат коснулся ноздрей Ольги. Она где-то слышала этот запах... где, когда — она не помнила, не знала. Было ли это во сне или наяву...

— Как же они называются? — спросила Виктория Сергеевна.

— Я их у какого-то старика купил — прямо у ворот больницы, — сказал Игорь. — Я такие видел, когда был в командировке в Хабаровске, на Дальнем Востоке. Это багульник.

— Чэнкирэ, — пробормотала Ольга. — Это чэнкирэ...

* * *

Я — страж высоты. Спасаю тех, кого хочет сбросить вниз нечистая сила злая. Их называют чертями, демонами, бесами... Слова разные, а суть у них одна.

Один из таких нечистиков — колокольный мертвец.

Обычно люди поднимаются на колокольни по ночам, чтобы бить в набат. О бедах возглашают ночные колокола: о внезапных пожарах, о приближении чумы, Коровьей Смерти или еще какой хворости. Однако иной раз просто померещится что-то человеку — он и потащится наверх поглядеть, что это там.

Ну а колокольный-то мертвец, сила злая, его там и ждет-поджидает!

Это дух самоубийцы, тела которого не принимает земля. Нечистый, прислужник дьявола! По ночам он, в белом колпаке, сидит в углу на верхнем ярусе колокольни. Лишь только взберется после полуночи туда человек, нечисть начнет ему свой колпак навязывать: надень да надень!

Наденешь — тут тебя колокольный мертвец вниз и сверзит. Конец тебе!

Впрочем, по большей части те, кто с колокольным мертвецом встретился, колпака не брали, а прыгали с высоты на землю. Этого нечисть от них и ждала! Ведь колокольному мертвецу надо не сбросить человека, а так сильно напугать, чтобы тот сам вниз кинулся. Так же однажды случилось и со мной, только напугал меня не колокольный мертвец, а... не знаю, как сказать, как назвать, кроме двух слов: пособник смерти.

Да, пособник смерти отправил меня на тот свет, а потом меня в пособники жизни определили. Удивительно!

Спросите, почему колокольный мертвец не своими руками старается какого-нибудь бедолагу со звонницы сбросить, а вынуждает его сделать это самостоятельно? Потому что каждый самоубивец – это, как в народе говорят, черту баран. На них, по слухам, черти в аду дрова да смолу возят, на тех дровах в котлах ту смолу кипятят, в которой тех грешников варят.

Насчет котлов и смолы ничего не скажу, зато точно знаю, что грешной душе настолько невмоготу одной от своих прегрешений, от презрения да ненависти к себе маяться, что она во что бы то ни стало старается другую душу погубить. За это, говорят знающие люди, дьявол срок мучений адовых скостить может. А жертва злодейства спасется, только если ее кто-нибудь отмолит или если не суждена ей изначально жизнь в ином образе, в ином теле, в иной судьбе – не для погубления, а для спасения несчастных, как это было суждено мне.

Я не знаю, что именно происходит потом с теми, кого я **ловлю** у самой земли. Может быть, кто-то из них попал в тот же **поезд**, в который попала я, и так же, как я, становится стражем, а может быть, они проживают обычную жизнь людей, чудом спасшихся от смерти, вечно благодаря неведомую силу за свое спасение.

Значит, и меня благодарят...

Хотя, если честно признаться, я ведь не по своей воле действую. Меня в стражи **определили** за спасение от гибели всего нашего села и ближних к нему деревень.

Елена Арсеньева

О прошлом своем, о той моей прежней жизни я почти не вспоминаю. Пребывание мое в сущности стража настолько долгое, что я и счет ему потеряла, и разные случаи спасения перемешались все в моей памяти.

Бывает, конечно, что я не успеваю **поймать**. Не успеваю спасти! Бывает, да... я чувствую, как жизнь человека уходит из моих рук, но сделать ничего не могу, как ни стараюсь.

Наверное, это мне когда-нибудь отольётся. Наверное, они меня проклинают... там, куда попадают после смерти самоубийцы.

Проклинают за то, что я их не спасла!

А может быть, меня проклинают и те, кого я спасла. Может быть, они и не желали этого спасения?

Но я об этом стараюсь не думать. Просто делаю то, что могу.

А еще я не думаю о том, сколько еще пробуду стражем... Вечность, наверное.

Страшное слово, но меня оно не пугает. Наверное, потому, что я не слишком понимаю, что это значит.

Вот и хорошо!

Литературно-художественное издание

Арсеньева Елена Арсеньевна

ТЕМНОЕ ПЛАМЯ ЛЮБВИ

Ответственный редактор *Е. Неволина*
Младший редактор *Е. Шукшина*
Художественный редактор *Е. Анисина*
Технический редактор *Г. Романова*
Компьютерная верстка *В. Андрианова*
Корректор *Н. Лин*

ООО «Издательство «Эксмо»
123308, Москва, ул. Зорге, д. 1. Тел.: 8 (495) 411-68-86.
Home page: www.eksmo.ru   E-mail: info@eksmo.ru
Өндіруші: «ЭКСМО» АҚБ Баспасы, 123308, Мәскеу, Ресей, Зорге көшесі, 1 үй.
Тел.: 8 (495) 411-68-86.
Home page: www.eksmo.ru   E-mail: info@eksmo.ru.
Тауар белгісі: «Эксмо»
Интернет-магазин : www.book24.ru

Интернет-магазин : www.book24.kz
Интернет-дүкен : www.book24.kz
Импортёр в Республику Казахстан ТОО «РДЦ-Алматы».
Қазақстан Республикасындағы импорттаушы «РДЦ-Алматы» ЖШС.
Дистрибьютор и представитель по приему претензий на продукцию,
в Республике Казахстан: ТОО «РДЦ-Алматы»
Қазақстан Республикасында дистрибьютор және өнім бойынша арыз-талаптарды
қабылдаушының өкілі «РДЦ-Алматы» ЖШС,
Алматы қ., Домбровский көш., 3«а», литер Б, офис 1.
Тел.: 8 (727) 251-59-90/91/92; E-mail: RDC-Almaty@eksmo.kz
Өнімнің жарамдылық мерзімі шектелмеген.
Сертификация туралы ақпарат сайтта: www.eksmo.ru/certification

Сведения о подтверждении соответствия издания согласно законодательству РФ
о техническом регулировании можно получить на сайте Издательства «Эксмо»
www.eksmo.ru/certification
Өндірген мемлекет: Ресей. Сертификация қарастырылмаған.

Подписано в печать 22.10.2019. Формат 84х108$^1/_{32}$.
Гарнитура «NewBaskervilleCTT». Печать офсетная. Усл. печ. л. 16,8.
Тираж 2000 экз. Заказ О-2988.

Отпечатано в типографии филиала АО «ТАТМЕДИА» «ПИК «Идел-Пресс».
420066, Россия, г. Казань, ул. Декабристов, 2. E-mail: idelpress@mail.ru

В электронном виде книги издательства вы можете купить на **www.litres.ru**

ЛитРес:

Москва. ООО «Торговый Дом «Эксмо»
Адрес: 123308, г. Москва, ул. Зорге, д. 1.
Телефон: +7 (495) 411-50-74. **E-mail:** reception@eksmo-sale.ru

По вопросам приобретения книг «Эксмо» зарубежными оптовыми покупателями обращаться в отдел зарубежных продаж ТД «Эксмо»
E-mail: **international@eksmo-sale.ru**

*International Sales: International wholesale customers should contact
Foreign Sales Department of Trading House «Eksmo» for their orders.*
international@eksmo-sale.ru

По вопросам заказа книг корпоративным клиентам, в том числе в специальном оформлении, обращаться по тел.: +7 (495) 411-68-59, доб. 2261.
E-mail: **ivanova_ey@eksmo.ru**

Оптовая торговля бумажно-беловыми
и канцелярскими товарами для школы и офиса «Канц-Эксмо»:
Компания «Канц-Эксмо»: 142702, Московская обл., Ленинский р-н, г. Видное-2,
Белокаменное ш., д. 1, а/я 5. Тел./факс: +7 (495) 745-28-87 (многоканальный).
e-mail: **kanc@eksmo-sale.ru**, сайт: www.**kanc-eksmo.ru**

Филиал «Торгового Дома «Эксмо» в Нижнем Новгороде
Адрес: 603094, г. Нижний Новгород, улица Карпинского, д. 29, бизнес-парк «Грин Плаза»
Телефон: +7 (831) 216-15-91 (92, 93, 94). **E-mail:** reception@eksmonn.ru

Филиал ООО «Издательство «Эксмо» в г. Санкт-Петербурге
Адрес: 192029, г. Санкт-Петербург, пр. Обуховской обороны, д. 84, лит. «Е»
Телефон: +7 (812) 365-46-03 / 04. **E-mail:** server@szko.ru

Филиал ООО «Издательство «Эксмо» в г. Екатеринбурге
Адрес: 620024, г. Екатеринбург, ул. Новинская, д. 2щ
Телефон: +7 (343) 272-72-01 (02/03/04/05/06/08)

Филиал ООО «Издательство «Эксмо» в г. Самаре
Адрес: 443052, г. Самара, пр-т Кирова, д. 75/1, лит. «Е»
Телефон: +7 (846) 207-55-50. **E-mail:** RDC-samara@mail.ru

Филиал ООО «Издательство «Эксмо» в г. Ростове-на-Дону
Адрес: 344023, г. Ростов-на-Дону, ул. Страны Советов, 44А
Телефон: +7(863) 303-62-10. **E-mail:** info@rnd.eksmo.ru

Филиал ООО «Издательство «Эксмо» в г. Новосибирске
Адрес: 630015, г. Новосибирск, Комбинатский пер., д. 3
Телефон: +7(383) 289-91-42. E-mail: eksmo-nsk@yandex.ru

Обособленное подразделение в г. Хабаровске
Фактический адрес: 680000, г. Хабаровск, ул. Фрунзе, 22, оф. 703
Почтовый адрес: 680020, г. Хабаровск, А/Я 1006
Телефон: (4212) 910-120, 910-211. **E-mail:** eksmo-khv@mail.ru

Филиал ООО «Издательство «Эксмо» в г. Тюмени
Центр оптово-розничных продаж Cash&Carry в г. Тюмени
Адрес: 625022, г. Тюмень, ул. Пермякова, 1а, 2 этаж. ТЦ «Перестрой-ка»
Ежедневно с 9.00 до 20.00. Телефон: 8 (3452) 21-53-96

Республика Беларусь: ООО «ЭКСМО АСТ Си энд Си»
Центр оптово-розничных продаж Cash&Carry в г. Минске
Адрес: 220014, Республика Беларусь, г. Минск, проспект Жукова, 44, пом. 1-17, ТЦ «Outleto»
Телефон: +375 17 251-40-23; +375 44 581-81-92
Режим работы: с 10.00 до 22.00. **E-mail:** exmoast@yandex.by

Казахстан: «РДЦ Алматы»
Адрес: 050039, г. Алматы, ул. Домбровского, 3А
Телефон: +7 (727) 251-58-12, 251-59-90 (91,92,99). E-mail: RDC-Almaty@eksmo.kz

Украина: ООО «Форс Украина»
Адрес: 04073, г. Киев, ул. Вербовая, 17а
Телефон: +38 (044) 290-99-44, (067) 536-33-22. **E-mail:** sales@forsukraine.com

Полный ассортимент продукции ООО «Издательство «Эксмо» можно приобрести в книжных магазинах «Читай-город» и заказать в интернет-магазине: www.chitai-gorod.ru.
Телефон единой справочной службы: 8 (800) 444-8-444. Звонок по России бесплатный.

Интернет-магазин ООО «Издательство «Эксмо»
www.book24.ru
Розничная продажа книг с доставкой по всему миру.
Тел.: +7 (495) 745-89-14. E-mail: imarket@eksmo-sale.ru

ISBN 978-5-04-106786-1

9 785041 067861 >